Liza
MARKLUND

Żelazna krew

Liza MARKLUND

Żelazna krew

Przełożyła
Elżbieta Frątczak-Nowotny

Wydawnictwo Czarna Owca
Warszawa 2015

Tytuł oryginału
Järnblod

Redakcja
Grażyna Mastalerz

Projekt okładki
Magda Kuc

Zdjęcie na okładce
© GongTo / Shutterstock

DTP
Marcin Labus

Korekta
Małgorzata Denys
Ewa Jastrun

Redaktor prowadzący
Anna Brzezińska

Wydanie I

Druk i oprawa
OPOLGRAF S.A.

Książka została wydrukowana
na papierze Ecco Book Cream 70 g/m², vol. 2,0
dystrybuowanym przez antalis®
Just ask Antalis

ISBN 978-83-8015-179-6

Wydawnictwo

ul. Alzacka 15a, 03-972 Warszawa
www.czarnaowca.pl
Redakcja: tel. 22 616 29 20; e-mail: redakcja@czarnaowca.pl
Dział handlowy: tel. 22 616 29 36; e-mail: handel@czarnaowca.pl
Księgarnia i sklep internetowy: tel. 22 616 12 72; e-mail: sklep@czarnaowca.pl

Poniedziałek, 1 czerwca

TO BYŁO już ostatnie ciało.

Potężne emocje, coś w rodzaju pożegnania. Zaczerpnął powietrza i poczuł, jak przeszywa go wiatr, który targał gałęziami drzew.

Miejsce było wyjątkowe, surowe, skromne, z czasem nabrało charakteru niemal religijnego: żyzna ziemia, białe pnie brzóz obok brzóz z postrzępionymi liśćmi.

Zostawili tam osiem ciał, to było dziewiąte. Pamiętał je wszystkie, nie tyle twarze, ile sylwetki, głosy, gesty, wibracje: to, co ich wyróżniało.

Ale koniec z tym.

Ostatnie ciało.

Spojrzał na nie.

Dżinsy, tenisówki. Koszula, pasek, brązowa kurtka. Wspaniały egzemplarz *homo sapiens*. Miał okazję go poznać, przez jakiś czas nawet się przyjaźnili. Zawsze elegancko ubrany, gustownie. Czasem było mu przykro, że musi ich eliminować, a potem pozbywać się osobistych drobiazgów, on, który dorastał w atmosferze powściągliwości, który nauczył się dbać o dary ziemi, traktować je z pokorą, odpowiedzialnie.

Spojrzał na niebo. Tam, za kręgiem polarnym, wydawało się, że jest tak blisko. Chmury unosiły się niemal nad głowami ludzi, jakby muskały ich twarze. Wkrótce słońce w ogóle przestanie zachodzić, i tak przez całe lato, do jesieni, kiedy mróz zetnie liście na drzewach, a ze wschodu nadejdą rosyjskie wiatry.

Brakowało mu brata.

Całe życie byli jednością, jeden był lustrzanym odbiciem drugiego, dzielili myśli i uczucia. Teraz poczuł, że otwiera się pod nim otchłań. Docierały do niego informacje z sali rozpraw, ale dręczyła go samotność.

Dokładnie wytarł obuch o mech.

Musiał się podzielić swoim bólem.

– UPADŁA PANI – powiedziała psycholożka. – Co się stało?

Annika Bengtzon poprawiła się w fotelu. Źle się czuła w jego potężnym wnętrzu: za mała, za chuda. Położyła ręce na podłokietnikach, jakby chciała się przytrzymać, żeby całkiem nie zniknąć. Poczuła, że ma spocone dłonie. Zaczęła się zastanawiać, ile osób przed nią pociło się w tym fotelu. Ile zostawiło na nim ślady swoich lęków.

Cofnęła dłonie, położyła je na kolanach, zacisnęła mocno.

– Byłam w przychodni rejonowej i u lekarza w pracy. Zrobiłam badania, wszystko wydaje się w porządku, fizycznie nic mi nie dolega… To Jimmy, mój partner, zaproponował, żebym się zapisała do pani na wizytę.

– Więc to nie była pani decyzja?

Zadała to pytanie spokojnym, obojętnym tonem, nie było w nim cienia krytyki. Annika spojrzała na kobietę po drugiej stronie stolika. Twarz bez wyrazu, neutralny głos. O czym myślała? Może uznała, że niepotrzebnie zajmuje jej cenny czas? Że ktoś inny bardziej go potrzebuje? A może dopóki dostawała pieniądze, było jej wszystko jedno?

Wyprostowała się i sięgnęła po stojącą na stoliku szklankę z wodą. Obok szklanki stało pudełko z chusteczkami higienicznymi. Czyżby psycholożka z góry zakładała, że będzie płakać? Czy wszyscy płaczą? A co się stanie, jeśli się nie rozpłacze?

– Uznałam, że muszę coś zrobić. Ze względu na dzieci. Przestraszyłam je. Naprawdę.

– Były świadkami ataku?

Annika poprawiła się w fotelu. Nogi miała ciężkie jak z ołowiu, plecy sztywne, nieruchome. Próbowała znaleźć wygodniejszą pozycję, odprężyć się, ale bez skutku.

– Może mi pani opowiedzieć coś więcej o ataku?

Światło lampy odbijało się w jej okularach. Annika pomyślała, że dla niej to normalny dzień pracy. Może zjadła na lunch lasagne, zrobiła sobie krótki spacer, a po pracy pojedzie odebrać rzeczy z pralni.

– Stałam w holu. I nagle osunęłam się na podłogę. Nie mogłam oddychać, zrobiło mi się czarno przed oczami. Serena i Jacob, dzieci Jimmy'ego, właśnie wróciły ze szkoły. To one wezwały karetkę.

Wypiła kolejny łyk wody.

– Zjawili się ratownicy, z noszami. Odesłałam ich.

– Wiedziała pani, co się stało?

Ciemność, tam, na zewnątrz, tuż obok niej, i cienie wokół. Pozbawiały ją powietrza, eliminowały nie tylko wszelkie dźwięki, ale i jej świadomość. Powtarzała sobie w kółko, że to nic, że nie są niebezpieczne. Że zaraz wszystko minie, że od tego się nie umiera. Czuła, jak palą ją dłonie, pieką oczy. Jak głowa odchyla się do tyłu, jak nogi się pod nią uginają, jak nagle uchodzi z niej całe powietrze. A potem nadeszła ciemność i pochłonęła ją. Czuła, jak leci w dół, leci i leci. Ale nie powinna się bać, to nic groźnego. Nie umarła. Jeszcze nie tym razem.

Odchrząknęła.

– Nic mi nie dolega. Jestem zdrowa jak ryba.

– Wie pani, co to jest paniczny lęk?

Tak, wiedziała. Sprawdziła w internecie, w tajemnicy przed wszystkimi, jakby się wstydziła. Normalni ludzie nie boją się ciemności, nie pozwalają, żeby rządziły nimi duchy.

– Teraz jest już w porządku. Wszystko się ułożyło. Czuję się dobrze. Nie mam lęków.

– Można mieć lęki, nawet o tym nie wiedząc – powiedziała psycholożka. – Ludzie, którzy dostają ataku panicznego lęku, często są przekonani, że to zawał. I jadą na pogotowie.

– Więc dlaczego jest coraz gorzej?

– Ma pani takie wrażenie?

Annika wyjrzała przez okno. Cały ranek padał deszcz, po szybie spływały ciężkie krople, ale opady nie były już tak intensywne.

– Naprawdę nic z tego nie rozumiem. Wszystko mi się układa. Żyję w fantastycznym związku, dzieci są zdrowe, lubię swoją pracę, mój były mąż nie robi mi żadnych przykrości. Zaprzyjaźniłam się nawet z Sophią, kobietą, z którą kiedyś, dawno temu, mnie zdradził…

– Więc jak pani myśli, skąd te ataki?

Annika poczuła, że zalewa ją fala gniewu. Nagle, bez powodu. Czy to ona ma odpowiadać na wszystkie pytania? Za to płaci?

Czuła, jak napinają się jej mięśnie twarzy.

– Pani ojciec zmarł, kiedy była pani nastolatką? – spytała psycholożka, przeglądając papiery. – Był pani bliski?

No tak, teraz czas na powrót do dzieciństwa. Annika wytarła dłonie o dżinsy.

– To było dawno temu, minęło ponad dwadzieścia lat…

W pokoju zapadła cisza. Z ulicy dochodził szum samochodów. Chusteczki w kartonie poruszyły się pod niewidzialnym podmuchem wiatru. Obicie fotela łaskotało ją w plecy.

– Ale pani mama żyje. Jak wam się układa?

Annika spojrzała na zegarek.

– Ile czasu nam jeszcze zostało? Kiedy będę mogła wyjść?

Psycholożka odchyliła się w fotelu. Może ją też łaskotał materiał, którym był obity?

– Jeśli pani chce, możemy już skończyć.

Annika nie poruszyła się. Nagle znów poczuła, że nogi ma jak z ołowiu. Czyżby psycholożka chciała się jej pozbyć? Mimo że to ona umówiła się na wizytę? I zapłaciła tysiąc sto koron za godzinę.

– Chce pani, żebym sobie poszła?

Psycholożka spojrzała na wiszący na ścianie zegar.

– Mamy jeszcze czas. To pani decyzja, czy pani zostanie, czy wyjdzie.

Annika poczuła, że pokój nagle zaczął się kurczyć. Coś na nią napierało, z różnych stron. Przyszła po pomoc, po poradę.

Psycholożka uśmiechnęła się do niej.

– Chciałabym, żeby pani została – powiedziała spokojnie.

Hałas z ulicy złagodniał. O co ją przed chwilą spytała? O matkę? O Barbro? Wzięła się w garść.

– Mama… Ona mnie nie lubi.

– Dlaczego pani tak sądzi?

– Rodzice wzięli ślub, bo mama była w ciąży. Ze mną. Tak naprawdę to chciała studiować. Sztuki piękne. Ale urodziłam się ja i nie poszła na studia. Nigdy mi tego nie wybaczyła.

Psycholożka przyglądała się jej w milczeniu, potem znów zaczęła przeglądać notatki.

– Ma pani siostrę. Ma na imię Birgitta. Macie dobry kontakt?

Annika spróbowała się uśmiechnąć.

– O tym, że urodziła dziecko, dowiedziałam się z Facebooka. Nawet nie wiedziałam, że jest w ciąży.

– Zawsze tak było?

– Przez całe dzieciństwo miałyśmy wspólny pokój, a teraz nie mam pojęcia, gdzie mieszka.

Psycholożka pokiwała głową i zanotowała coś w niewielkim bloczku.

– Wypełniając formularz, wpisała pani w rubryce: inne informacje, że piętnaście lat temu została pani skazana za przestępstwo. Może mi pani powiedzieć coś więcej?

Pokój znów jakby się zmniejszył, poczuła na szyi muśnięcie ciemności.

– Przyczynienie się do czyjejś śmierci. Dwa lata nadzoru kuratorskiego. Mój chłopak, Sven… To był nieszczęśliwy wypadek, można tak powiedzieć…

Słowa odbijały się od ścian niewielkiego pokoju. Psycholożka nie reagowała. Siedziała w fotelu po drugiej stronie stolika, nogi miała skrzyżowane, ręce trzymała na kolanach.

– Co pani czuje, opowiadając mi o tym?

W głowie Anniki rozległo się wycie, przeraźliwe, głośne. Musiała podnieść głos, żeby je przekrzyczeć.

– Nic szczególnego. Piętnaście lat to dużo czasu.

– Gdzie w pani ciele tkwi to uczucie? W żołądku, w gardle, w piersi?

Słowa, to tylko słowa. Nie mogły jej zrobić krzywdy. Kiedy wyizolowała szum, mogła mówić, słowa nic nie znaczyły. Musiała się starać przeniknąć ciemność, bo tylko wtedy była w stanie oddychać.

GŁÓWNA REDAKCJA „KVÄLLSPRESSEN" skrzyła się w niebieskawej poświacie świetlówek. Annika zobaczyła, że Berit Hamrin siedzi przy komputerze, i całe napięcie od razu minęło, został tylko ćmiący ból głowy. Od piętnastu lat większą część życia spędzała właśnie tam, w tym pomieszczeniu, w wiecznej gonitwie za tym, co się stało albo może się stać, i niemal przez cały ten czas jej przyjaciółka siedziała na sąsiednim krześle.

Położyła torbę na ich wspólnym biurku, zdjęła kurtkę i pozwoliła jej opaść na podłokietnik fotela. Berit była starsza od niej, miała dorosłe dzieci i razem z mężem mieszkała na wsi.

– Co z awanturą na Twitterze? – spytała Annika.

Berit westchnęła cicho.

– Kobieta z telewizji przeprosiła w kolejnym tweecie za napaść na celebrytkę, a celebrytka przyjęła przeprosiny i zamieściła je na Facebooku.

Ciasny pokój psycholożki oddalił się i rozmył.

– Więc wszyscy zadowoleni – stwierdziła Annika.

Ciemności wokół niej, te, które ją dusiły, zaczęły się wycofywać do kątów. Kiedy była w redakcji, niemal nigdy nie dawały o sobie znać. W redakcji było jasno, panował porządek, który sprawiał, że świat znów stawał się wyrazisty. Przedstawianie rzeczywistości, kolejne wydania, ciągłe zmiany. Była częścią tego wszystkiego, funkcjonowała. Wydanie prowincjonalne, pierwsze wydanie o piątej rano i pierwsze wydanie krajowe dystrybuowane samolotami wczesnym rankiem, kolejne, uaktualnione wydania lokalne i wydanie trafiające na przedmieścia, rozwożone ciężarówkami wokół Mälarem, i jeszcze wydanie miejskie, ukazujące się w wyjątkowych sytuacjach, kiedy gdzieś na świecie dochodziło do kryzysu albo zaręczało się któreś z królewskich dzieci. Uporządkowana rzeczywistość, łatwa do ogarnięcia.

Szczególną antypatią darzyła wydanie poranne, ukazujące się jedynie w wewnętrznej sieci redakcji.

Wyjęła laptopa, włączyła go. Kiedy zaczął się ładować, poszła po kawę. Wróciła i usiadła przy biurku z kubkiem gorzkiego napoju w ręku.

Wydanie redakcyjne pokazywało przyszłość taką, jaka powinna być: gotowe tytuły, teksty, często ilustrowane zdjęciami. Reporterom pozostawało jedynie wypełnić wszystko treścią, żeby utopia zamieniła się w rzeczywistość.

Głównym tematem hipotetycznego jutra był artykuł Berit o dziennikarce jednej z lokalnych gazet, która co trzecią środę uczestniczyła w porannym telewizyjnym talk-show. Kilka dni wcześniej zamieściła na Tweeterze złośliwy komentarz na temat pewnej gwiazdy oper mydlanych, która ostatnio nieco utyła. Patrik Nilsson, szef działu wiadomości, miał niezwykłą zdolność wynajdywania w internecie bezmyślnych złośliwości i robienia z nich wielkich spraw. Tym razem nie oszczędzał amunicji.

DZIENNIKARKA PRZEŚLADUJE GWIAZDĘ
Z POWODU WAGI

Tak brzmiał proponowany przez niego tytuł.

Obok zamieszczono zdjęcie chudej blondynki z podpisem: „Rosa poczuła się głęboko urażona złośliwościami dziennikarki".

– Niestety w mediach społecznościowych temat nie chwycił – powiedziała Berit.

Annika zrozumiała, że oczekiwane komentarze się nie pojawiły, zabrakło nawet zwykłych uwag w rodzaju: że też zawsze zwraca się uwagę na wygląd kobiety. Więc wiadomość trafiła do kosza, zanim w ogóle zaistniała.

– Osobiście uważam, że Rosa powinna przytyć jeszcze kilka kilogramów. Wyszłoby jej to na zdrowie – stwierdziła Berit. – Co dzisiaj robisz? – zwróciła się do Anniki.

– Zajmuję się sprawą morderstwa Josefin.

Berit podniosła głowę i zdjęła okulary. Zamyśliła się.

– To było chyba tego lata, kiedy Szwecja zamieniła się w republikę bananową. Pamiętam, że było piekielnie gorąco, mieliśmy niebotyczną inflację i świetnie nam szło w mistrzostwach świata w piłce nożnej.

– To było piętnaście lat temu. W „Kvällspressen" ukazały się moje pierwsze artykuły – powiedziała Annika.

Berit znów włożyła okulary i wróciła do artykułu o Rosie. Annika sięgnęła po materiały dotyczące morderstwa Josefin.

Wiosną czytelnicy wybierali w głosowaniu historie z przeszłości, o których chętnie dowiedzieliby się czegoś więcej. Nazywano to czytelnictwem interaktywnym.

Annika w serii artykułów przedstawiła kilka głośnych spraw sprzed lat: cieszyły się dużym zainteresowaniem. Miały wiele odsłon w sieci, a dodatki niedzielne odnotowały większą sprzedaż niż zwykle. Dziwiło ją to zainteresowanie przeszłością. Na kanwie dawnych niewyjaśnionych spraw powstały filmy dokumentalne, gazety poświęcały im specjalne dodatki, niekiedy inspirowały nawet pisarzy.

Sięgnęła po materiały dotyczące jednej z nich: morderstwo na tle seksualnym na cmentarzu. Pewnego upalnego sobotniego poranka za jednym z nagrobków na dawnym cmentarzu żydowskim znaleziono nagie ciało dziewiętnastoletniej Josefin Liljeberg. Została zamordowana, ale sprawa nigdy nie została do końca wyjaśniona. Annika znalazła jej maturalne zdjęcie w studenckiej czapce. Pracowała jako striptizerka w klubie porno Studio Sex. Annika podejrzewała, że zabił ją jej chłopak, Joachim, właściciel klubu. Klub już dawno przestał istnieć, ale Joachim nadal żył w swoim mrocznym świecie. Był przebiegły i skutecznie unikał kary.

Berit westchnęła i zerknęła na zegarek.

– Chyba będę musiała porzucić Rosę – powiedziała, zamykając laptopa.

– Idziesz na rozprawę? – zainteresowała się Annika.

Berit śledziła z ramienia gazety proces Ivara Berglunda, przedsiębiorcy handlującego drewnem, znanego jako Drwal. Proces toczył się przed sztokholmskim Sądem Miejskim już drugi tydzień.

– Ma zeznawać funkcjonariuszka, która go zatrzymała. Wiesz może, co Berglund ma wspólnego z tym pobitym politykiem w Solsidan?

Annika upięła włosy w kok.

Nie śledziła dokładnie przebiegu sprawy, ale pamiętała, że samotny pięćdziesięciopięciolatek z Vidsel, z Norrbotten, z północy, rok wcześniej został oskarżony o brutalne zamordowanie jakiegoś menela z Nacki. Pisała o tej sprawie. To między innymi jej artykuły doprowadziły do jego zatrzymania. „Kvällspressen" podała tę wiadomość jako pierwsza i tego dnia odnotowała najwyższą sprzedaż. Potem pisała o nim jeszcze kilka razy. Nagrała kilka scen w jego domu i w warsztacie, dokładnie przestudiowała sprawozdania rachunkowe jego firmy, rozmawiała z klientami i z sąsiadami.

– To Nina Hoffman go zatrzymała – powiedziała. – Dużo o tym rozmawiałyśmy. Oczywiście nie możemy tego napisać, ale Nina jest pewna, że za morderstwem menela i pobiciem Ingemara Lerberga stoi ta sama osoba. To się stało w odstępie kilku dni. Jest też wiele innych powiązań.

– W akcie oskarżenia nic o tym nie ma – zauważyła Berit.

– To prawda. – Annika skinęła głową. – Ale menel pełnił rolę słupa w hiszpańskiej spółce Nory Lerberg. Na miejscu zbrodni w Nacce policja znalazła obrazek narysowany takimi samymi kredkami, jakie znaleziono w pokoju dzieci w domu Lerbergów. Te zbrodnie miały wiele cech wspólnych. Co prawda nie ma na to dowodów, ale to nie może być przypadek.

– Oskarżenie opierało się na wątłych podstawach – weszła jej w słowo Berit. – Ciekawe, czy uda się go skazać.

– Widziałaś, jak Patrik wyobraża sobie jutrzejsze wydanie? – spytała Annika.

Zaproponował tytuł:

PODWÓJNE ŻYCIE DRWALA:
w czasie wolnym był katem

Berit pokręciła głową, sięgnęła po teczkę i ruszyła w stronę portierni.

Annika znów zerknęła do komputera. Spojrzała na proponowane tematy – różne w zależności od rozwoju sytuacji. Zbliżało się święto narodowe i wszyscy dziennikarze zastanawiali się, czy księżniczka Madeleine da radę dolecieć zza Atlantyku, żeby razem z pozostałymi członkami rodziny królewskiej uczestniczyć w uroczystościach w Skansenie. Proponowano tytuł: MADDE ZAWIODŁA SZWEDÓW. Jakby cały kraj wstrzymywał oddech, czekając, aż najmłodsze z królewskich dzieci opuści swój luksusowy apartament na Manhattanie, żeby na kilka godzin wcisnąć się w niewygodny strój ludowy. Poza tym gwiazda sportu wypowiadała się w sprawie ewentualnego skandalu dopingowego, pisano o nadciągających upałach i przedstawiono ostatnie badania opinii publicznej, wskazujące, że podczas najbliższych wyborów należy się spodziewać porażki partii rządzącej.

– Annika, napiszesz coś o fali upałów? – usłyszała głos Patrika gdzieś nad sobą.

Zerknęła na komórkę.

– Przykro mi, ale za chwilę mam spotkanie w prokuraturze.

Szef działu wiadomości westchnął teatralnie i odwrócił się na pięcie. Wiedział, że Annika nie ma obowiązku dostarczać materiałów dla działu wiadomości, ale przecież spróbować zawsze można.

Annika zamknęła laptopa i zebrała swoje rzeczy.

ANDERS SCHYMAN powiódł wzrokiem po redakcji z pewnym niepokojem. Czuł go aż w żołądku. Za szklaną ścianą widział dział wiadomości z migoczącymi monitorami: szef działu Patrik Nilsson rozmawiał przez dwie komórki jednocześnie, Sjölander pisał artykuł o księżniczce Madeleine, Annika Bengtzon właśnie gdzieś wychodziła z torbą na ramieniu, wentylatory komputerów wprawiały powietrze w drżenie.

Scena była mu dobrze znana, a jednocześnie dziwnie obca. I wkrótce miała przejść do historii.

Oparł się o krzesło i sięgnął po leżące przed nim na biurku papiery – protokół z piątkowego zebrania zarządu. Dwudziesty dziewiąty maja. Historyczna data, dzień początku końca. Czasy Gutenberga dobiegały końca, słowo drukowane spełniło swoje zadanie.

Wstał i podszedł do szklanej ściany, stanął tak blisko, że jego oddech zostawił na szkle plamę pary. Zastanawiał się, czy mógł postąpić inaczej.

Szwedzkie dziennikarstwo od niemal stu lat szło ręka w rękę ze szwedzkim Domem Ludowym, było ogniwem łączącym władzę z obywatelami. Kiedy jedno zaczynało się chylić ku upadkowi, pociągało za sobą drugie. Badacze mediów już dwadzieścia lat wcześniej pisali, że rok tysiąc dziewięćset dziewięćdziesiąty będzie oznaczał koniec pewnej epoki: czasów państwa dobrobytu i – dziennikarstwa.

To były też jego czasy: jego ćwierć wieku, większość jego zawodowej kariery. Pomyślał, że nie ma sensu ronić łez, sam nie odbuduje Domu Ludowego. Odwrócił się i sięgnął na półkę po książkę Jana Ekecrantza i Toma Olssona *Zredagowane społeczeństwo*. Przeczytał zdania, które podkreślił w przedmowie, chociaż znał je na pamięć.

„…dziennikarstwo narracyjne w coraz większym stopniu zastępują abstrakcyjne opisy sytuacji, bazujące na niewidzialnych źródłach. Dzisiejsze dziennikarstwo cechuje rozsądek, który ma tendencję do zastępowania problemów społecznych problemami informacyjnymi, a debatę publiczną talk-showami i pogonią za nowinkami. Coraz więcej miejsca zajmuje dziennikarstwo otwarcie komercyjne. Tradycyjne zadania dziennikarzy: przedstawiać fakty, przyglądać się i krytykować władzę, być kanałem komunikacyjnym między rządzącymi a rządzonymi, stają się kontrproduktywne".

Odłożył książkę i zamknął oczy.

„Nasze życie jest takie jak nasze dni". Przypomniał sobie zdanie z rachunku z hotelu w Oslo. Jesienią razem z właścicielami koncernu był tam na seminarium. Tych kilka słów trafiło go w splot słoneczny. Wciąż pamiętał swoją reakcję: zimny pot na dłoniach. Jakie było jego życie? Jakie były jego dni? Takie jak tamten, który spędził w sali konferencyjnej bez okien, dyskutując o cyfryzacji mediów, czy takie jak ten, w którym tytuły na kolejny dzień zależą od kobiet, które bez zastanowienia wypisują w mediach społecznościowych najróżniejsze złośliwości pod adresem innych kobiet i których to złośliwości nikt zresztą nie czyta?

Wrócił do biurka, usiadł i poczuł, że bolą go kolana. Zaczął przerzucać papiery.

Czasu zawsze jest w nadmiarze, do chwili kiedy nagle się kończy.

Może powinien był stworzyć własną firmę, zbudować dom, spłodzić dzieci, zostawić po sobie coś trwałego. Ale on nie zajmował się takimi rzeczami, wszystko robił z myślą o dniu dzisiejszym, nie o przyszłości. Całe zawodowe życie poświęcił próbom opisania społeczeństwa, w którym żył, starając się jednocześnie czynić je lepszym, bardziej sprawiedliwym. Zostawi po sobie jedynie swoją opinię i pamięć o roli, jaką odegrał w historii mediów.

Znów spojrzał na redakcję i zaczął się zastanawiać, jak sobie poradzi.

Przez lata zawsze stawiał na rozwój. Cały czas, bez przerwy, kształcił pracowników, przygotowywał ich do nowych zadań. Branża się zmieniała, ale i czas przybierał coraz to nowe kształty, a on przedzierał się przez tę dżunglę sam, bez mapy, kierując się adrenaliną i własnym instynktem, starając się omijać płycizny i miny. Udało mu się wypromować swoich współpracowników na kluczowe postaci niemal we wszystkich działach: w dziale wiadomości, w sporcie, rozrywce, w kulturze. Znakomicie odnajdywali się w nowym medialnym krajobrazie. Był z nich dumny, był dumny z siebie i swojej zdolności przewidywania.

Tylko jednego nie zdołał odtworzyć: nowej wersji samego siebie. Potrzebował publicysty, którego moralnym kręgosłupem byłaby wolność słowa, który w sercu miałby brak szacunku, w płatach czołowych technikę i który by się kierował instynktem tkwiącym gdzieś głęboko w trzewiach.

Tego nie zdążył zrobić: dni były za ciasne, za szybko mijały, a teraz było już za późno.

Czasu zawsze jest w nadmiarze, aż nagle się kończy.

Obiektywne, analizujące dziennikarstwo, przekazujące informacje, takie, jakie wszyscy znamy, będzie jedynie krótką przerwą w historii ludzkości. Zmierzają prosto do piekieł, a on stoi za sterami.

PORANNA MŻAWKA ZELŻAŁA, ulice były ciemne, nasycone. Front odchodził na północ i już po południu do Sztokholmu miała dotrzeć fala upałów z południa Europy. Annika poczuła na ciele lepką wilgoć. Samochody stały w korku, postanowiła nie czekać na autobus, tylko iść piechotą. Tak będzie szybciej.

Ruszyła przez park, przez Rålambshovsparken. Labirynt ulic na Kungsholmen nie miał dla niej tajemnic, znała je na pamięć, mogła iść zamyślona, a i tak bezwiednie trafiała tam, gdzie chciała. Ściany domów pochylały się przyjaźnie w jej stronę, szeptały jej do ucha słowa powitania. Kamienie nie zapominały. To tam trafiła zaraz po przyjeździe do Sztokholmu. Zamieszkała w starej kamienicy przy Agnegatan. Zimna woda w kranie, wspólna łazienka w podwórzu. To tam, w pobliżu, przy Hantverkargatan, mieszkała potem w dużym mieszkaniu od frontu z Thomasem i dziećmi, kiedy jeszcze były małe. To tam wydali przyjęcie po ślubie i tam, na Kungsholmen, po rozwodzie z Thomasem wylądowała w trzypokojowym mieszkaniu.

I tam pracowała Josefin Liljeberg. I tam umarła.

Minęła Hantverkargatan i zobaczyła wznoszące się tuż za budynkiem straży pożarnej wzgórze Kronoberget. Widziała drzewa, trawniki i plac zabaw od strony Kronobergsgatan, pełen mam i dzieci, czasem też ojców. Słyszała radosne głosy dzieci, śmiechy, gwar, krzyki i nawoływania. Minęła piaskownicę, zjeżdżalnię i drabinki i ruszyła na górę.

Morderstwo na cmentarzu, tak pisano o zabójstwie Josefin. Na tle seksualnym, dodawano. Ale to nie było właściwe określenie. Bo tak naprawdę Josefin została uduszona przez swojego chłopaka.

Jej ciało znaleziono na starym żydowskim cmentarzu. Kiedy powstawał, pod koniec XVIII wieku, były to obrzeża Sztokholmu. Teraz był to niemal środek miasta, a cmentarz zrósł się z jednym z największych sztokholmskich parków.

Annika powoli podeszła do ogrodzenia. Niedawno cmentarz został odrestaurowany. Poprzewracane nagrobki wróciły na swoje miejsce, usunięto zbędną zieleń. Były tam groby dwustu dziewięciu osób. Ostatni pochówek odbył się w tysiąc osiemset pięćdziesiątym siódmym roku.

Miejsce było wyjątkowe, niemal magiczne. Gwar miasta prawie tam nie docierał, jakby czas nagle się zatrzymał, cisza była niemal przezroczysta. Dotknęła ręką zimnych żeliwnych sztachet, przeciągnęła palcami po zdobieniach i stylizowanych gwiazdach Dawida.

Dobrze pamiętała tamto upalne lato. Jej pierwszy rok w redakcji. Była stażystką. Początkowo odbierała tylko telefony od ludzi. W ten sposób dowiedziała się o morderstwie. Chciała o nim napisać – i napisała. Pierwszy artykuł podpisany jej nazwiskiem.

To tam leżała, po drugiej stronie ogrodzenia.

Surowość kamieni w tle, zieleń i gra cieni wśród listowia, wilgoć i upał.

Patrzyła w jej oczy, były szare i mętne, słyszała ich niemy krzyk.

– Nie poniósł żadnej kary – wyszeptała. Jakby mówiła do Josefin. – Trafił co prawda do więzienia, ale nie za to, co ci zrobił.

Może jest już za późno, pomyślała i poczuła, że ma łzy w oczach. Wtedy po raz pierwszy zataiła prawdę. Tyle lat minęło, a wszystko pamiętała. Wtedy, tamtego lata, Sven jeszcze żył. Nagle znów poczuła jego złość. Pamiętała, jaki był niezadowolony, kiedy zdecydowała się na staż w Sztokholmie. *Nie kochasz mnie?* Niepewność i strach. Jak jej się ułoży życie?

Teraz już wiedziała. Otarła łzy.

Zostałam tu, teraz to jest moje miejsce.

Puściła sztachety, cofnęła rękę i niewielką kamerą wideo zaczęła filmować cmentarz, miejsce, gdzie przed laty znaleziono martwą Josefin. Uznała, że jedno dłuższe ujęcie wystarczy, najwyżej jeszcze wróci. Nie była w stanie powiedzieć, jak długi fragment będzie jej potrzebny. Odwróciła się plecami do ogrodzenia, chciała jak najszybciej odejść. Nie chciała być Josefin.

Ruszyła szybkim krokiem w stronę prokuratury, na Kungsbron. Było coraz cieplej, poczuła pot na plecach. Asfalt pachniał smołą.

Wyniki wstępnego dochodzenia niemal zawsze były objęte tajemnicą. Te dotyczące zabójstwa Josefin nie były wyjątkiem, ale Annika wiedziała, że dochodzenie wykazało, że to Joachim, chłopak Josefin, najprawdopodobniej był mordercą. Niedawno poprosiła, żeby jej udostępniono materiały, te, które mogły zostać udostępnione bez szkody dla ewentualnego ponownego śledztwa.

Wiatr przybrał na sile, chmury się rozeszły. Przyspieszyła kroku.

Minęło co prawda piętnaście lat, ale po zamordowaniu Palmego prawo zostało zmienione. Uznano, że sprawy o morderstwo nie ulegają przedawnieniu. Jeśli wyjdzie na jaw coś nowego, jeśli znajdzie się świadek, który byłby gotów zeznawać, dochodzenie może zostać wznowione. Może wystarczy spytać?

Usłyszała, że w torbie dzwoni jej komórka. Zatrzymała się, zaczęła jej szukać wśród długopisów i notesów. Spojrzała na wyświetlacz. Barbro. Matka. Po chwili wahania odebrała.

– Gdzie jesteś? – usłyszała znajomy głos.

Rozejrzała się. Stała na rogu Bergsgatan i Agnegatan, nieopodal komendy.

– W pracy – powiedziała. – To znaczy idę na rozmowę do prokuratury. Chodzi o morderstwo.

– To sprawa tego Drwala?

– Nie, inna…

– Wiesz, gdzie jest Birgitta?

Annika spojrzała na dachy kamieniec. Widziała sunące po niebie chmury i ciemne niebo w dali.

– Nie, nie mam pojęcia – odpowiedziała. – Dlaczego pytasz?

Słyszała lęk w swoim głosie. Jaki błąd znów popełniła?

– Kiedy ostatnio z nią rozmawiałaś?

Boże drogi, kiedy to było, pomyślała i odgarnęła z czoła kosmyk włosów.

– Pewnie jakiś rok temu. Był długi weekend, wybierała się do Stevena do Norwegii i nie miała z kim zostawić małej.

– A potem?

Annika czuła, że tężeje.

– Mamo, Birgitta i ja… rzadko ze sobą rozmawiamy.

Po co to mówiła? Dlaczego nie powiedziała prawdy: ja i moja siostra w ogóle nie mamy ze sobą kontaktu. Nie wiem nawet, gdzie mieszka.

Usłyszała, że matka szlocha.

– Co się stało? – spytała. Starała się, żeby jej głos brzmiał uprzejmie. Bez strachu, bez złości, nie nazbyt nonszalancko.

– Nie wróciła wczoraj z pracy.

– Z pracy?

– Z marketu MatExtra. Steven i ja bardzo się niepokoimy.

Pewnie, pomyślała. Skoro posunęła się do tego, żeby do niej zadzwonić. Stanęła wygodniej.

– Dzwoniłaś do niej do pracy? Obdzwoniłaś jej przyjaciółki? Skontaktowałaś się z Sarą?

– Steven rozmawiał z jej szefem, a ja z Sarą.

Annika zastanawiała się gorączkowo.

– Jej dawna nauczycielka rysunku. Margareta. Wiem, że kiedyś się przyjaźniły…

– Dzwoniliśmy do wszystkich.

Jasne, ona była na tej liście ostatnia.

– Nie rozumiesz, że bardzo się niepokoimy – powtórzyła matka i głos jej się załamał.

Annika zamknęła oczy. Wiedziała, że jej słowa nie mają dla matki żadnego znaczenia. Postanowiła niczego nie ukrywać.

– Mamo – zaczęła spokojnie. – Jesteś pewna, że Steven mówi prawdę?

Chwila milczenia.

– O co ci chodzi?

– Nie mam pewności, czy Steven zawsze jest wobec Birgitty w porządku. Czasem miałam wrażenie, że ona się go boi.

– Dlaczego mówisz takie rzeczy?

– Jesteś pewna, że jej nie bije?

Znów milczenie. A potem ostry głos matki:

– Nie myl siebie z Birgittą.

Połączenie zostało przerwane.

Annika odgarnęła włosy z czoła i odchyliła głowę. Spojrzała na stojące wzdłuż ulicy kamienice. Niedaleko było jej dawne mieszkanie, teraz mieszkał tam jej były mąż. Boże, cała okolica była pełna wspomnień i duchów z przeszłości.

Minął ją radiowóz, jechał w stronę znajdującego się nieco dalej aresztu Kronoberg. Zdążyła zauważyć, że na tylnym siedzeniu siedzi młody chłopak z rozczochranymi włosami. Może został zatrzymany, a może jechał tylko na przesłuchanie. Może wcale nie jest przestępcą? Może tylko znalazł się w niewłaściwym miejscu w niewłaściwym czasie? A może wie coś, czego nie powinien wiedzieć? Ona też kiedyś jechała na tylnym siedzeniu radiowozu. Tego letniego dnia w Hälleforsnäs, kiedy umarł Sven. Trzymała na rękach swojego martwego kotka, Whiskasa, i nie chciała go puścić. W końcu pozwolono jej wsiąść razem z nim. Płakała, a łzy moczyły mu futerko.

Birgitta nigdy jej nie wybaczyła historii ze Svenem. Była nim zachwycona, jak to czasem bywa z młodszymi siostrami. Sven brał ją na kolana i łaskotał, aż zaczynała piszczeć, a potem krzyczeć. W ich zabawach była dziwna intymność, a przecież Birgitta była od niej zaledwie dwa lata młodsza. Miała jasne włosy i wyglądała jak laleczka.

Annika wyprostowała się, poprawiła torbę, chwyciła ją mocniej. Zawahała się, a potem wystukała na tablecie imię i nazwisko. Birgitta Bengtzon. Po ślubie ze Stevenem zachowała panieńskie nazwisko.

Jeden wynik: Branteviksgatan 5F, Malmö.

Malmö? Przecież zamierzała wyjechać do Oslo?

THOMAS WIDZIAŁ, jak Annika wkłada komórkę do tej swojej okropnej torby i rusza w stronę Scheelgatan: kołysząca się na boki głowa cztery piętra niżej, ciemne włosy, zmierzwione bez żadnego ładu. Śledził ją wzrokiem tak długo, jak był w stanie, ale już po kilku sekundach zniknęła mu z oczu, pochłonęły ją drzewa i uliczny ruch. Poczuł, jak serce niemal mu staje, tętno spowalnia. Zauważył ją przez przypadek – a może przypadków nie ma? Jest tylko energia między ludźmi. Może to jego podświadomość zarejestrowała jej obecność, wyczuła, że o niej myśli, zmusiła go, żeby wyjrzał przez okno, sprawdził, co go tak pali. Tak czy inaczej, stała ze wzrokiem wbitym w okno sypialni. Uznał, że pewnie idzie do niego, i postanowił nie otwierać drzwi. Nie miał jej nic do powiedzenia. Niech tam stoi, niech za nim tęskni.

I wtedy nagle odwróciła się na pięcie i poszła.

Poczuł się zawiedziony, zawód przerodził się w złość.

Był dla niej nikim. Minęła okno jego sypialni, ot tak, po prostu, zatrzymała się na chwilę, żeby porozmawiać przez komórkę. Może ze swoim nowym facetem? Miał taką nadzieję, bo rozmowa najwyraźniej nie była przyjemna. Widział to po sposobie, w jaki trzymała komórkę. Czyżby jakieś problemy w raju? Tak szybko?

Od razu poprawił mu się nastrój. Poczuł, że jest głodny. W lodówce miał trochę dobrych rzeczy, gotowych do odgrzania.

Był smakoszem: należał do ludzi, którym nie jest obojętne, co jedzą i co piją, którzy cenią sobie jakość życia: doceniają porządny wygląd, właściwe zachowanie, poprawny język. Dlatego tak źle się czuł w tym okropnym mieszkaniu: trzy pokoje na najwyższym piętrze kamienicy w dawnej robotniczej dzielnicy. Bez żadnego smaku, bez ambicji.

Otworzył hakiem lodówkę, chwycił ręką, swoją jedyną ręką, filet z soli i włożył do mikrofalówki. Postanowił zjeść lekki lunch, wieczorem czekała go służbowa kolacja w kancelarii rządu.

Z pracy był zadowolony. Zadanie, które mu zlecono, było ambitne, wręcz prestiżowe. Jemu, było nie było urzędnikowi, powierzono kierowanie dużym projektem, co oznaczało, że miał współpracować z odpowiednią komisją parlamentarną. Najwyraźniej zasłużył na to wyróżnienie.

Badał kwestię anonimowości w internecie, to znaczy formalnie stał za tym jeden ze starszych ministrów, ale cała praca spadała na niego. To on miał zdecydować, w jakich przypadkach można naruszyć prawo do prywatności w imię ochrony przed przestępstwem. Społeczeństwo potrzebowało lepszych narzędzi, takich, które pozwoliłyby skuteczniej szukać osób znieważających innych w sieci. Pytanie brzmiało: kto miałby szukać adresów IP i w jaki sposób. Policja, prokurator? Czy może decydować ma sąd? Jak należy współpracować z władzami innych państw i co w przypadku kiedy serwer znajduje się za granicą? Niestety technika i przestępczość rozwijały się szybciej niż policja i władze, nie mówiąc już o ustawodawstwie.

Dyrektywy do projektu opracował sekretarz ministra, Halenius, wspólnie z ministrem i szefem działu prawnego. Wiele zagadnień nadal pozostawało otwartych. Niekiedy rząd przeprowadzał badania jedynie po to, żeby udowodnić słuszność decyzji, które właściwie już podjął. W tym przypadku jednak tak nie było. Decyzje należały do niego. Sam zarządzał swoim czasem, przychodził i wychodził, kiedy mu było wygodnie. Prace prawie zakończono, właściwie mógł przedstawić rezultaty na najbliższym posiedzeniu rządu, a potem przesłać je do odpowiednich komisji.

W pewnym sensie reprezentował rząd, jego decyzje mogły mieć wpływ na przyszłość.

Mikrofalówka zabrzęczała. Sola była gotowa, ale postanowił, że jeszcze chwilę zaczeka. Podszedł do komputera, zalogował się przez adres IP, który był nie do wyśledzenia, i wszedł na forum dyskusyjne, na którym kiedyś stworzył swoją alternatywną tożsamość. Występował na nim jako Gregorius. Przyjął imię antybohatera powieści Hjalmara Söderberga *Doktor Glas*, zdradzonego przez żonę, zamordowanego przez swojego lekarza.

Kiedyś coś tam napisał, głównie po to, żeby zobaczyć, jak ludzie zareagują. O szefie Anniki, tym pretensjonalnym gburze. Nadal znajdował nowe komentarze. Z ciekawością śledził rozwój dyskusji.

Teraz musiał jednak chwilę szukać, zanim znalazł wpis. Był na dole strony, ale nadal tam był.

Gregorius:
Schymana powinno się wydymać! Wsadzić mu kij bejsbolowy
w tyłek. Zamiast odbytu będzie miał krwawy pierścień!

Czytał i czuł, jak zalewa go fala ciepła. Tętno mu przyspieszyło, nad górną wargą pokazały się kropelki potu. Od czasu kiedy wszedł na tę stronę ostatni raz, nie doszły żadne nowe komentarze. Był trochę zawiedziony. Przeleciał wzrokiem te wcześniejsze, przeczytał pierwszy: *hahaha, way to go man! U butfuck him real good.* Ton i styl charakterystyczny dla większości pozostałych. Musiał przyznać, że poziom dyskusji nie był wysoki. Paru jej uczestników nawet protestowało przeciwko takiemu językowi. Wyzywali go od wulgarnych idiotów i bezmózgowców, co w tej sytuacji uznał za paradoks.

Nie mógł powiedzieć, żeby był dumny z tego, co napisał, ale przecież każdemu zdarza się pobłądzić.

Poza tym w kontekście jego ostatniego projektu śledzenie dyskusji na forum było ciekawe i wiele mu dawało. Demokracja oznacza, że trzeba się godzić z różnymi nieprzyjemnościami. Wolter mówił: Nie zgadzam się z twoimi poglądami, ale jestem gotów umrzeć za to, żebyś miał prawo je głosić. No może niedokładnie tak, ale wydźwięk jego listu do le Riche'a z szóstego lutego tysiąc siedemset siedemdziesiątego roku był właśnie taki.

Znów spojrzał na swój wpis:

Schymana powinno się wydymać!

Napisał to, słowa padły, zostały skomentowane, potwierdzone.

Odetchnął głęboko i zamknął stronę. Był spokojny, nawet ręka z hakiem przestała go swędzić. Co go obchodzi Annika! Niech sobie stoi na ulicy z tą swoją okropną torbą i rozmawia przez komórkę.

Teraz już naprawdę zgłodniał, a filety z soli były w sam raz.

Był podziwiany, szanowany, budził strach.

Był kimś.

ANNIKA ZGŁOSIŁA SIĘ w recepcji prokuratury w City. Wskazano jej niewielką salkę i poproszono, żeby chwilę zaczekała. Poczuła się jak w poczekalni u lekarza: pachniało środkami czystości i oczekiwaniem. Była sama i była za to wdzięczna.

Postępowanie przygotowawcze w sprawie śmierci Josefin prowadził prokurator generalny Kjell Lindström. Zdążył już przejść na emeryturę. Sprawa trafiła do Sanny Andersson, prokuratora pomocniczego.

Annika dyskretnie sięgnęła po kamerę i przez chwilę filmowała wnętrze niewielkiej salki. Przyda się jako tło do późniejszych wypowiedzi. Schowała kamerę, sięgnęła po pismo „Wiedza Ilustrowana" sprzed dwóch lat i zaczęła je przeglądać. Znalazła artykuł o tym, jak przed mniej więcej stu pięćdziesięcioma milionami lat ryby wskoczyły na ląd, z czasem wykształciły odnóża i stały się gadami, potem ssakami i w końcu ludźmi. Zaczęła czytać.

– Annika Bengtzon? Pani prokurator może już panią przyjąć.

Annika odłożyła pismo, wzięła torbę i ruszyła wąskim korytarzem za kobietą, która po nią przyszła. Po chwili

znalazła się w ciasnym gabinecie. Pani prokurator wyglądała mniej więcej na trzydzieści lat, podała jej rękę.

– Dzień dobry – przywitała ją dość wysokim głosem.
– Przepraszam, że musiała pani czekać. Za trzy kwadranse
mam sprawę w sądzie. Interesuje panią sprawa Liljeberg, tak?

Annika usiadła na krześle i zaczekała, aż pani prokurator obejdzie biurko i usiądzie naprzeciwko niej.

– Poprosiłam o udostępnienie akt z dochodzenia wstępnego. Ofiara została znaleziona w Kronobergsparken na
Kungsholmen dwudziestego ósmego lipca rano, piętnaście
lat temu…

– Wszystko się zgadza – stwierdziła Sanna Andersson
i sięgnęła do szuflady po teczkę z dokumentami. – Rok temu
nastąpił przełom w sprawie. Pewien mężczyzna przyznał się
do tego morderstwa.

Annika pokiwała głową.

– Gustaf Holmerud – powiedziała. – Seryjny morderca.
Wziął na siebie także inne niewyjaśnione morderstwa.

Pani prokurator spojrzała na nią i wróciła do przegląda-
nia akt.

– Prawdę mówiąc, przyznał się praktycznie do wszystkich
niewyjaśnionych morderstw, których ofiarami były kobiety.
Zanim ktoś pociągnął za hamulec, skazano go za pięć. Wiem,
że prokurator generalny przygląda się teraz tym wyrokom.
Może wystąpi o wznowienie postępowania. O, tutaj mamy
sprawę, która panią interesuje. – Pani prokurator przeciągnęła dłonią po teczce z aktami. – Josefin Liljeberg. Zgon w wyniku uduszenia. Wczoraj wieczorem przejrzałam te dokumenty.
Sprawa wygląda na dość prostą. – Przewróciła kartkę i zaczęła studiować spis treści. – Poprosiła pani o wszystkie akta…

– Śledziłam wtedy tę sprawę…

Pani prokurator pochyliła się nad dokumentami.

– Jest tu kilka ciekawych rzeczy. Wymienia się znany klub porno, przesłuchano też jednego z ministrów… To dlatego ta sprawa tak panią interesuje? – spytała, patrząc na Annikę wzrokiem bez wyrazu.

Annika otworzyła usta, ale nie potrafiła odpowiedzieć.

Nie, nie dlatego. Josefin stała się kimś bardzo mi bliskim, stała się mną, a ja stałam się nią. Zatrudniłam się w klubie porno, w którym pracowała, chodziłam w jej bikini, miałam na sobie jej majtki.

– O ile zdążyłam się zorientować, według policji sprawa została zamknięta – powiedziała głośno. – Zamordował ją jej chłopak, Joachim. Nie został oskarżony, ponieważ sześć osób dało mu alibi.

Pani prokurator zamknęła teczkę z aktami.

– Ma pani rację. Przemoc wobec osób, z którymi pozostajemy w bliskich relacjach, powinna zostać uznana za problem społeczny – stwierdziła. Zerknęła na wyświetlacz komórki.

– Mogę panią zacytować? – spytała Annika.

Sanna Andersson uśmiechnęła się.

– Oczywiście – powiedziała, wstając. – Postanowiłam udostępnić pani nazwiska tych sześciu świadków, którzy dali jej chłopakowi alibi.

Annika też zaczęła się podnosić. Była wyraźnie zdziwiona jej stanowczością i skutecznością.

– Kłamali – stwierdziła pani prokurator. – Powinno się to uznać za chronienie przestępcy. Niestety sprawa zdążyła się przedawnić. Nawet jeśli zmienią zdanie, pod względem prawnym nic nie ryzykują. Może zechcą w końcu rozmawiać, jeśli nie z nami, to może właśnie z panią.

Podała Annice dokumenty i sięgnęła po brązową teczkę. Wyglądała na bardzo ciężką.

– Mogę zacytować także to, co pani powiedziała o prokuratorze generalnym? Że rozważa wznowienie dochodzeń w sprawie morderstw, do których przyznał się Gustaf Holmerud?

Sanna Andersson się roześmiała.

– Doceniam to, że pani spróbowała, a teraz przepraszam, ale muszę już iść.

Annika wstała i szybkim krokiem ruszyła za nią.

A jednak sprawa Josefin nie trafiła na sam koniec listy, pomyślała.

TAK ZWANA MAŁA BEZPIECZNA SALA sztokholmskiego sądu znajdowała się na ostatnim piętrze miejskiego ratusza. Chodziło o to, żeby maksymalnie utrudnić ewentualną próbę ucieczki albo odbicia więźniów. Nina Hoffman dotarła na miejsce zdyszana. Pokonała labirynt korytarzy i w końcu stanęła przed otwartymi drzwiami.

Zerknęła do środka.

Zainteresowanie prasy było ogromne, na miejscu byli przedstawiciele większości mediów. Zauważyła Berit Hamrin, reporterkę „Kvällspressen". Stała w kolejce do kontroli bezpieczeństwa.

Nina pokazała legitymację i została wpuszczona. Niewielka salka służąca za poczekalnię była mała i duszna. Prokurator i jego asystent byli już na miejscu.

– Gotowa? – spytał Svante Crispinsson, witając się z nią serdecznie. – Adwokat nie będzie cię oszczędzał, ale nie bierz tego do siebie.

Skinęła głową. Była na to przygotowana.

– Pamiętaj, że musisz zachować spokój.

Svante Crispinsson należał do najbardziej kontrowersyjnych prawników północnego okręgu Sztokholmu. Nina już nie raz miała okazję się o tym przekonać. Zdarzało się, że miał bałagan w papierach, ale na sali sądowej był odważny i dociekliwy i nie unikał problemów.

– Nie możemy pozwolić, żeby przysięgli spali – powiedział prokurator. – Facet z lewej strony najwyraźniej już się szykuje do drzemki.

Nina nalała sobie kawy i usiadła na krześle przy drzwiach. Crispinsson pochylił się nad notatkami. Przeglądał je, mamrocząc coś pod nosem. Miał nieco za luźny garnitur i za długie włosy. Sprawiał wrażenie roztargnionego, niekiedy wręcz bezradnego, ale przez to też szczerego i sympatycznego.

Nina poprawiła się na krześle i spojrzała na salę.

Ivar Berglund był winny. Nie miała co do tego żadnych wątpliwości. Wyglądał skromnie, ale to były tylko pozory. Pod gładką powierzchnią wyczuwało się coś nieprzyjemnego, jakąś charakterystyczną dla przestępców oziębłość. Nie dała się zwieść, widywała już podobne przypadki. Miewała do czynienia z takimi ludźmi.

Wypiła łyk kawy, była gorzka.

Nie lubiła zeznawać w sądzie. To była najbardziej nieprzyjemna część jej pracy. Czuła się, jakby uczestniczyła w przedstawieniu organizowanym przez wymiar sprawiedliwości. Jego celem było przekonanie sędziego i ławy przysięgłych o wiarygodności dowodów i doprowadzenie do wyroku skazującego. Osobiście wolała pracować za kulisami, tropić ślady, osaczać sprawcę. Powoli, ale systematycznie dochodzić do prawdy.

Głośniki zatrzeszczały, wezwano zainteresowanych, żeby weszli do sali. Sprawa dotyczyła współudziału w morderstwie.

Do sali wkroczyli prokurator i jego asystent. Nina siedziała bez ruchu, czekała na rozwój wydarzeń.

Zgodnie z procedurą oskarżony powinien zostać przesłuchany jako pierwszy, zanim zostaną przesłuchani świadkowie, ale Berglund poprosił, żeby przesłuchano go na końcu. Było to dość niezwykłe, ale sędzia przychylił się do jego prośby. Obiecał jednak Crispinssonowi, że jeśli zajdzie taka potrzeba, pozwoli mu wezwać świadków jeszcze raz. Berglund musiał wszystko kontrolować. Nina była o tym przekonana. Nie chciał mówić, zanim nie usłyszy, co mają do powiedzenia inni.

Drzwi zostały otwarte. Nina wstała i weszła, oślepiło ją jasne światło. Nie rozglądając się na boki, od razu podeszła do miejsca dla świadków. Czuła na sobie spojrzenia wszystkich: publiczności po drugiej stronie pancernej szyby, Berglunda, obojętne, chłodne, prowokujące spojrzenie adwokatki i przyjazne Crispinssona. Uniosła rękę, żeby złożyć przysięgę, i poczuła, że marynarka ciągnie ją na plecach. Kiedy ostatnio miała ją na sobie? Pewnie kiedy poprzednio była świadkiem.

Spokojnym głosem wypowiedziała słowa przysięgi. Obiecała mówić prawdę i tylko prawdę, niczego nie zataić, nie dodać ani nie zmienić.

Crispinsson zakasłał i rozpoczął przesłuchanie.

– Nina Hoffman. Czym się pani zajmuje?

Stała wyprostowana, niemal nieruchoma.

– Z wykształcenia jestem policjantką, kryminolożką, specjalizuję się w psychologii zachowań. Obecnie pracuję jako analityczka w Krajowej Policji Kryminalnej w Sztokholmie.

Protokolant wszystko dokładnie zapisał. Promienie słońca odbijały się w ścianie z pancernego szkła. Jeden z ochroniarzy zajął miejsce w przejściu, tuż przed publicznością. Nina wiedziała, że stojący na zewnątrz dziennikarze słyszą przez głośnik każde jej słowo.

– Może nam pani opowiedzieć, czym się pani zajmowała ubiegłej wiosny?

Nina uniosła ramiona. Czuła na sobie spojrzenie Berglunda, ostre jak szpilki.

Zależało jej na tej sprawie. Chciała, żeby Berglund został skazany. Był niebezpieczny, obojętny do tego stopnia, że nie czuł żadnych ograniczeń. Widziała to w jego oczach.

– Dowiedzieliśmy się nowych rzeczy, więc wróciliśmy do sprawy sprzed dwudziestu lat i ponownie przejrzeliśmy materiał dowodowy. Chodzi o zaginięcie Violi Söderland.

Crispinsson ledwie zauważalnie pokiwał głową, jakby ją dyskretnie zachęcał.

– Co się wydarzyło siedemnastego maja ubiegłego roku, w sobotę?

– W mieszkaniu oskarżonego w Täby pobrano materiały do badania DNA.

Dom na końcu ulicy, przy zawrotce. Parterowy dom z czerwonej cegły, z zamocowanymi na stałe okiennicami, z lat sześćdziesiątych.

Otworzył im, był zdziwiony, ale uprzejmy i chętny do współpracy. Patrzył na nich, a jego oczy był równie ciemne i ciężkie jak teraz, po blisko roku spędzonym w areszcie. Przebywał w izolacji dwadzieścia trzy godziny na dobę, bez żadnego kontaktu ze światem zewnętrznym. Na początku nie miał dostępu do niczego: żadnej prasy, oglądania telewizji, żadnych kontaktów z kimkolwiek. Godzinny spacer po dziedzińcu aresztu, w wygrodzonym siatką spacerniaku na dachu. Wiedziała, że nikt go nie odwiedzał, także kiedy rygor został nieco złagodzony. Kątem oka widziała jego ręce, położył je na stole. Był spokojny, ale czujny. Jakby był zrobiony z żelaza, z żelaza wydobywanego z ziemi, na której się urodził.

– Może pani w skrócie przedstawić sprawę Violi Söderland? – poprosił Crispinsson.

– Czy to naprawdę konieczne? – zapytała Martha Genzélius, adwokatka Berglunda. – Mój klient jest oskarżony o coś zupełnie innego.

– Oskarżenie opiera się na poszlakach. Na całym łańcuchu poszlak. Dlatego uznaliśmy, że trzeba wszystko wyjaśnić. Inaczej trudno będzie to zrozumieć.

– Tak czy inaczej, będzie trudno, niezależnie od starań prokuratora.

Sędzia uderzył młotkiem w stół. Adwokatka poprawiła się na krześle, wyraźnie zniecierpliwiona. Nina uniosła głowę i czekała cierpliwie.

– Sprawa Violi Söderland, proszę – powiedział Crispinsson i kiwnął głową w stronę Niny.

– Viola Söderland zniknęła ze swojego domu w Djursholm w Sztokholmie w nocy z dwudziestego drugiego na dwudziesty trzeci września, dwadzieścia jeden lat temu – zaczęła Nina spokojnie i rzeczowo. – Jej ciało nigdy nie zostało odnalezione. Był świadek, sąsiad, który tamtej nocy wyprowadzał psa. Widział, jak jakiś mężczyzna wysiada z samochodu przed jej domem. Zapamiętał nawet numer rejestracyjny, ale właściciel samochodu miał alibi...

– Kto to był? – wszedł jej w słowo Crispinsson.

– Samochód był zarejestrowany na Ivara Berglunda.

– W domu były ślady walki?

Nina poświęciła wiele godzin na analizowanie zdjęć z miejsca zbrodni: niewyraźne, grube ziarno, złe światło. Wkrótce potem nastała era aparatów cyfrowych. Wszystko było wyraźnie, dobrze widoczne, praca stała się łatwiejsza. Setki razy oglądała podobne zdjęcia, osobiście nie użyłaby słowa walka. Zastanawiała się, co powiedzieć.

– Na podłodze w holu znaleziono rozbitą wazę i kilka włosów, które nie należały ani do Violi Söderland, ani do jej dzieci. To wszystko, co wtedy można było stwierdzić. Badania DNA były wówczas całkowitą nowością.

– Rozumiem, że dzisiaj mamy inne możliwości?

Nina zaczęła się zastanawiać, jak dawniej rozwiązywano takie sprawy. Czy to w ogóle było możliwe?

– Dzisiaj, jeśli się dysponuje włosem, można zbadać tak zwane DNA mitochondrialne. Nie jest to pełne badanie DNA, ale bardzo wiarygodne.

– Mając do dyspozycji nowe metody, policja zwróciła się do właściciela samochodu z prośbą o materiał genetyczny, próbkę śliny, tak? I jaki był wynik?

– Wszystko się idealnie zgadzało.

Nina nie mogła się powstrzymać, musiała spojrzeć na Ivara Berglunda. Nie ona jedna. Wszystkie głowy odwróciły się w jego stronę. A on nawet nie drgnął. Ręce nadal miał złożone na stole, podniósł wzrok, ich spojrzenia się skrzyżowały. Oczy miał małe i ciemne, szukała w nich jakiejś głębi, ale nie znalazła.

– Wezwaliście go na ponowne przesłuchanie?

– Ja i jeden z moich kolegów przesłuchaliśmy go w jego domu w Täby.

– Co wam powiedział?

Jakby ciążyło mu własne ciało, grzeczny, zdziwiony, ale gładkość skrywała otchłań i demony. Widziała to.

– Obstawał przy swoim alibi. Podobno tamtego wieczoru miał wykład w Domu Ludowym w Sandviken.

– Można to potwierdzić?

– Na sali było kilkudziesięciu słuchaczy, ale nikt nie jest w stanie stwierdzić, o której dokładnie Viola Söderland zniknęła...

– Czy tamtego wieczoru mógł być w obu miejscach?

– Odległość między Sztokholmem a Sandviken wynosi sto dziewięćdziesiąt jeden kilometrów, więc teoretycznie jest to możliwe. Tak więc... tak, tamtej nocy mógł być w obu tych miejscach.

Adwokatka Berglunda wyglądała na rozbawioną. Nachyliła się do niego i coś powiedziała. Nina zagryzła wargi, wiedziała, że próbuje ją sprowokować.

– Ale Ivar Berglund nie jest zamieszany w zniknięcie Violi Söderland, jest oskarżony w innej sprawie – stwierdził prokurator.

Nina sięgnęła po stojącą przed nią szklankę wody. Wypiła łyk. Woda była ciepła, smakowała ziemią.

– Może pani opisać, na czym polegała przeprowadzona przez was analiza?

– Porównaliśmy DNA Ivara Berglunda i DNA osób zamieszanych we wszystkie niezamknięte sprawy prowadzone dzisiaj w Szwecji.

– I do czego doszliście?

– Otrzymaliśmy kolejny pozytywny wynik.

– O jaką sprawę chodziło?

– O morderstwo Karla Gustafa Everta Ekblada. W ubiegłym roku w Nacce.

Przez salę jakby przeszedł powiew wiatru. Publiczność za pancerną szybą była wyraźnie poruszona, widać było gestykulujące ręce, coś mówiące usta, pióra w pośpiechu zapisujące coś na papierze. Fakty były dobrze znane, ale do tej pory były to jedynie słowa na papierze. I nagle ożyły. Człowiek okazał się potworem.

Prokurator spojrzał w papiery.

– Koordynowała pani wtedy dochodzenie. Może pani podać jakieś szczegóły śledztwa?

To był pierwszy tydzień jej pracy w Krajowej Policji Kryminalnej. Nawet nie zdążyła skończyć kursu wprowadzającego, rzeczywistość stanęła jej na przeszkodzie.

– Karl Gustaf Ekblad, znany jako Kaggen, przesiadywał na ławkach w centrum handlowym w Orminge. W maju ubiegłego roku zmarł w wyniku tortur, którym go poddano.

– Tortur?

Nina podniosła wysoko głowę, spojrzała na Ivara Berglunda. Nie bała się go, wiedziała, kim jest.

– Znaleziono go wiszącego na drzewie, z nogami przełożonymi przez gałąź. Był nagi, posmarowany miodem, wisiał tuż nad mrowiskiem. Ręce w nadgarstkach i nogi w kostkach miał skrępowane taśmą klejącą. Miał zdarte paznokcie, zmiażdżony nos i uszkodzony odbyt. Zmarł w wyniku braku tlenu, został uduszony foliową torbą.

Ivar Berglund odchylił się na krześle, jakby chciał się odsunąć od oskarżeń. Wyszeptał coś do adwokatki, a ona tylko skinęła głową.

Oskarżyciel pokazał sędziemu jakiś dokument.

– Załącznik numer pięćdziesiąt trzy B do badania przeprowadzonego przez lekarza sądowego. Badanie dotyczyło Karla Gustafa Everta Ekblada.

Sędzia coś zapisał, Crispinsson znów zwrócił się do Niny:

– Była pani na miejscu zbrodni?

Sosna w skalnej szczelinie, mocny pień i niewielka korona. Najniższe gałęzie grube jak udo mężczyzny, uschnięte, suche, srebrzysto gładkie.

– Tak, byłam.

– Kiedy ofiara nadal tam... wisiała?

Białe światło reflektorów w deszczu, policjanci poruszający się niczym cienie.

– Tak.

– Co pani pomyślała?

– Że miejsce zbrodni zostało wybrane bardzo starannie. Z dala od zabudowań, nikt nie mógł nic słyszeć.

– A o ofierze?

Nina znów spojrzała na Berglunda. Widziała, że na nią patrzy, jakby się starał ocenić, co wie.

– Mężczyzna był torturowany. To dobrze znana metoda, nazywana *La Barra* albo żerdź papugi. Niezwykle bolesna, powoduje zatrzymanie krążenia w nogach. Jeśli ofiara przeżyje, często wdaje się gangrena i kończy się amputacją. Smarowanie ofiary miodem i wieszanie nad mrowiskiem to metoda często stosowana w Afryce, szczególnie w Angoli.

– Gdzie na miejscu zbrodni znaleziono DNA sprawcy?

Nina spojrzała na Crispinssona.

– Na paznokciu palca wskazującego lewej ręki ofiary. Na jego wewnętrznej stronie znaleziono kawałek skóry. DNA zgadzało się z DNA Ivara Berglunda.

– Potwierdzono to?

– Taką informację otrzymaliśmy z państwowego laboratorium kryminalistycznego – powiedziała zdecydowanym, mocnym głosem, jakby w ten sposób chciała pokryć ewentualne braki.

Prokurator znów zaczął przeglądać papiery. Powietrze było nieruchome. Nina rzuciła okiem na ławę przysięgłych: wszyscy siedzieli wyprostowani, nikt nie przysypiał, nawet facet siedzący najdalej z lewej.

– Gdzie mieszkała ofiara, czyli Karl Gustaf Ekblad? – spytał Crispinsson.

Ciemnobrązowe drewniane panele, wymagające odświeżenia. Krzywo umocowana skrzynka na listy. Duże okna i białoszare firanki.

– Wynajmował pokój w domku w Orminge, ale na stałe był zameldowany w Marbelli, w południowej Hiszpanii.

– Jaki był następny krok w śledztwie?

– Z powodu międzynarodowych powiązań ofiary podjęliśmy współpracę z hiszpańską policją, formalnie, przez Europol, a dzięki moim prywatnym kontaktom bezpośrednio z hiszpańską policją krajową.

– Mówi pani po hiszpańsku?

– Dorastałam na Wyspach Kanaryjskich.

Prokurator uśmiechnął się do niej, zerknął na sędziego i zebrał papiery.

– Dziękuję, nie mam więcej pytań.

Nina spojrzała na Marthę Genzélius, adwokatkę Ivara Berglunda, elegancką kobietę w wieku czterdziestu paru lat. Miała na sobie drogi kostium i szpilki. Jasne włosy do ramion, proste i błyszczące. Uosabiała szwedzką kobietę sukcesu, która wygląda tak samo niezależnie od tego, czy jest właścicielką butiku, dyrektorką banku, projektantką mody, czy prowadzi program w telewizji. Siedziała i przeglądała papiery, wodząc akrylowymi paznokciami po protokole z przesłuchań.

Podniosła głowę i spojrzała na Ninę. Twarz bez uśmiechu.

– Pani Hoffman, dlaczego odeszła pani z policji?

Nie trać zimnej krwi.

– Nie odeszłam z policji.

Martha Genzélius uniosła swoje wypielęgnowane brwi i przesadnie powoli wzięła do ręki kartkę.

– Przed chwilą powiedziała pani, że pracuje jako analityk operacyjny.

Nina starała się, żeby jej głos zabrzmiał jak najłagodniej:

– Jestem z wykształcenia policjantką, pracuję w policji, więc mam wszelkie policyjne uprawnienia. A to znaczy, że mam też prawo zatrzymać podejrzanego, przesłuchać go, a także zastosować wobec niego siłę, jeśli to konieczne.

Adwokatka przyglądała się jej cierpliwie.

– Więc spytam inaczej: dlaczego zrezygnowała pani z pracy w rejonie policyjnym Södermalm?

– Wniosłam o zwolnienie ze służby na czas studiów. Studiowałam kryminologię na Uniwersytecie Sztokholmskim.

Crispinsson pochylił się nad stołem, włosy poleciały mu do przodu.

– Co to ma wspólnego ze sprawą? – wtrącił.

Adwokatka zanotowała coś pospiesznie na leżącej przed nią kartce.

– Lubiła pani swoją pracę? Na Södermalmie?

Nina musiała się bardzo starać, żeby zachować spokój. Zastanawiała się, czy adwokatka naprawdę wierzy, że tak łatwo zapędzi ją w pułapkę.

– Do czego pani zmierza? – zapytał sędzia.

Martha Genzélius uderzyła piórem w swój polakierowany paznokieć.

– To się okaże w trakcie przesłuchania – powiedziała.

Nina po raz kolejny musiała się bardzo postarać, żeby nie okazać poirytowania. Odpowiedź adwokatki miała wytrącić sędziego z równowagi i zasiać w nim niepokój.

– Proszę zadać świadkowi pytanie albo idziemy dalej – powiedział sędzia.

Adwokatka znów zwróciła się do Niny:

– Dlaczego po dwudziestu latach postanowiła pani wrócić do sprawy Violi Söderland?

– Jej zaginięcie nigdy nie zostało wyjaśnione. Pojawiły się nowe informacje, więc postanowiono ponownie przyjrzeć się dowodom.

– Informacje przedstawione przez reporterkę „Kvällspressen"?

– Zgadza się.

Nina widziała za pancerną szybą mnóstwo dziennikarzy. Widziała ich twarze, surowe i poważne. Razem nieśli sztandar wolności słowa, ale dobrze wiedzieli, co to zazdrość. Wiedziała, że niektórzy nadają z sądu na żywo, że jej słowa natychmiast są powtarzane, komentowane, czasem zniekształcane. Nie miała na to wpływu: jej słowa żyły własnym życiem.

– Dlaczego ta sprawa wraca właśnie teraz? – nie ustępowała Martha Genzélius.

– Otrzymaliśmy nowe informacje i dochodzenie zostało wznowione – powiedziała Nina.

– O ile wiem, to te tak zwane nowe informacje pochodzą z mediów.

Spokojnie, powtarzała sobie Nina. Spokojnie.

– To prawda.

– Uważa pani, że policja powinna pozwalać, żeby sterował nią tabloid?

Pytanie padło nagle. Crispinsson wstał.

– To jest znęcanie się nad świadkiem!

Nina uniosła brodę i spojrzała na niego, jakby chciała mu dać do zrozumienia, że pytanie jest w porządku, potem odwróciła się do adwokatki i przygwoździła ją spojrzeniem.

– Informacje od społeczeństwa, także od mediów, często przyczyniają się do wyjaśnienia skomplikowanych spraw.

Mówiła łagodnym tonem: jak profesjonalistka grzecznie objaśniająca laikowi, na czym polega praca policji.

Adwokatka uśmiechnęła się triumfująco, jakby właśnie odniosła wielki sukces, po czym sięgnęła po kolejną kartkę.

– Twierdzi pani, że DNA mojego klienta znaleziono w Orminge, tam, gdzie w zeszłym roku popełniono zbrodnię.

– Tak twierdzi państwowe laboratorium kryminalistyczne.

– Czy rzeczywiście? – spytała głośno adwokatka.

Nina zaczerpnęła powietrza. Wiedziała, że to rozstrzygające pytanie. Otworzyła usta, żeby odpowiedzieć, i nagle usłyszała słowa adwokatki:

– Proszę pamiętać, że zeznaje pani pod przysięgą!

Poczuła złość, jakby ktoś ją uderzył w przeponę. Adwokatka bardzo umiejętnie wykorzystywała wszelkie psychologiczne sztuczki: przerywała, zadawała pytania raz szybciej, raz wolniej, była świadomie bezczelna i przerażająco skuteczna. To pytanie zachowała na koniec, to był główny punkt jej obrony: bo analiza DNA wykazała, że próbki nie są idealnie zgodne.

Nina starała się zachować kamienną twarz, nie mrugać, udawać nieporuszoną.

– Próbki były niemal idealnie zgodne, pewnie zaledwie kilku ludzi na świecie mogłoby być sprawcami.

Adwokatka rozłożyła ręce.

– Bardzo dziękuję. Kilku ludzi! Szukaliście ich?

– To skandal! – krzyknął Crispinsson. – Czyżby pani mecenas kwestionowała prawdomówność świadka? Mamy założyć, że Policja Krajowa była stronnicza?

Sędzia uderzył młotkiem w stół.

– Dosyć tego! Proszę pozwolić obrońcy prowadzić przesłuchanie.

Nina opuściła ramiona. Spodziewała się, że adwokatka właśnie w ten sposób będzie chciała prowadzić przesłuchanie, więc nie czuła się zaskoczona, ale i tak była wdzięczna Crispinssonowi.

Adwokatka zadała kolejne pytanie:

– Co robiła policja, kiedy mój klient siedział w areszcie?

Najwyraźniej znała odpowiedź na to pytanie, ale zależało jej na bezustannym prowokowaniu świadka.

Dział, w którym Nina pracowała, przeanalizował niemal całą historię szwedzkiej kryminalistyki. Ona sama rozmawiała z władzami policji z całej Europy, we wszelkich możliwych językach, przekonywała, prosiła, nalegała: szukajcie, sprawdzajcie, porównujcie!

– Zamordowany mężczyzna był z pochodzenia Finem, dorastał w Szwecji, ale niedługo przed śmiercią został obywatelem Hiszpanii – tłumaczyła Nina spokojnie. – Potrzebowaliśmy pomocy kolegów z Hiszpanii, a także władz policyjnych innych krajów.

– Innych krajów? Czyli jakich?

– Najpierw skontaktowaliśmy się z policją hiszpańską, następnie z Europolem – odpowiedziała Nina spokojnie. – Wtedy okazało się, że wiele dotąd niewyjaśnionych zabójstw w innych krajach wykazuje podobieństwa z zabójstwem z Orminge. Dlatego w ciągu ostatniego roku DNA Ivara Berglunda porównywano z próbkami pobranymi w innych krajach, w Skandynawii, ale też w ogóle w Europie. To dlatego Ivar Berglund przebywał w areszcie tak długo. Dochodzenie było zakrojone na szeroką skalę i cały czas przynosiło coś nowego.

– Jaki był jego rezultat?

– Na to pytanie nie jestem w stanie odpowiedzieć, ponieważ badania nadal trwają.

– Czyli nie macie ani jednej próbki z DNA identycznym z DNA oskarżonego?

Nina nie pozwoliła, żeby ktokolwiek zauważył, jak bardzo jest zawiedziona. Bo przecież nie było żadnych próbek, które można byłoby porównać. Wszystkie miejsca zbrodni zostały idealnie wyczyszczone.

– W chwili obecnej nie.

– Jedyne, co macie, to rzekoma próbka DNA z Orminge, tak?

A więc wracamy do twardych faktów. Dobrze, pomyślała Nina.

– Skóra spod paznokcia ofiary.

– Znaleziona gdzie?

Nina spojrzała na adwokatkę. Może chciała ją wyprowadzić z równowagi?

– Ofierze zdarto paznokcie, jeszcze za życia. Próbowała się bronić i udało jej się podrapać sprawcę. Potem straciła paznokieć.

Adwokatka sprawiała wrażenie nieporuszonej.

– Ten tak zwany dowód znaleziono w mrowisku, mam rację?

– Karl Gustaf Ekblad był nagi, wysmarowany miodem. Kiedy go znaleziono, sam zdążył się już zamienić w mrowisko.

Celowo użyła imienia i nazwiska ofiary, chciała, żeby przysięgli mieli przed oczami człowieka. Próbowała się odwoływać do ich empatii, sprawić, żeby się identyfikowali z ofiarą, ale nie była pewna, czy jej się udało.

Adwokatka notowała szybko, po chwili podniosła głowę.

– Proszę mi powiedzieć, co tak naprawdę jest w mrowisku. Poza mrówkami oczywiście – dodała. – Pleśń, grzyby, kwas mrówkowy? Macie pewność, że znalezione tam mikroskopijne ilości skóry nie były zanieczyszczone?

Crispinsson podniósł rękę.

– Świadek nie jest technikiem kryminalistyki.

Adwokatka spojrzała na niego zdziwiona.

– Pan prokurator sam wezwał panią Hoffman na świadka. Czyżby odmawiał mi prawa do jej przesłuchania?

Sędzia skinął głową.

– Proszę kontynuować.

– No tak, nie jest pani technikiem kryminalistyki – powtórzyła adwokatka, patrząc na Ninę z politowaniem. – Pani zadaniem jest analizowanie materiałów i pisanie raportów, prawda?

Nina wyprostowała się jeszcze bardziej. Pomyślała, że nie może pozwolić, żeby adwokatka pomniejszała jej rolę, ale kiedy sięgnęła po kolejne dokumenty i zaczęła je przeglądać, poczuła ciarki na plecach.

– Wróćmy na chwilę do zaginięcia Violi Söderland – odezwała się w końcu adwokatka. – Czy świadek, mężczyzna wyprowadzający psa, który dwadzieścia jeden lat temu, dwudziestego trzeciego września, zapisał numer samochodu parkującego pod domem zaginionej, potrafił podać, o której godzinie to było?

– Około północy.

– Właśnie! Czy dwadzieścia jeden lat po fakcie możemy ufać jego pamięci?

– Tego świadek nie może wiedzieć – zaprotestował Crispinsson.

– Proszę nie przerywać – upomniał go sędzia.

Nina milczała, adwokatka przekrzywiła głowę.

– Odczyt w Sandviken trwał do godziny dziesiątej. Potem mój klient został jeszcze chwilę, żeby razem z organizatorami sprzątnąć lokal. Wypił też filiżankę kawy, a przed wyjazdem zatankował paliwo. Wie pani o tym?

– Tak.

– To znaczy, że drogę z Sandviken do Sztokholmu musiałby pokonać w czasie krótszym niż czterdzieści pięć minut, co z kolei znaczyłoby, że musiałby jechać ze średnią prędkością dwieście pięćdziesiąt kilometrów na godzinę.

Nina chciała coś powiedzieć, ale adwokatka nie dopuściła jej do głosu. Odwróciła się i zaczęła mówić do sędziego.

– Pragnę przypomnieć, że w tamtych latach nie było jeszcze autostrady między Gävle a Uppsalą. Przez oba miasta prowadziła trasa E4, na której obowiązywały ograniczenia prędkości do siedemdziesięciu i pięćdziesięciu kilometrów na godzinę. – Odwróciła się z powrotem do Niny. – Uważa pani, że można było pokonać taką odległość w tak krótkim czasie?

Nina wiedziała, że odpowiedź jest tylko jedna.

– Nie – powiedziała.

Adwokatka patrzyła na nią dłuższą chwilę w milczeniu, potem odłożyła teczkę z dokumentami na biurko.

– Dziękuję, nie mam więcej pytań.

Grzecznie i elegancko. Niech ją szlag.

Na sali zapadła cisza. Po chwili sędzia zwrócił się do Niny: spytał, czy w związku z koniecznością stawienia się w sądzie poniosła jakieś koszty. Odpowiedziała, że nie, wstała i opuściła salę.

Miała wrażenie, że idzie przez tunel. Kierowała się w stronę drzwi prowadzących do pokoju bez okien, niewielkiej poczekalni dla świadków oskarżenia. Czuła się bezradna i w jakiś dziwny sposób zaniepokojona.

ZBLIŻAJĄCA SIĘ FALA UPAŁÓW sprawiła, że w redakcji włączono klimatyzację. Nagle temperatura spadła poniżej zera, najwyraźniej termostat był niesprawny. Annika włożyła kurtkę, żeby się nie nabawić zapalenia płuc.

Włączyła komputer i zaczęła przeglądać pliki z zeznaniami świadków. Mimo zimna czuła, że klawisze parzą jej palce. To właśnie kłamstwa świadków doprowadziły do tego, że Josefin nawet po śmierci nie doczekała się sprawiedliwości. Niektóre nazwiska znała, ale nie wszystkie. Ludwig Emmanuel Eriksson to zapewne Ludde, który stał w barze, a Robin Oscar Bertelsson to Robin, odpowiedzialny za bezpieczeństwo w klubie. Odszedł stamtąd zaraz po śmierci Josefin. Annika nigdy go nie spotkała, ale Joachim często go wspominał. Od początku podejrzewała, że był jednym ze świadków. Teraz miała już pewność.

Ludwiga Emmnuela Erikssona zapamiętała jako cichego, wiecznie naburmuszonego chłopaka. Miał rzadkie jasne włosy, jasne oczy i zawsze bez cienia skrępowania gapił się na jej piersi. Wpisała jego imię i nazwisko w Google i natychmiast go znalazła.

Kampania funduszu na rzecz chorych na raka: przekaż darowiznę, zrób przelew, zapłać kartą przez internet.

Było też zdjęcie: poważna twarz człowieka naznaczonego chorobą, krótko ostrzyżone włosy, zmęczone oczy. Zdążył skończyć trzydzieści dwa lata. Smutne.

Berit postawiła na biurku torbę z laptopem.

– Dlaczego tu tak zimno?

Annika oderwała wzrok od zdjęcia zmarłego i wskazała na stojący w kącie klimatyzator.

– Nina powiedziała coś ważnego?

– Owszem. W kilku krajach były podobne przypadki, porównano śledztwa.

– Powiedziała to, zeznając jako świadek? Świetnie. Myślisz, że drań zostanie skazany? – Berit usiadła na krześle. – Cała sprawa opiera się na próbkach DNA – powiedziała zamyślona. – To może nie wystarczyć.

– Berglund nie miał nic wspólnego z innymi zabójstwami.

– Co do tego są pewne wątpliwości.

– Powiedział coś? – spytał Patrik. Nagle objawił się tuż przy nich.

– Kroił wątroby ofiar i smażył je na patelni z cebulką, przyprawiał kaparami i czosnkiem i zjadał – wyrecytowała Annika.

Patrik był wyraźnie zły, odnotowała to z zadowoleniem.

– Ale jest coś nowego – powiedziała Berit. – Policja Krajowa i Europol porównali wyniki śledztw prowadzonych w kilku krajach. Dlatego to wszystko tyle trwało.

Na policzkach Patrika pojawiły się czerwone plamy.

– PODEJRZANY O SERYJNE MORDERSTWA W CAŁEJ EUROPIE – powiedział, jakby cytował gotowy już nagłówek.

– Na razie nie ma jeszcze jednoznacznych wyników.

– To sprawa czysto techniczna – rzucił Patrik. Już był w drodze do działu wiadomości.

– Dostałaś coś od pani prokurator? – spytała Berit.

Annika podała jej listę świadków i w tym samym momencie usłyszała, że ktoś do niej dzwoni z wewnętrznego telefonu.

– Możesz do mnie zajrzeć? – usłyszała głos naczelnego.

– Teraz? W tym momencie?

– Jeśli możesz.

W słuchawce rozległy się trzaski, połączenie zostało przerwane.

– Świetnie – powiedziała Berit, oddając jej listę. – Może któryś z nich zacznie mówić.

Annika się podniosła i ruszyła w stronę szklanej klatki szefa. Widziała, że na nią patrzy, więc weszła bez pukania i zasunęła za sobą drzwi. Schyman nigdy nie zostawiał ich otwartych.

– Co powiedziała pani prokurator? – spytał zza biurka.

– Dostałam listę świadków. Dlaczego klimatyzacja jest nastawiona na zero?

Spojrzał na nią pytającym wzrokiem. Na biurku piętrzyły się notatki, wydruki, luźne kartki. Annika miała nadzieję, że jej szef jednak ma nad tym wszystkim jakąś kontrolę.

– Jakich świadków? Ktoś widział, jak ją mordują?

– Chodzi o tych, którzy dali mordercy alibi. Chciałeś mi coś powiedzieć?

Schyman zaczął targać brodę.

– Usiądź – powiedział po chwili i wskazał krzesło dla gości.

Annika usiadła, krzesło aż się zakołysało. Nie potrafiła powiedzieć co, ale coś w jego głosie budziło niepokój.

– Jak przewidujesz, ile czasu zajmie ci praca nad tą sprawą?

Odczekała chwilę, krzesło przestało się kołysać.

– Dziewczyna miała na imię Josefin. Marzyła o tym, żeby zostać dziennikarką. Poza tym lubiła koty. Jeszcze trochę to potrwa, dopiero zaczęłam.

– Sądzisz, że jest szansa, żeby sprawa mogła wrócić na wokandę? – spytał Schyman.

Annika przyglądała mu się przez chwilę.

– Jest jakiś pośpiech?

Schyman stał za biurkiem, ręce oparł o blat.

– Chodzi o twojego następcę? Dokonałeś już wyboru? To ten facet z radia?

Schyman wypuścił powietrze, westchnął głośno i odsunął krzesło do tyłu tak mocno, że uderzyło o regał.

– Nie, nie. To na pewno nie będzie on. A co, masz jakąś propozycję?

– Tak. Berit.

Schyman przeciągnął dłonią po czole.

– Tak, wiem, że byś tego chciała.

– Jestem pewna, że to dobra propozycja.

– Umotywuj ją.

– Jest zdecydowanie najlepszą reporterką „Kvällspressen", o najszerszym spektrum zainteresowań, wszystko potrafi, niczego się nie boi. Nigdy się nie denerwuje, ma świetne wyczucie sytuacji, jest lojalna.

Schyman zamrugał oczami.

– Rozumiem, że chciałaś powiedzieć, że jest doświadczona, ma wiedzę, jest lojalna i spokojna i potrafi właściwie ocenić sytuację.

– Właściwie nie rozumiem, dlaczego jeszcze jej tego nie zaproponowałeś.

– Zaraz ci powiem dlaczego.

– Chętnie się dowiem.

– Berit nie popełnia błędów. Nikt nigdy się na nią nie skarżył ombudsmanowi. Pisze dobrze, poprawnie po szwedzku, jej artykuły zawsze są dopracowane i przemyślane.

– Teraz minusy.

– Nie podejmuje ryzyka.

Annika skrzyżowała ręce na piersi.

– Chcesz powiedzieć, że jest tchórzem?

– Gazeta taka jak „Kvällspressen" nie może mieć kapitana, żeby użyć jednego z twoich ulubionych określeń, który się boi ryzykować. To by nie zdało egzaminu. Ryzyko jest wpisane w nasz zawód. Czasem trzeba porządnie zamieszać, a potem chodzi o to, żeby podczas sztormu nie stracić równowagi…

– Więc skąd ten pośpiech w sprawie Josefin?

– Nie ma żadnego pośpiechu.

Annika przyglądała mu się chwilę w milczeniu. Widać było, że jest zmęczony, zauważyła zmarszczki wokół ust. Wcześniej ich nie było.

– Mówię ci to nieoficjalnie – powiedział po dłuższej chwili.

– Rozumiem. – Niepokoiła się coraz bardziej.

Schyman podał jej wydruk, protokół z ubiegłotygodniowego zebrania zarządu.

– Paragraf czwarty – rzucił.

Przeczytała trzy razy.

W związku z rozwojem branży postanawia się zlikwidować papierowe wydanie „Kvällspressen".

Zlikwidować. Papierowe wydanie.

– Papierowe wydanie ma zostać zlikwidowane – powiedziała nieco schrypniętym głosem.

Schyman skinął głową.

– Jak najszybciej.

Siedziała nieruchomo na krześle.

– Zanim odejdę, mam to przeprowadzić.

Annika odruchowo spojrzała na redakcję, na ludzi, którzy po drugiej stronie szklanej ściany tworzyli kolejne wydanie gazety, nieświadomi tego, co ich za chwilę czeka.

– Ale, co się stanie… z nimi wszystkimi?

– Niestety, wszystkie etaty reporterskie zostaną zlikwidowane.

Patrzyła na niego z otwartymi ustami. Powoli docierało do niej, jaka będzie skala planowanej operacji. Znikną wszystkie etaty reporterskie, czyli także jej, Berit, Sjölandera i wszystkich innych. A co z czytelnikami, którzy nie będą już mogli kupić w kiosku swojej gazety z ulubioną krzyżówką, którą codziennie rozwiązywali, popijając popołudniową kawę? Zniknięcie gazety z rynku będzie oznaczało zmianę wieloletnich przyzwyczajeń, znikną wszystkie związane z nią zwyczaje.

– Myślałam, że gazeta przynosi zysk!

– Do tej pory sobie radziliśmy. Wydawaliśmy dodatki tematyczne, dołączaliśmy książki, CD, DVD, ale i tu cyfryzacja daje o sobie znać: Netfix, Spotify, Bokus. Nie mamy wyboru.

– Chyba nie mówisz serio.

– Wszyscy wcześniej czy później będą musieli podjąć taką decyzję. Jeśli podejmiemy ją pierwsi, będziemy mieli przewagę.

– A jaka w tym wszystkim ma być twoja rola? Będziesz trzymał siekierę?

– Nie wszyscy będą musieli odejść. Rozbudujemy platformy cyfrowe, dziennikarstwo nie zniknie tylko dlatego, że zlikwidujemy wydanie papierowe. Ale tę historię z Josefin chciałbym zobaczyć na papierze...

Annika pomyślała, że się o to postara.

– Ile mam czasu? – spytała nieco sarkastycznie.

– Trzeba renegocjować umowę z dystrybutorem, umowy z drukarniami, to na pewno trochę potrwa...

Czuła, że zaschło jej w ustach, ale wiedziała, że musi zadać jeszcze jedno pytanie:

– A co potem? Co ze mną?

– Dla ciebie oczywiście znajdzie się miejsce. Wiesz, że chcę cię mieć przy sobie.

– Żebym pracowała nad wydaniem internetowym?

– Między innymi.

Poczuła, że ma łzy w oczach. Wstała. Nie chciała, żeby Schyman je zobaczył.

– W życiu. To już wolę pracować na kasie w markecie.

Schyman westchnął.

– Nic jeszcze nikomu nie mów. Ogłosimy to prawdopodobnie na początku przyszłego tygodnia.

Pokiwała głową i opuściła szklaną klatkę. Zasunęła za sobą drzwi.

POCHŁONĘŁY JĄ PODZIEMIA. Wagoniki metra unosiły ją w stronę Södermalmu. Ludzie obok niej chwiali się, obijali się o nią, kołysali na boki.

Zamknęła oczy, żeby nie zacząć płakać.

Schyman pewnie miał rację. „Kvällspressen" będzie pierwsza, ale za nią pójdą inne tytuły. Znów zamrugała i zaczęła się rozglądać. Zauważyła kilku starszych panów przeglądających gazety, ale nie było ich wielu. Zmiany już się zaczęły. Świat bez codziennej gazety? Czy to możliwe?

Odwróciła się i zobaczyła w szybie swoją zmęczoną twarz.

Pomyślała o tym, jak bardzo się zmieni ulica: znikną jaskrawożółte banery sprzed kiosków i sklepów spożywczych, ale na ich miejsce pewnie szybko wejdą inne reklamy. Przecież o to w tym chodzi: trzeba zachęcić potencjalnego klienta, żeby wszedł do środka. Bo jeśli już wejdzie, to zwykle kupuje coś jeszcze, słodycze, może papierosy. Pasażerowie autobusów i pociągów będą siedzieli z nosami w komórkach, paczki z gazetami nie będą już leżały na chodnikach przed drzwiami sklepów, a darmowe gazetki nie będą fruwały w powietrzu, roznoszone przez wiatr.

Jak ludzie będą żyli w tym nowym świecie?

Badania przeprowadzone w Norwegii wykazały, że człowiek gorzej zapamiętuje to, co przeczyta na ekranie. Pięćdziesiąt osób poproszono o przeczytanie kryminału jakiegoś brytyjskiego autora: połowa czytała na czytniku, połowa w wersji papierowej. Ci, którzy korzystali z czytnika, mieli większe problemy z zapamiętaniem kolejności zdarzeń. Dlaczego? Na to pytanie nikt nie potrafił odpowiedzieć. A więc pogorszy się nam pamięć. Jeszcze bardziej. Jakie to będzie miało znaczenie? Szczególnie dla niej, jako dziennikarki? Czy będzie musiała jeszcze bardziej upraszczać teksty? Świat stanie się czarno-biały?

Może to właśnie była kara, to i ataki paniki, za to, że się tak zachowywała, za to, co robiła, za wszystkich, których zawiodła...

Zawstydziła się. Jak w ogóle mogła pomyśleć, że rozwój dziennikarstwa może mieć cokolwiek wspólnego z jej osobistymi problemami.

Ataki paniki miały źródło w niej samej. Sama była sobie winna. Nie powinna się dziwić.

Pociąg zahamował. Musiała się złapać, żeby nie upaść na kobietę z wózkiem.

Przy Medborgarplatsen wysiadła. Znów wyszła na światło. Przed kioskiem zauważyła krzyczące banery reklamujące gazety. Södermalm żyło innym rytmem niż Kungsholmen, nawet kolory były tam inne. Czuła się dziwnie wdzięczna, że w ogóle może tam być. Tam stawała się bardziej wyrozumiała, bardziej cierpliwa. Tam nie było żadnych duchów. Potrafiła się litować nawet nad mężczyznami w krzykliwie żółtych kaskach, którzy wygrodzili Götgatan i pruli asfalt na całej jezdni, robiąc piekielny hałas.

Poza tym kim była, żeby osądzać innych? Zawiodła swojego męża, kiedy się znalazł w trudnej sytuacji, kiedy został okaleczony, kiedy cierpiał. Wdała się w romans z jego szefem. Nie zasłużyła na litość.

Zobaczyła, że jej torbę rozświetlił ekran komórki. Uliczny hałas i roboty drogowe zagłuszyły dzwonek. Sięgnęła po komórkę, przycisnęła ją do ucha i odeszła na bok.

– Cześć, Annika – usłyszała męski głos.

– Witaj, Steven.

Przeszła przez ulicę, zatrzymała się przed McDonaldem i położyła torbę na chodniku.

Steven urodził się i dorastał po sąsiedzku, w Malmköping. Był pięć lat starszy od Birgitty. Po raz pierwszy spotkała go pewnego późnego wieczoru, kiedy przyszli do niej, on i Birgitta. Niezapowiedziani. Akurat wtedy, kiedy jej mąż, Thomas, został uprowadzony w Afryce.

– Birgitte się do ciebie odzywała? – spytał.

Obok niej przetaczał się tłum ludzi.

– Nie. Rozmawiałam z matką. Możesz mi powiedzieć, co się właściwie stało? – spytała, siląc się na spokojny, neutralny ton.

– Birgitta nie wróciła wczoraj z pracy.

– Tak, mama mi mówiła. Nic ci nie powiedziała, kiedy wychodziła? I potem już się nie odezwała?

– Potem… nie.

W słuchawce zapadła cisza. Grupa nastolatek z niebieskimi włosami i hamburgerami w rękach przeszła obok niej. Jedna z nich upuściła kubek z colą, która rozlała się na buty Anniki. Odwróciła się do nich plecami.

– Halo? – odezwała się po dłuższej chwili.

– Pomyślałem, że może tobie coś powiedziała.

– Dlaczego miałaby mi coś mówić? Wiesz, że właściwie nie utrzymujemy kontaktu.

– Tak, nie przyjechałaś nawet na nasz ślub.

Rozmawiali o tym wiele razy, ale najwyraźniej musieli wciąż do tego wracać.

– Myślałam, że się przenieśliście do Oslo.

– Taki mieliśmy zamiar. Szukałem tam pracy, ale nie znalazłem.

– Dlaczego?

Znów cisza. Spojrzała na ekran. Nie, połączenie nie zostało przerwane. Minął ją autobus numer siedemdziesiąt jeden, jechał do Danvikstull. Zamknęła oczy.

Steven odchrząknął.

– Coś jest nie tak – powiedział po chwili. – Nie wiem, co robić. Diny ciągle o nią pyta. Co mam jej powiedzieć?

Annika poczuła, że uginają się pod nią nogi.

– Dlaczego uciekła, Steven? Pokłóciliście się?

– Nie, właściwie nie…

Właściwie nie.

– Uderzyłeś ją?

– Nigdy w życiu.

Odpowiedział szybko. Za szybko?

– Jeśli się do ciebie odezwie, daj mi znać, dobrze?

Odgarnęła włosy z czoła. Nie bardzo wiedziała, po co zadzwonił. I dlaczego Birgitta miałaby się kontaktować z nią, a nie z nim.

– Prawdę mówiąc, nie wiem nawet, czy mam numer jej komórki. Mam nowy aparat, straciłam część kontaktów… Skąd masz mój numer? – zainteresowała się nagle.

– Barbro mi go dała.

Oczywiście.

– Obiecaj, że się odezwiesz.

– Jasne.

Rozłączyła się. Czuła, że serce wali jej w piersi jak oszalałe. Wzięła głęboki oddech, włożyła komórkę do torby, torbę przewiesiła przez ramię. Powoli ruszyła w stronę Södermannagatan. Właściwie nic już jej z Birgittą nie łączyło, oprócz dzieciństwa.

Weszła do marketu spożywczego przy Nytorgsgatan. Włożyła do wózka mielone mięso, śmietanę, cebulę i belgijskie młode ziemniaki. Kalle zażyczył sobie na obiad siekane kotlety.

Przy kasie okazało się, że jest kolejka. Miejska klasa średnia wracała po pracy do domów, tak jak ona. Wszyscy mieli na sobie ciuchy z H&M wymieszane z czymś używanym, do tego jakiś drogi dodatek. Kasjerka, młoda kobieta, najwyraźniej nie urodziła się w Szwecji. Na pewno nie było jej stać na mieszkanie na Södermalmie, podobnie jak Birgitty.

Annika nie dziwiła się, że Birgitta została ekspedientką. Zawsze uwielbiała sklepy. Spędzała na zakupach całe godziny. Nie miało znaczenia, czy miała kupić ubranie, kosmetyki, czy coś do jedzenia. Kiedy były nastolatkami, potrafiła wydać całą tygodniówkę na prześliczny słoik dżemu albo pachnące różami mydełko.

Annika zapłaciła kartą. Zauważyła, że kasjerka ma szalenie artystyczne akrylowe tipsy. Podobne miała Birgitta.

Zrobiła kolację razem z dziećmi, po czym zasiedli do stołu. Sami. Jimmy był jeszcze w pracy. Jak zwykle opowiedzieli sobie, co robili w ciągu dnia. Serena przestała już kwestionować każde jej słowo, co przyjęła z ulgą. Bardzo ciekawie opowiedziała o lekcji prac ręcznych. Serena ładnie szyła i była uzdolniona manualnie. Ellen z przejęciem mówiła o filmie, który oglądała na YouTube: o norweskich dzieciach śpiewających piosenkę o lisku. Jacob milczał, ale apetyt mu dopisywał. Kalle odmówił wypicia mleka, chociaż próbowała mu tłumaczyć, że data ważności na opakowaniu oznacza, że najlepiej je spożyć wcześniej, co nie znaczy, że następnego dnia zamienia się w truciznę.

Sprzątnęli razem ze stołu, potem dzieci zniknęły w swoich pokojach i zajęły się swoimi elektronicznymi gadżetami. Annika usiadła przy stole. Wsłuchiwała się w ciche mruczenie zmywarki, po chwili odchrząknęła i wybrała numer Birgitty. Zasłoniła oczy dłonią i czekała, aż wybrzmią kolejne sygnały. Postanowiła, że będzie miła i uprzejma. Odezwała się poczta głosowa.

Cześć, dodzwoniłeś się do Birgitty. Nie mogę odebrać, ale po sygnale zostaw wiadomość, oddzwonię. Cześć!

Rozległ się długi, głośny, przenikliwy pisk. Annika poczuła się dziwnie. Jakby ją ktoś oszukał. Zamyśliła się, ale szybko wzięła się w garść.

– Cześć – powiedziała w pustkę. – To ja, Annika. Podobno nie wróciłaś wczoraj po pracy do domu i… Martwimy się o ciebie. Zadzwoń, dobrze? Cześć.

Rozłączyła się i poczuła ulgę. Teraz wszystko znów jest w rękach jej siostry. Nagle z korytarza dobiegły krzyki.

– Dzieci, pora myć zęby! – zawołała.

Do krzyków dołączył płacz. Coś się musiało stać. Poszła do pokoju chłopców. Okazało się, że Jacob właśnie się zorientował, że nie ma komórki. Nie podejrzewał, że ktoś mu ją zabrał, po prostu nie mógł jej znaleźć. Nie pamiętał ani gdzie ją położył, ani kiedy jej ostatnio używał.

Razem przewrócili do góry nogami całe mieszkanie i nic. Na dnie jednego z koszy Annika znalazła swoją starą komórkę. Nie był to smartfon, a baterii nie można było naładować, ale wystarczyło ją wymienić, żeby telefon nadawał się do użytku. Skoro się nie pilnuje swojego smartfona, jakieś konsekwencje muszą być.

W końcu, tłumacząc wszystko cierpliwie i pocieszając, kogo trzeba, opanowała sytuację. Dzieci, zamiast się kłócić, na chwilę zwarły szyki w walce ze wspólnym wrogiem – czyli z nią – a potem, po wysłuchaniu norweskiej piosenki o lisku na YouTube i wspólnym przeczytaniu fragmentu *Opowieści z Narnii*, w ich pokojach zapanował spokój.

Annika poszła do salonu, usiadła na kanapie i włączyła telewizor. Właśnie nadawano „Aktuellt". Potem przez chwilę śledziła w internecie debatę na temat integralności. Jakaś feministka weteranka twierdziła, że w sieci powinna obowiązywać pełna anonimowość. Drugi z dyskutantów, reprezentujący przemysł nagraniowy, uważał, że internetowych piratów należy tropić i karać. Tak jak za kradzież płyty w sklepie, powiedział. Annika popierała obie strony, co dowodziło, że jest bardzo zmęczona. Z drugiej strony, pomyślała, pewnie oboje w pewnym sensie mają rację. Podobnymi kwestiami zajmował się Jimmy na spotkaniu z grupą parlamentarną odpowiadającą za to, nad czym z kolei pracował Thomas. Zastanawiała się, jak będą wyglądały ich wzajemne relacje. W pracy rzadko się spotykali, chociaż pracowali w jednym budynku, ale teraz nie będą mieli wyjścia.

Zamknęła oczy i zapadła w drzemkę. Obudziła się, kiedy poczuła na głowie rękę Jimmy'ego. Zalała ją fala radości. Objęła go, chłonęła jego zapach.

– Jak wam poszło?

Jimmy przesunął ją kawałek i złapał pod ręce. Po chwili siedziała mu na kolanach. Czuła na głowie jego oddech.

– Jako tako.

Spojrzała na niego przez ramię.

– Nie zdążyłem dokładnie przejrzeć sprawozdania Thomasa i niestety nie wyłapałem wszystkich niedociągnięć. Jeśli jego propozycja przejdzie, ani policja, ani prokurator nie będą mogli tropić adresów IP w internecie…

Zamilkł.

– Widziałam debatę w telewizji – powiedziała Annika. – Miałam wrażenie, że obie strony mają rację.

Jimmy westchnął.

– To nie są łatwe sprawy – powiedział. Dotknął brodą jej włosów. – Nawet niektórzy członkowie grupy parlamentarnej mają problemy ze zrozumieniem problemu. Wielu uważa na przykład, że wolność słowa daje wszystkim prawo do wypowiadania się anonimowo w internecie. Nie byłem dostatecznie dobrze przygotowany. Powinienem pilniej śledzić przebieg prac…

Annika odwróciła głowę.

– Co zrobi Thomas? – spytała.

Jimmy się uśmiechnął i pocałował ją we włosy.

– Jutro z nim o tym porozmawiam. A jak twoja wizyta u psychologa?

Annika usiadła.

– Nie potrafię powiedzieć. Wypytywała mnie o dzieciństwo i o to, jak się czuję, kiedy teraz o tym mówię…

– I jak się czułaś?

– Nie było mi łatwo.

Spojrzała na pokój, przymknęła oczy.

– Że też to takie ważne, żeby nikomu nie pokazać, kim się naprawdę jest, ukryć to, że się nienawidzi…

– Nie chcesz rozmawiać z psychologiem?

Odchyliła głowę, ich spojrzenia się spotkały. Spróbowała się uśmiechnąć. Coś z nią było nie tak. Zdrowi ludzie nie padają na podłogę bez żadnego powodu, nie straszą własnych dzieci.

– Mama do mnie dzisiaj zadzwoniła. I Steven, mój szwagier. Birgitta zaginęła. Nie wróciła wczoraj z pracy.

– Jak to? Co się stało?

Annika zamknęła oczy. Znów miała przed oczami bloki przy Odendalsgatan w Hälleforsnäs. I ich mieszkanie, ich pokój, piętrowe łóżko, jej na górze, Birgitty na dole. Były tak blisko, jak to tylko możliwe, a jednak nic ich nie łączyło. Ją zawsze nęcił szeroki świat, Birgitta chciała zostać w domu.

– Kiedy byłyśmy małe, Birgitta zawsze wszystkiego się bała. Mrówek, komarów, duchów, samolotów. Nie mogła jeździć do babci do Lyckebo, bo w trawie były węże…

– Nie kupiła tam gdzieś domu?

– Nie, kiedyś jakiś wynajęła, na jedno lato.

Zamknęła oczy i wzięła głęboki wdech.

– Wydanie papierowe ma zostać zlikwidowane – powiedziała.

Poczuła na sobie jego spojrzenie. Otworzyła oczy.

– Schyman mnie dzisiaj wezwał. W piątek zarząd podjął decyzję. W przyszłym tygodniu ogłoszą to oficjalnie.

– Co się stanie z ludźmi?

– Wielu będzie musiało odejść, ale nie wszyscy. Do wydania internetowego też potrzeba ludzi.

Jimmy nie zadał jej oczywistego w tej sytuacji pytania, ale i tak na nie odpowiedziała:

– Mnie chce zatrzymać. Miałabym się zajmować wymyślaniem przyszłości do wydania wewnętrznego.

Jimmy westchnął.

– Czasem się zastanawiam, co się z nami stanie. Z ludźmi. Tak w ogóle.

– Tak naprawdę wszyscy jesteśmy rybami, które sto pięćdziesiąt milionów lat temu wyszły na ląd – stwierdziła Annika.

– Chodź do mnie – powiedział Jimmy i przyciągnął ją do siebie.

Wtorek, 2 czerwca

KWADRANS PO SIÓDMEJ Nina weszła do swojego pokoju. Słońce stało już nad wewnętrznym dziedzińcem, rzucało promienie na sterty papierów na jej biurku. Zapowiadał się bardzo gorący dzień.

Rzuciła torbę ze strojem do ćwiczeń na półkę, sięgnęła po gazety i butelkę wody mineralnej. Wyjęła z torby kanapkę, sięgnęła do górnej szuflady biurka po butelkę świeżo wyciśniętego soku pomarańczowego. Po ćwiczeniach zawsze robiła się głodna.

Usiadła przy biurku i zaczęła się wsłuchiwać w ciszę. Większość jej kolegów zjawiała się koło ósmej, niektórzy przychodzili dopiero na poranną odprawę o dziewiątej. Ale nie była sama, słyszała, jak Johansson, sekretarz wydziału, kaszle, przechodząc korytarzem. Jesper Wou, z którym dzieliła pokój, na szczęście był w jednej z tych swoich długich podróży służbowych. Była zadowolona, że może mieć pokój dla siebie.

Zalogowała się do komputera. W nocy nie wydarzyło się nic szczególnego, nikt jej nie szukał, nie dostała żadnego maila. Odetchnęła z ulgą i sięgnęła po poranne gazety. Przerzuciła dzienniki. Właściwie najświeższe wiadomości znała już z pasków programów informacyjnych. „Kvällspressen" miała na pierwszej stronie artykuł o zbliżającym się święcie narodowym. Zastanawiali się, czy najmłodsza z księżniczek przyjedzie na uroczystości ze Stanów. Ta sprawa w ogóle jej nie dotyczyła, rodzina królewska to nie był jej ból głowy. Tym zajmowali się koledzy z Säpo. Na samym dole na pierwszej stronie zauważyła zapowiedź artykułu o Drwalu. Tak dziennikarze ochrzcili Ivara Berglunda. Otworzyła na stronach szóstej i siódmej i nagle spojrzała w jego pozbawione blasku oczy. Zdjęcie zajmowało kilka szpalt, zostało zrobione teleobiektywem przez uchylone drzwi. Berglund najwyraźniej na moment spojrzał na fotografkę, zdjęcie było podpisane imieniem i nazwiskiem i to wystarczyło. Była gotowa. Na pewno wszystko odbyło się błyskawicznie, może Berglund nawet się nie zorientował. Mimo to udało jej się uchwycić jego zimny spokój, całkowity brak emocji. Nina przyglądała się mu kilka sekund, a potem zobaczyła tytuł na górze strony.

SERYJNE MORDERSTWA W CAŁEJ EUROPIE

Poczuła się, jakby ktoś jej zadał nieoczekiwany cios. Położyła dłonie na gazecie, pochyliła się nad nią i przeleciała wzrokiem tekst. Miała jeszcze iskierkę nadziei, że może nie będzie tak źle, ale nadzieja oczywiście okazała się złudna.

„Według Niny Hoffman, analityka operacyjnego Krajowej Policji Kryminalnej w Sztokholmie, w wielu krajach są niewyjaśnione sprawy, które zdają się mieć powiązania ze sprawą w Orminge. Dlatego postanowiono porównać DNA Ivara Berglunda z próbkami pobranymi w innych krajach, zarówno w Skandynawii, jak i w ogóle w Europie. Prace trwają już od roku, ale wyniki nadal nie są znane, jak dotąd nie znaleziono identycznej próbki...".

Poczuła, że krew uderza jej do głowy. Jak mogła się zachować tak nierozsądnie?

Nie zastanawiając się, szczerze odpowiadała na pytania adwokatki. To było szaleństwo, dała się podejść obronie. Jak mogła być aż tak naiwna? Wyjawiła, że nie mają żadnych dowodów, że chociaż szukali, nie znaleźli niczego, co mogłoby dowieść winy Berglunda. Powiedziała to przed sędzią, przed ławą przysięgłych i wszystkimi dziennikarzami. Jaka była głupia!

Wstała, ale nie bardzo wiedziała, dokąd mogłaby pójść, więc po chwili znów usiadła.

Odegrała w pamięci przesłuchanie, przypomniała sobie perfekcyjnie umalowaną adwokatkę: *Co robiła policja, kiedy mój klient siedział w areszcie?* I swoją odpowiedź: *DNA Ivara Berglunda porównywano z próbkami pobranymi w innych krajach, w Skandynawii, ale też w ogóle w Europie...*

Jeśli przegrają sprawę i Berglund zostanie zwolniony, to będzie to jej wina. Dotknęła policzków, adrenalina sprawiła, że naczynka krwionośne się zwęziły, jakby się gotowały do walki.

Próbowała się odprężyć, skupić. Powiodła wzrokiem po biurku, znalazła teczkę z aktami Berglunda, wyciągnęła ją spod sterty innych dokumentów, otworzyła i znalazła informacje dotyczące badań DNA.

Czyżby próbka z miejsca zbrodni w Orminge była niewłaściwa? Zgodność wynosiła ponad 99%. Adwokatka

Berglunda sugerowała, że materiał mógł być zanieczyszczony. To możliwe? Może ktoś popełnił błąd podczas pobierania materiału albo podczas samych badań?

Przejrzała wszystkie wyniki, opinie lekarza medycyny sądowej i krajowego laboratorium kryminalistyki. Nie znalazła nic nowego, odpowiedzi znała na pamięć.

Znów usłyszała na korytarzu kaszel Johanssona. Zawahała się, sięgnęła po teczkę z aktami i wstała.

Gabinet Johanssona znajdował się w głębi korytarza. Miał do dyspozycji własny pokój, co było dość wyjątkowe. Może powodem była jego przeszłość? Kiedyś był członkiem grupy interwencyjnej, ale traumatyczne przeżycia – nikt nie wiedział do końca jakie – sprawiły, że trafił do nich do wydziału. Z trudem radził sobie ze złem tego świata, ale był znakomitym administratorem.

Drzwi do jego pokoju były otwarte, zapukała w futrynę. Podniósł głowę i spojrzał na nią znad okularów. Nic nie mówiąc, wskazał jej głową krzesło po drugiej stronie biurka.

– Mam pytanie – zaczęła, siadając. – Ile niewyjaśnionych przypadków zostało jeszcze do sprawdzenia?

Johansson westchnął głęboko i zdjął okulary.

– Kilka, tych najdawniejszych, kiedy badania DNA były jeszcze w powijakach.

– Czyli sprzed osiemnastu, dwudziestu lat?

– Coś koło tego.

– Myślisz, że są szanse, że coś się znajdzie?

Johansson wyjrzał przez okno, zamyślił się.

– Niewielkie – powiedział po chwili. – Ale są. Wtedy to było coś całkiem nowego. Sprawcy nie byli tak ostrożni, nie zawsze pamiętali, żeby dokładnie usunąć wszystkie ślady…

– Urwał, spojrzał na nią uważnie. – Co cię dręczy?

Poczuła, że się czerwieni.

– Czytałeś „Kvällspressen"? – spytała.

– Adwokatka zadała ci pytanie, a ty na nie odpowiedziałaś – stwierdził, patrząc jej w oczy. – Każda inna odpowiedź mogłaby zostać zakwestionowana.

Niczego nie zataić, nic nie dodać ani nie zmienić.

Wyprostowała się.

– Zastanawiam się nad próbką DNA z Orminge. Co o niej sądzisz? To możliwe, że ktoś popełnił jakiś błąd? Że próbka została zanieczyszczona?

– Gdyby aparatura była zepsuta, wynik wskazałby na niezgodność próbek – powiedział Johansson.

Nina otworzyła teczkę, znalazła kartkę z wynikami badań DNA.

– Jeśli ktoś próbował przy niej grzebać – ciągnął Johansson – to musiał to być ktoś z laboratorium albo któryś z funkcjonariuszy, którzy byli na miejscu zbrodni…

Nina położyła ręce na teczce. Wiedziała, że podmienienie próbek na miejscu zbrodni nie jest trudne, znacznie łatwiejsze niż na przykład sfałszowanie odcisków palców.

– To możliwe? – spytała. – Można podmienić materiał DNA?

Johansson dopił kawę, westchnął i pokiwał głową.

– Jeśli się odwiruje białe ciałka, to DNA zniknie. Wtedy wystarczy podłożyć inne DNA, na przykład z włosa. Myślisz, że ktoś z laboratorium mógłby…

Urwał. Nina siedziała, nic nie mówiąc.

– Może ktoś z laboratorium jest w jakiś sposób powiązany z Berglundem? – zaczęła się głośno zastanawiać. – Może ktoś ma mu coś za złe? Sprawdziliśmy to?

Johansson patrzył na nią w milczeniu.

– Berglund ma na sumieniu więcej ofiar – powiedziała Nina cicho. – Morderca z Orminge nie był nowicjuszem, robił już wcześniej takie rzeczy. Jedną z jego ofiar był Lerberg...

Johansson pokiwał bezradnie głową.

– Poddano go podobnym torturom i zrobił to ten sam człowiek. Podejrzewam, że pierwsze DNA, które znaleźliśmy, w Djursholm, też należało do Berglunda. Nikt nie podmienił próbek. To on porwał Violę Söderland i on torturował Ingemara Lerberga...

– A dowody?

– Bawi się z nami – powiedziała Nina cicho. – Chce, żebyśmy wiedzieli.

Przypomniała sobie rysunek, który morderca wziął z pokoju dzieci w willi Lerberga i zostawił zwinięty w odbycie ofiary w Orminge.

W oczach Johanssona pokazały się łzy.

– Sam nie wiem – powiedział po chwili. – Zdarzały się błędy w próbkach DNA.

– Kobieta duch z Heilbronn? O tym myślisz?

Johansson pokiwał głową i wytarł nos.

W latach dziewięćdziesiątych, ale też jeszcze później, pewna kobieta trzymała w szachu policję w dużej części Europy Środkowej. Chodziło przede wszystkim o południowo-zachodnie Niemcy, ale też część Francji i Austrii. Jej DNA znaleziono w czterdziestu różnych miejscach zbrodni, miała na sumieniu kradzieże i morderstwa, także policjantów. Śledczy określali jej działania jako wyjątkowo brutalne, podejrzewano, że jest narkomanką, poza tym często przebierała się za mężczyznę.

Pierwsze DNA znaleziono w 1993 roku: starsza pani, emerytka, została okradziona i zamordowana w swoim mieszkaniu. Niemiecka policja przez całe lata robiła wszystko, żeby znaleźć sprawczynię: zwiększono liczbę patroli, przebadano próbki DNA ponad siedmiuset kobiet, sprawdzono ponad trzy i pół tysiąca doniesień, wyznaczono nagrodę w wysokości trzystu tysięcy euro. I nic.

I nagle w marcu 2009 roku sprawy przybrały inny obrót. Francuska policja pobrała próbki DNA ze spalonego ciała azylanta, mężczyzny, który okazał się kobietą, i to nie jakąś tam kobietą, tylko kobietą duchem, która między innymi dwa lata wcześniej brutalnie zamordowała policjanta w Heilbronn. W trakcie dochodzenia policja zorientowała się, że z próbkami DNA coś jest nie w porządku. Szybko się okazało, że we wspomnianych czterdziestu przypadkach próbki DNA nie były próbkami DNA sprawcy, tylko pochodziły z używanych do pobierania materiału wacików, a one z kolei co do jednego pochodziły z tej samej fabryki z Europy Wschodniej.

– Więc jakie może być wytłumaczenie? Próbki są w porządku, tylko porównujemy je z niewłaściwym materiałem? Może to DNA kogoś innego?

– Niewykluczone – stwierdził Johansson.

– Ale kogo? O ile wiemy, Berglund nie ma synów.

– To prawda. Nigdy nie płacił żadnych alimentów, nikt nigdy nie wytoczył mu sprawy o ojcostwo. Co oczywiście nie musi znaczyć, że rzeczywiście nie ma dzieci...

Nina zacisnęła pięści.

– Nadal coś jest nie tak. Dziecko nie miałoby aż tak podobnego DNA. DNA mitochondrialne jest dziedziczone w linii żeńskiej... – Urwała, zapadła cisza.

Wróciła do lektury dokumentów.

Rodzice Berglunda już nie żyli, utonęli pod koniec lat siedemdziesiątych. Przed dwudziestu laty w wypadku samochodowym w południowej Hiszpanii zginął jego brat, Arne Berglund.

– Sporo nagłych śmierci jak na jedną rodzinę – zauważył Johansson ponuro. – Poza tym z kręgu podejrzanych na pewno możemy wykluczyć jego siostrę.

Młodsza siostra Ivara, Ingela Berglund, mieszkała w domu opieki w Lulei. Nina spojrzała na okno, niemal czuła napierające z zewnątrz ciepłe powietrze.

– Ktoś z nią rozmawiał?

– Jest niepełnosprawna umysłowo.

– Jak bardzo? Czym to się objawia? – dopytywała się Nina.

– Nie wiem. Wygląda na to, że koledzy ocenili, że nie ma z nią kontaktu, albo chcieli jej oszczędzić cierpienia. Może nawet nie wie, że jej brat jest podejrzany o morderstwo?

Nina wstała.

– Dziękuję, że poświęciłeś mi tyle czasu. Kiedy znów będziesz się kontaktował z kolegami z Europy Południowej? W sprawie pozostałych przypadków.

Johansson westchnął.

Nina wyszła i w głębi korytarza zobaczyła znikające plecy komisarza Q, szefa wydziału. Przyspieszyła i po chwili stanęła w progu jego gabinetu.

– Przepraszam, masz chwilę?

Komisarz trzymał w ręku lepki kubek z kawą, hawajską koszulę miał krzywo zapiętą.

– Oczywiście, a o co chodzi?

Q był dość specyficznym szefem, nie tylko ze względu na oryginalny sposób ubierania się i okropny gust muzyczny – uwielbiał oglądać konkursy Eurowizji – ale przede wszystkim ze względu na sposób myślenia i naturalne podejście do rzeczy, których nie rozumiał. Nina nauczyła się doceniać jego oszczędny sposób komunikowania się i otwartość wobec innych.

– Muszę pojechać do Lulei, porozmawiać z siostrą Ivara Berglunda.

Komisarz usiadł przy swoim zabałaganionym biurku i zmarszczył brwi.

– Ona chyba jest upośledzona? Przebywa w zakładzie.

– To prawda, ale może jest w stanie się komunikować. Tak czy inaczej, chciałabym się z nią zobaczyć.

Q się wahał.

– Na pewno mieli jakiś powód, żeby ją zostawić w spokoju – ciągnął Q. – Ile ma lat?

– Jest po pięćdziesiątce.

– Upośledzona umysłowo, jak rozumiem. Zażądaj wglądu do karty pacjenta i dowiedz się, co jej dolega – powiedział. Sięgnął na biurko po jakieś dokumenty, dając jej do zrozumienia, że rozmowa jest skończona.

Nina wstała, ale zatrzymała się w drzwiach.

– Jest jeszcze coś. Chodzi o sprawę Josefin Liljeberg.

Q spojrzał na nią zdziwiony.

– Josefin? Kiedyś prowadziłem tę sprawę, prawdę mówiąc, było to moje pierwsze dochodzenie po przejściu do wydziału zabójstw…

Nina wyprostowała się.

– Wczoraj zadzwoniła do mnie Annika Bengtzon z „Kvällspressen". Zamierza się przyjrzeć tej sprawie jeszcze raz i pyta, czy może dostać materiały z dochodzenia wstępnego, oczywiście nieformalnie.

Komisarz dopił kawę, jego twarz wykrzywił grymas.

– Dlaczego nie zadzwoniła do mnie?

– Jesteś szefem, nie masz bezpośredniego numeru. Prokurator dała jej listę świadków, co znaczy, że sprawa nie jest zamknięta.

Q odstawił kubek.

– Mamy ją u siebie?

– Tak, i przyznanie się do winy Gustafa Holmeruda.

Q jęknął na sam dźwięk nazwiska. Milczał dłuższą chwilę.

– Pamiętam tę sprawę – odezwał się w końcu. – Był upalny dzień, sobota. Zabił ją jej chłopak, obrzydliwy typ. Kumple dali mu alibi. Gdyby nie to, trafiłby za kratki. Nie zaszkodzi, jeśli Bengtzon przejrzy akta – powiedział, kiwając głową. – Wręcz przeciwnie. Jeśli „Kvällspressen" zacznie w tym mieszać, może wypłyną na wierzch jakieś karaluchy. Daj jej kopię akt. I przypomnij, że nie wolno jej niczego cytować – powiedział i wrócił do sterty papierów.

Nina odwróciła się i wyszła.

– Chwileczkę! – zawołał za nią. – Dobrze odpowiadałaś podczas przesłuchania. Łajdak jest winien, niech się trochę podenerwuje. Niech wie, że tak łatwo nie odpuścimy.

Najwyraźniej czytał już „Kvällspressen".

Nie poprawiło to jej nastroju.

ANDERS SCHYMAN odchylił się na krześle. Starał się przybrać obojętny wyraz twarzy, nie pozwolić panice przejąć kontroli, ale właściwie mógł sobie oszczędzić trudu. Albert Wennergren, przewodniczący zarządu, stał plecami do niego. Jego śmieszny kucyk tańczył w przeciągu z klimatyzacji. Przyglądał się temu, co się działo po drugiej stronie szklanej ściany. Tam, na zewnątrz, wszyscy byli zajęci śledzeniem bieżących wydarzeń, konfrontowaniem informacji z różnych źródeł, tworzeniem kolejnych artykułów: niemy film bez podkładu dźwiękowego.

– Zastanawiałeś się, jak dużo miejsca będziesz potrzebował po reorganizacji? – spytał, nie odwracając się do Schymana.

Reorganizacja? *Reorganizacja?*

Schyman zaczerpnął bezgłośnie powietrza, żeby nie zacząć krzyczeć. Wziął się w garść.

– Jeszcze nie – powiedział spokojnie. – Najpierw muszę wiedzieć, ilu ludzi zatrudnimy do wydania internetowego, ilu będziemy potrzebować do programów filmowych dla platform nadawczych. Trzeba będzie porównać koszty, zastanowić się, czy nie lepiej część lokali wynająć…

Albert Wennergren odwrócił się, usiadł w jednym z foteli dla gości, oparł łokcie na kolanach.

– Uwzględnij też koszty emocjonalne.

Schyman zmrużył oczy. Nie do końca wiedział, co Wennergren ma na myśli.

– Kompromisy kosztują, no i wymagają więcej czasu. Szybkie cięcie na pewno jest tańsze. Chciałbym wiedzieć o ile.

– Ile będzie kosztować dłuższa reorganizacja, łatwiejsza do zaakceptowania dla ludzi, a ile…

– Szybka decyzja i jej szybka realizacja to chyba najlepsze wyjście, także dla pracowników – stwierdził Wennergren.

Schyman wpatrywał się w niego, nie zamierzał pierwszy odwrócić wzroku.

– Nie będzie łatwo wytłumaczyć ludziom, dlaczego zapadła tak dramatyczna decyzja, skoro w ciągu ostatnich dwunastu lat gazeta przyniosła firmie ponad miliard zysku…

Wennergren pokiwał głową ze zrozumieniem.

– Na pewno – przytaknął. – Na pewno trzeba będzie o tym rozmawiać. Podkreślić, że naszym priorytetem zawsze będzie dział informacji i publicystyka społeczna. Pod tym względem nic się nie zmieni. Chodzi tylko o to, że musimy docierać tam, gdzie są nasi czytelnicy, co z kolei wymaga inwestycji. To powinno być dla wszystkich zrozumiałe.

Schyman chciał przełknąć ślinę, ale miał sucho w gardle. Wyrozumiałość, dyskusja, jasne.

– Więc zmiany są konieczne, żebyśmy się nadal mogli zajmować poważną publicystyką społeczną, tak? – powiedział, mając nadzieję, że nie zabrzmi to zbyt ironicznie.

Wennergren podchwycił temat.

– Dokładnie tak! Podejmujemy tę szalenie trudną decyzję, ponieważ myślimy o przyszłości. Przejmujemy inicjatywę, skoro mamy taką okazję.

Schyman ze wszystkich sił starał się opanować.

– Wiemy, że konkurencja nie śpi… – Wennergren wychylił się do przodu. – W zeszłym miesiącu byłem w Kalifornii na spotkaniu z szefostwem Google'a. Wiesz, czego oni się boją? Nie konkurencji, tylko konsumentów. Nasze zachowania zmieniają się tak szybko, że trudno za nimi nadążyć. Google się boi, że za jakiś czas może w ogóle zniknąć!

Wennergren wstał i znów spojrzał na redakcję. Był podniecony, zżerała go ambicja.

– Nawet trudno sobie wyobrazić, jak bardzo branża mediów się zmieni w najbliższych latach, ale jedno jest pewne: „Kvällspressen" zawsze będzie istnieć, a nawet będzie nadawać ton tym zmianom.

Schyman nie czuł się na siłach odpowiedzieć. Pomyślał, że dwadzieścia lat wcześniej w redakcjach w całym kraju pracowało siedem tysięcy dziennikarzy. Teraz zostało zaledwie dwa tysiące. Tylko w zeszłym roku zamknięto prawie czterdzieści oddziałów lokalnych, ponad czterystu dziennikarzy straciło pracę. Zagrożenie narastało, niemal równie szybko jak ruchy neofaszystowskie rosły w siłę. Pomyślał, że jedynie dwie grupy nie muszą się niczego, obawiać: informatorzy i doradcy do spraw PR-u. Ci, którzy rządzą i wpływają.

Wennergren kiwnął głową w stronę redakcji.

– Czy to nie ta kobieta zajmowała się Valterem, kiedy w zeszłym roku odbywał tu praktyki?

Schyman wstał i podszedł do niego. Teraz bolały go już oba kolana.

– Mam wrażenie, że się dogadywali – powiedział.

– Zrobiła na nim duże wrażenie, często o niej mówi.

Annika musiała poczuć na sobie ich spojrzenia, bo nagle się odwróciła i spojrzała na nich. Stali ramię w ramię. Schyman mimowolnie zrobił krok do tyłu i się odwrócił.

– A jak mu idzie? Mam na myśli Valtera.

– Dziękuję, bardzo dobrze. Kilka tygodni temu skończył studia, dziennikarstwo.

– Tym większa szkoda, że w Szwecji dla dziennikarzy nie ma już pracy.

Wennergren się uśmiechnął.

– Valter wybrał pracę naukową. Interesują go kwestie etyki dziennikarskiej i relacje w mediach.

– Zdolny chłopak – skwitował Schyman i pokiwał głową.

Wennergren westchnął zadowolony.

– Miałem pewne wątpliwości, kiedy mi powiedział, że chce odbyć praktyki w „Kvällspressen". A potem się okazało, że właśnie tutaj podjął decyzję co do wyboru specjalizacji. Podobno dużo o tym rozmawiał ze swoją mentorką. Jak ona się nazywa? Berntson?

– Bengtzon – poprawił go Schyman. – Annika Bengtzon.

– Czytałem jego pracę dyplomową. Bardzo ciekawa. Dzieli media na poważne, czyli poranne dzienniki i programy informacyjne państwowej telewizji, z jednej strony, i tabloidy typu „Kvällspressen", z drugiej. Pierwsze cieszą się powszechnym szacunkiem, co zapewne wynika z ich podejścia do problemów. Piszą o rynku pracy, o polityce, o sporcie, o wojnach i o gospodarce, czyli o tradycyjnie męskich dziedzinach.

Schyman rozpoznawał tok myślenia. Sam kiedyś mówił podobne rzeczy.

– Wszystkie media piszą o polityce i o wojnach – powiedział głośno.

– Ale z różnego punktu widzenia. Popołudniówki skupiają się na sprawach osobistych, na uczuciach, i robią to w sposób powszechnie uznawany za kobiecy. Opowiadamy te same historie, ale my tłumaczymy je zwykłym ludziom na ulicy, oni establishmentowi. Dlatego nami gardzą…

Schyman zamknął oczy.

– Chciałbym porozmawiać z Anniką Berntson – powiedział nagle Wennergren. – Możesz ją tu poprosić?

Schyman poczuł, że robi mu się zimno. A jeśli Annika rzuci jakąś nieprzemyślaną uwagę i Wennergren się domyśli, że jej wszystko powiedział?

Sięgnął przez biurko i wcisnął klawisz.

– Annika, możesz do mnie zajrzeć?

– Po co?

Że też zawsze musi stawiać opór.

Zobaczył, jak wzdycha, a po chwili rusza w stronę jego szklanej klatki.

– O co chodzi? – spytała, kiedy otworzyła drzwi i weszła.

– Opowiadałem Andersowi o planach Valtera. Chce pisać doktorat, interesują go sposoby działania współczesnych mediów.

– Interesujące – skwitowała Annika beznamiętnie.

– Często się odwołuje do rozmów z panią, o etyce i metodach pracy dziennikarzy. Ma pani bardzo wyraziste poglądy na ten temat. Może mi pani powiedzieć parę słów na temat płci różnych gazet?

Annika się rozejrzała, była zmieszana, jakby się bała, że jest w ukrytej kamerze.

– Nie pamiętam dokładnie. Człowiek mówi różne głupstwa...

– Powiedziała pani, że „Kvällspressen" jest jak wrzaskliwa baba, która wykrzykuje prawdy, których nikt nie chce słuchać.

Annika zaczęła przestępować z nogi na nogę, była wyraźnie skrępowana.

– Proszę podejść bliżej, ale najpierw proszę zamknąć za sobą drzwi – ciągnął Wennergren. – Zapewne pani wie, że Schyman wkrótce odejdzie. Jestem ciekaw pani zdania na temat jego następcy. Jaki według pani powinien być?

Oczy Anniki zrobiły się niemal czarne.

– Popołudniówka jest jak okręt wojenny w sytuacji wiecznej wojny. Jeśli akurat w pobliżu nie rozgrywa się żadna wojna, jeśli nikt na nikogo nie napadł, to tworzymy własną wojenkę. W takiej sytuacji potrzebny jest kapitan, który potrafi wyważyć wszystkie za i przeciw i bezpiecznie przeprowadzić okręt przez wzburzone fale.

Wennergren chyba nie bardzo nadążał za tokiem jej rozumowania.

– Może pani zaproponować jakieś nazwiska? – spytał.

– Berit Hamrin, chociaż podobno się nie nadaje, bo jest za uczciwa.

– Może ktoś z telewizji? Albo z biznesu?

Jej oczy się zwęziły.

– Ktoś ważny? O to panu chodzi? Jeśli chcecie, żeby okręt osiadł na mieliźnie, to proszę bardzo. Wtedy możecie wziąć, kogo chcecie. Coś jeszcze?

– Nie – powiedział Schyman pospiesznie. – Możesz już iść.

Annika zasunęła za sobą drzwi i poszła, nawet się nie odwróciła.

Albert Wennergren patrzył za nią zamyślony.

– Chciałbym, żeby najważniejsze rzeczy zostały ustalone, zanim ogłosimy naszą decyzję. Potrzebny będzie zarys nowej struktury organizacyjnej, szacunkowe koszty odpraw dla zwalnianych pracowników, sumy, które trzeba będzie wyłożyć na inwestycje, no i najchętniej również nazwisko nowego redaktora naczelnego.

Schyman nadal trzymał ręce na podłokietnikach.

– A co z drukarnią i dystrybucją? Kiedy im powiemy?

Bo przecież nie tylko dziennikarze mieli stracić pracę. Drukarnia, z której usług korzystali, niedawno zainwestowała w nowe maszyny do sortowania prasy, cały czas wprowadzano różne nowinki techniczne. Co prawda nie byli ich jedynym klientem, ale na pewno jednym z największych. Drukarnia zatrudniała trzysta osób. Schyman zaczął się zastanawiać, jak długo jeszcze będą mieli pracę.

– Z tym się nie spiesz – powiedział Wennergren. – Umowa z drukarnią kończy się jesienią, więc jesteśmy w bardzo dobrej sytuacji.

Sięgnął po teczkę, ciężką, z materiału, markową. Luźny, sportowy styl.

– Nie muszę ci mówić, jakie to ważne, żeby nic nie wyciekło – dodał, patrząc Schymanowi w oczy.

Schyman poczuł ciarki na plecach. Przed oczami miał Annikę z protokołem z zebrania zarządu w ręku. Ale nie spuścił wzroku.

– Oczywiście – powiedział, nawet nie mrugnąwszy.

BERIT POSTAWIŁA NA BIURKU torbę i otarła pot z czoła. Annika zaczerpnęła powietrza, odwróciła głowę od szklanej klatki naczelnego i spojrzała na przyjaciółkę.

– Niech zgadnę – zaczęła. – Rosa opowiada o swojej wadze.

– Poczuła się bardzo dotknięta – powiedziała Berit i opadła na krzesło.

Przewodniczący zarządu zaczął się żegnać z naczelnym, trzymał w ręce teczkę i głośno się śmiał.

– Przeczytałam w wydaniu redakcyjnym, że Rosa rozmawiała ze swoim PR-owcem. Uświadomił jej, jak bardzo została obrażona – powiedziała Annika, odwracając na chwilę wzrok od szklanej klatki szefa.

– Uznała, że skrytykowano ją jako człowieka. – Berit wyjęła z torby laptopa. – Postanowiła podjąć wyzwanie i pokazać, że sama decyduje o tym, jak chce wyglądać. I nikomu nic do tego.

– Nie przypuszczałam, że ma własnego PR-owca. Boże drogi – westchnęła Annika.

Berit włączyła laptopa. Czekając, aż programy się załadują, zaczęła przecierać okulary. Ileż to razy Annika widziała, jak powtarza te gesty. Jak długo jeszcze będziemy siedziały przy tym samym biurku? – pomyślała.

– Powiedziałabym, że to niezbyt ciekawe. Jestem, jaka jestem, i koniec. To by znaczyło, że człowiek by się nie rozwijał, że zmiana jako taka byłaby czymś złym.

Annika uniosła brwi. Kątem oka widziała, jak Wennergren zamyka drzwi do pokoju Schymana i rusza do wyjścia.

– Co dokładnie masz na myśli? – spytała, nie spuszczając z niego wzroku.

Berit włożyła okulary.

– Myślałam o tym podczas wywiadu z Rosą. Była oburzona, że ktoś doszedł do wniosku, że się zmieniła po roli w serialu. Jest, jaka jest, i ma do tego prawo.

– A nie ma? – zdziwiła się Annika.

Wennergren szedł w stronę portierni. Annika spojrzała na szklaną klatkę szefa, zobaczyła, że Schyman siedzi za biurkiem i patrzy przed siebie. Była pewna, że rozmawiali o likwidacji redakcji. Ludzie wokół niej nie mieli pojęcia, co ich wkrótce czeka. Katastrofa była nieunikniona, zbliżała się wielkimi krokami, a oni w skupieniu pisali swoje artykuły, wypełniali swoje obowiązki. Ta świadomość ją paraliżowała.

Odwróciła się i spojrzała na Berit. Dotarło do niej, że w ogóle jej nie słucha.

– Rosa – powiedziała. – Rozumiem, że ona uważa, że jest doskonała i nie musi nic w sobie zmieniać.

– To była ciekawa rozmowa. Niemal jakbym słuchała Szwedzkich Demokratów: wszystko, co nowe, jest podejrzane i powinno zostać zabronione. Rosa fatalnie mówi, jest niewykształcona, ma ciasne poglądy, ale ma do tego prawo i oczekuje od innych szacunku.

Berit wyjęła z torby dwa jabłka. Podała Annice jedno, sama zaczęła jeść drugie.

– A na czym polega problem? – zaczęła Annika.

Berit przełknęła kawałek jabłka.

– Tego rodzaju myślenie prowadzi do powstania nowej klasy niższej. Oznacza, że zawsze będziemy tacy, jacy się urodziliśmy. Wyobrażasz sobie, co by się stało z ruchem robotniczym na początku dwudziestego wieku, gdyby przyjęto taki tok myślenia? Nie zawracajcie sobie głowy nauką, pijcie dalej. Nie należy się zmieniać!

Annika czuła, jak jabłko rośnie jej w ustach. Kim jestem? – zaczęła się zastanawiać. Gdzie mam pracować, jeśli nie tutaj? Co potrafię? Czy ktoś mnie w ogóle potrzebuje?

– Coś nowego w sprawie Drwala? – spytała po chwili, przysuwając do siebie laptopa.

– Sprawy techniczne: zeznania operatora komórkowego, pracowników laboratorium kryminalnego i chyba jeszcze jakiegoś sąsiada. Nic pasjonującego. A ty co robisz?

Annika zgarbiła się, odsunęła laptopa. Zastanawiała się, czy wrócić do domu, czy zostać w redakcji i czekać razem z innymi.

– Nina Hoffman może mi dostarczyć materiały z dochodzenia wstępnego. *Off the record* oczywiście. Przejrzę je wieczorem. Zlokalizowałam już świadków: jeden facet nie żyje, czterech nadal mieszka w Sztokholmie, a najbardziej interesujący z nich wszystkich, Robin Bertelsson, przeniósł się do Kopenhagi.

– Www.krak.dk – powiedziała Berit. Miała na myśli duńską wyszukiwarkę adresów i numerów telefonicznych.

– Pracuje w Doomsday. Firma informatyczna, jedna z tych, co to nie podają żadnych numerów telefonów, tylko maila…

Zerknęła na zegarek. Była dopiero dziesiąta, wtorek, początek czerwca, jeden z ostatnich tygodni pracy, jeśli nie dni.

– Prokurator, który się zajmował sprawą, odszedł już na emeryturę. Mam się z nim spotkać w jego domu we Flen – powiedziała. Wyrzuciła ogryzek do pojemnika na makulaturę i ruszyła w stronę portierni.

ASFALT PAROWAŁ W UPALE. Annika wyjechała na drogę i ruszyła na południe. Samochody posuwały się powoli, zrywami, jak zwykle. Odebrała to jako swoiste pocieszenie. Zerknęła na leżącą obok, na siedzeniu pasażera, milczącą komórkę: żadnych wiadomości, ani od siostry, ani od nikogo innego.

Kiedy się zostawia za sobą coś dobrze znanego, zawsze powstaje pustka. Sama wielokrotnie wyjeżdżała, opuszczała miejsca, które znała, i zaczynała od nowa. Wyjechała z Hälleforsnäs, a Birgitta została, w każdym razie do czasu przeprowadzki do Malmö. Dlaczego się przeprowadziła? I dlaczego postanowiła zniknąć właśnie teraz? A może to nie była jej decyzja?

Zjazd na Skärholmen pojawił się nagle. Była to jedna z dzielnic powstałych w ramach programu miliona mieszkań, betonowe bloki z lat sześćdziesiątych i gigantyczne centrum handlowe. Kiedyś w nim była. Zjechała z autostrady i zostawiła samochód w garażu o powierzchni małego miasteczka. Kiedy włączyła alarm, pisk odbił się echem od betonowych słupów.

Galeria handlowa była klimatyzowana, na półkach leżały wszystkie tanie marki występujące na północnej półkuli.

Przeżyła déjà vu. Była tam kiedyś z synem prezesa zarządu, Valterem Wennergrenem. Odbywał staż w redakcji, a ona się nim opiekowała. Przeprowadzali wywiad z mężczyzną, który sprzedał samochód Violi Söderland. Miał chyba stragan z kwiatami. A może z warzywami?

Mijała kolejne stoiska: z ubraniami, ze sprzętem technicznym. Kto to wszystko kupi? – zastanawiała się. Obok niej przechodzili ludzie, ich głosy zamieniały się w jej głowie w hałas.

Już była gotowa się poddać, kiedy nagle znalazła to, czego szukała. Mały sklepik bez okien, w którym sprzedawano aparaty telefoniczne, takie jak jej stara komórka. Były bardzo tanie, prawie za darmo, ale w zamian nabywca zobowiązywał się płacić abonament niemal do śmierci. Sama też dała się na to nabrać i płaciła teraz abonament za telefon, którego już od pół roku w ogóle nie używała.

Przed nią był tylko jeden klient, mężczyzna, chyba z Bliskiego Wschodu. Trzymał za rękę małą dziewczynkę i rozmawiał z właścicielem po arabsku. Dziewczynka się do niej uśmiechnęła i pomachała rączką, ona też jej pomachała.

Jaki będzie los tej małej? – zastanawiała się. I co się stanie z nią samą?

– Mam pytanie – zaczęła, kiedy w końcu przyszła jej kolej.

– Mam nadzieję, że będę potrafił na nie odpowiedzieć. – Chłopak stojący za ladą wziął od niej numerek, zmiął go i eleganckim rzutem umieścił w pojemniku na makulaturę.

– Mój aparat zastrajkował – powiedziała, kładąc na ladzie swoją starą komórkę. – Nie można go naładować. Zastanawiam się, czy to wina baterii, czy ładowarki.

Chłopak wziął komórkę do ręki i zaczął się jej przyglądać. Po chwili zniknął za przepierzeniem. Wrócił po pięciu sekundach. Sprawnym ruchem zdjął obudowę, wyjął baterię i włożył nową. Wyświetlacz rozbłysnął i wyświetlił się komunikat: „szukam operatora".

– Proszę. Siadła bateria. Jak pani wróci do domu, proszę ją ładować przez szesnaście godzin.

– Dostanę jakąś gwarancję?

– Pani żartuje?

Kupiła nową ładowarkę, na wszelki wypadek, podziękowała i ruszyła z powrotem do samochodu. Gwar głosów odbijał się od chromu i szkła, uderzał w jej bębenki, ostre przebłyski światła odbijały się od ścian.

Z torby dobiegł dźwięk, którego dawno nie słyszała. Jej stara komórka. Zatrzymała się obok jakiejś kawiarni i wyjęła ją. Nie używała jej od pół roku. Zaczęła się zastanawiać, kto do niej dzwoni na jej dawny numer.

Dwie nowe wiadomości.

Czuła, jak jej tętno przyspiesza.

Obie od Birgitty.

Pierwsza została wysłana dwudziestego piątego maja, czyli już ponad tydzień temu. W poprzedni poniedziałek.

Wyświetliła ją.

Annika, proszę, odezwij się, musisz mi pomóc! / birgitta

Wysłana o szesnastej dwadzieścia pięć.

Wpatrywała się w słowa na wyświetlaczu.

Jeśli Birgitta naprawdę potrzebowała jej pomocy, to dlaczego nie napisała, o co chodzi?

Wysłana o szesnastej dwadzieścia pięć. Nie powinna wtedy być w pracy? A może pracowała na zmiany?

Druga wiadomość była krótka. Została wysłana wcześnie rano, o czwartej dwadzieścia dwie:

Annika, pomóż mi!

THOMAS PRZYŁOŻYŁ PRZEPUSTKĘ do czytnika. Zrobił to wprawnym ruchem, przywykł do urzędniczej rutyny. Pozdrowił portiera uprzejmym skinieniem głowy, ale nie doczekał się żadnej reakcji. Przyjął to z zadowoleniem. Po prostu tam przynależał.

Kierowanie własnym projektem, i to tak prestiżowym i aktualnym, miało niewątpliwie wiele zalet. Sam decydował, co kiedy robi, nikt nic nie mówił, jeśli rano przychodził nieco później albo zostawał nieco dłużej na lunchu. Jeśli poprzedniego dnia brał udział w służbowej kolacji, wręcz oczekiwano, że następnego będzie potrzebował nieco więcej czasu dla siebie.

Zbliżając się do windy, trochę zwolnił. Zatrzymał się przed drzwiami, udając, że wciska guzik, żeby przywołać windę i pojechać wyżej: minister miał gabinet na szóstym piętrze, a jego najbliżsi współpracownicy urzędowali na siódmym. Stał więc chwilę, potem szybko zrobił krok w bok i skręcił w lewo, w korytarz prowadzący do jego pokoju na parterze. To, gdzie miał pokój, nie miało właściwie żadnego znaczenia. Jego pokój z widokiem na ścianę kamienicy na Fredsgatan był równie dobry jak każdy inny. Wielu urzędników pracowało w całkowicie anonimowych budynkach rozsianych po całym mieście, w których miały siedziby mniej prestiżowe wydziały.

– Dzień dobry – pozdrowił grzecznie jedną ze starszych sekretarek, zadbaną kobietę koło pięćdziesiątki.

Zauważył, że podczas ostatniego urlopu pozbyła się kilku zmarszczek. Lubił zadbane kobiety. Chyba miała na imię Majken, ale nie był pewien. Rozpromieniła się i nawet chyba lekko zaczerwieniła. Miał nadzieję, że nie dlatego, że poczuła się skrępowana z powodu jego haka. Jedna z młodszych sekretarek, Marielle Simon – jej nazwisko pamiętał – przeszła obok niego. Pozdrowił ją wstrzemięźliwie. Niech sobie nie myśli, że uważa ją za atrakcyjną.

Lekko posuwistym krokiem wszedł do pokoju, gotów stawić czoło nowym zadaniom, kiedy nagle usłyszał czyjś głos. Ktoś go wołał. Usiłując ukryć zdziwienie, wyjrzał na korytarz.

Jakaś kobieta szła szybkim krokiem w jego stronę.

– Thomas, sekretarz ministra o ciebie pytał. I to kilka razy. Chce z tobą rozmawiać.

Thomas zmarszczył czoło, jakby się zmartwił, i ze zrozumieniem pokiwał głową.

– Oczywiście, zaraz do niego zajrzę.

– Nie, on zajrzy do ciebie. Mam mu dać znać, kiedy się zjawisz…

Poczuł falę gorąca, na szyi, a zaraz potem na policzkach. Na szczęście kobieta już się odwróciła. O co mogło chodzić tym razem? Przecież poświęcił cały wieczór na robienie tego, czego od niego oczekiwano. Zabawiał przedstawicieli narodu, z entuzjazmem opowiadał o projekcie, motywował do działania, wspierał.

Szybko wyjął z teczki dokumenty i rozłożył je na biurku, żeby było widać, że pracuje.

Jedną z wad jego zadania, a właściwie pracy w ogóle, było to, że jego niewierna, niegodna zaufania żona bzykała się z jego szefem, sekretarzem ministra. Ten związek trwał od jakiegoś czasu, więc nie odczuwał go już tak boleśnie jak na początku. Ludzie, przynajmniej ci pracujący w sąsiednich pokojach, widzieli go zawsze opanowanego i pozytywnie nastawionego do świata. Co prawda zamiast lewej dłoni miał hak, ale czuł, że ludzie go szanują.

Przypomniało mu się przysłowie, chyba chińskie, które kiedyś zacytowała Annika: Jeśli będziesz dostatecznie długo siedział nad brzegiem rzeki, zobaczysz, jak płynie nią większość twoich wrogów.

Jesienią miały się odbyć wybory. Z badań opinii publicznej wynikało, że rząd może się już zacząć pakować. Jeśli rzeczywiście dojdzie do zmiany rządu, pomyślał Thomas, urzędnicy zatrudnieni z politycznej rozpiski, na przykład sekretarz ministra, natychmiast stracą stanowiska, a on zostanie.

Więc kto tak naprawdę rządzi w Rosenbadzie? – zastanawiał się, siadając na swoim ergonomicznym krześle.

Włączył stary komputer, złom, który nie pasował do tego miejsca, i otworzył Facebooka. Właściwie nie interesowały go media społecznościowe, ale jego dawna partnerka, Sophia Grenborg, utworzyła mu kiedyś profil. Teraz używał go głównie do sprawdzania, co robią inni. Na przykład Annika. Musiał przyznać, że jego była żona nie jest szczególnie aktywna na Facebooku. Od rana nie zamieściła jeszcze żadnego wpisu, poprzedniego dnia zresztą też nie. Irytowało go to. Jakie tajemnice próbuje ukryć? Czyżby jej życie było tak pasjonujące, że chciała wszystko zachować dla siebie? Usłyszał krótki sygnał, dostał wiadomość. Poczuł łaskotanie w żołądku. Czyżby Annika?

„Cześć, Thomas, widzę, że jesteś online. Jutro mam urodziny i w związku z tym wydaję niewielkie przyjęcie. Może byś wpadł? Około siódmej! Uściski, Sophia".

Jasne. Jego dawna partnerka nie mogła się pogodzić z ich rozstaniem. Zaprzyjaźniła się nawet z jego byłą żoną. Wiedział, że się spotykają, że dzieci czasem u niej nocują. Uważał, że Annika zachowuje się wobec niego bardzo nielojalnie.

Usłyszał pukanie i podniósł głowę. W drzwiach stał Jimmy Halenius. Przemknęło mu przez myśl, że może chciał sobie z niego zadrwić, ale właściwie dlaczego miałby to robić?

Halenius wszedł i nieproszony usiadł na krześle.

– Co mogę dla ciebie zrobić? – spytał Thomas, poprawiając spodnie.

– Pomyślałem, że przejrzymy razem projekt, nad którym pracujesz. Niektóre punkty wymagają zaktualizowania.

Zaktualizowania? Thomas starał się ukryć zdziwienie. Co by to niby miało znaczyć? Nie bardzo wiedział, jak o to spytać, ale zanim zdążył coś wymyślić, Halenius już mówił dalej:

– Powinienem był przejrzeć sprawozdanie, zanim je przedstawiłeś na szerszym forum, więc to, co się stało, biorę na siebie. Ale teraz musimy kilka rzeczy poprawić.

Thomas był coraz bardziej zmieszany.

– Jak to…

Halenius uniósł dłoń, jakby chciał go uciszyć.

– Proponowane przez ciebie środki są zgodne z oczekiwaniami. Policja będzie mogła przeszukać mieszkanie i żądać podania numeru IP na mocy nakazu sądowego, podobnie jak jest z podsłuchem, ale potem coś się nie zgadza. Zastanowiłeś się, jakie będą skutki zmian w prawie?

Thomas poczuł, że język rośnie mu w ustach, miał sucho w gardle. Milczał, więc Halenius znów zaczął mówić:

– Proponujesz, żeby wyżej wymienione kroki stosować w przypadku przestępstw zagrożonych karą minimum czterech lat więzienia.

Thomas odetchnął: akurat tę kwestię znał bardzo dobrze. Uspokojony oparł się wygodniej, poprawił prawą ręką połę marynarki.

– Tak – zaczął. – Uznałem, że powinniśmy być konsekwentni. Trzeba wyznaczyć jednolite granice.

Halenius podrapał się w brew. Thomas uznał, że to obrzydliwe.

– Jeśli ustawa wejdzie w życie w tym kształcie, będzie całkowicie bezużyteczna. Kiedy będzie mogła być stosowana? Minimum cztery lata więzienia grozi chyba tylko za morderstwo i akty terrorystyczne. Kara za podsłuch telefoniczny to dwa lata. Od dawna zresztą. Nie pomyślałeś, żeby i w tym przypadku dać dwa lata?

Thomas zaczerpnął powietrza. Nie bardzo wiedział, co powiedzieć.

– W ten sposób utrudniasz pracę policji – ciągnął Halenius. – Nie będzie miała pola manewru, nie będzie mogła powziąć żadnych kroków.

Thomas miał wrażenie, że stoi nad przepaścią. Zdrową ręką chwycił się mocniej podłokietnika, jakby się bał, że spadnie.

– W czwartek mam przedstawić projekt na posiedzeniu rządu – wydukał wreszcie.

– Nie w tym kształcie – wszedł mu w słowo Halenius. Wstał. – Chcieliśmy przedstawić tę sprawę do rozpatrzenia komisji przed wakacjami. To już niemożliwe, ale będziemy się starać zdążyć przed wyborami. Dasz radę?

Thomas przyglądał mu się: potargane włosy, trochę za ciasna koszula. Za kogo on się, do diabła, ma?

– Jasne – odpowiedział. – Oczywiście. Przed wyborami, na pewno.

BYŁY PROKURATOR REJONOWY Kjell Lindström mieszkał w starym domu z rzeźbionymi drewnianymi wykuszami i wieżyczkami przy Vegagatan we Flen. Annika zaparkowała na podjeździe, zadbanym, wysypanym żwirem. Ze stojącego na trawniku ogrodowego krzesła wstał siedemdziesięcioletni mężczyzna i ruszył w jej stronę. Szedł spokojnym, ale zdecydowanym krokiem. Miał bujne siwe włosy, na biały T-shirt narzucił cienki brązowy sweter.

Chciałabym być w takiej formie, kiedy skończę siedemdziesiąt lat, pomyślała Annika. Drewniany domek, sweterek, trawnik.

– Pani redaktor Bengtzon, jak mniemam?

Miał ciemne, wyraziste oczy.

– Zgadza się – powiedziała Annika. Poprawiła torbę na ramieniu i podała mu rękę.

– My się chyba nigdy nie spotkaliśmy – powiedział Lindström.

– To prawda. Zdarzało się, że do pana wydzwaniałam w różnych sprawach, ale zawsze był pan bardzo zajęty.

Roześmiał się.

– Kawy? – zaproponował.

– Bardzo chętnie.

Wskazał ręką na trawnik. Annika wzięła statyw i podążyła za nim do stolika stojącego przy obrośniętej bzem altance. Na blacie stała już taca z termosem z kawą, filiżanki i leżały cynamonowe bułeczki.

– Świeżo upieczone – zauważyła Annika.

Lindström znów się roześmiał.

– Muszę przyznać, że nasza rodzina jest bardzo tradycyjna. Ja grilluję, a moja żona piecze. A skoro o niej mowa, to jest teraz na pilatesie.

Usiedli na ogrodowych krzesłach, pomalowanych na niebiesko, z grubymi poduchami. Wiatr targał liśćmi brzozy, rozpraszając promienie słońca. Annika podniosła kamerę.

– Mogę? – spytała.

– Oczywiście.

Przykręciła kamerę do statywu, znalazła kawałek równego podłoża, sprawdziła, czy obraz jest taki jak trzeba. Potem sięgnęła do torby po notes i ołówek, a starszy pan zaczął nalewać kawę.

– A więc interesuje panią przypadek Josefin Liljeberg – powiedział, odstawiając termos z kawą.

– Czy zanim zaczniemy, mogę panu zadać całkiem inne pytanie?

Uniósł brwi i wrzucił do filiżanki kostkę cukru.

– Oczywiście.

– Po jakim czasie należy zgłosić czyjeś zaginięcie?

Spojrzał na nią zdziwiony.

– Zaginięcie? To zależy. Chodzi o dziecko czy o osobę dorosłą?

Annika się zawahała.

– Prawdę mówiąc... chodzi o moją siostrę. Przedwczoraj nie wróciła po pracy do domu.

Lindström zaczął mieszać kawę. Kostka cukru się rozpuściła.

– Nie ma zakazu opuszczania domu. Dorośli ludzie mogą chodzić, dokąd chcą. To nie jest przestępstwo.

– A jeśli coś jej się przytrafiło?

– Jeśli istnieje ryzyko zagrożenia zdrowia lub życia, to sprawa oczywiście wygląda inaczej. Czy pani siostra jest osobą samotną?

– Ma męża i dziecko.

– Może nie chce, żeby ją znaleziono? Może po prostu potrzebuje chwili spokoju?

Annika pokiwała głową.

– Też o tym pomyślałam, ale przysłała mi SMS-a, w którym prosi o pomoc.

Lindström zaczął pić gorącą kawę.

– W takim razie powinna to pani zgłosić policji. Dyżurny zdecyduje, czy się tym zajmą, czy nie. – Odstawił filiżankę. – Ale nie sądzę, żeby pani miała powody do zmartwienia. Praktycznie wszystkie osoby zaginione dość szybko się odnajdują.

Annika pokiwała głową.

– Po południu skontaktuję się z policją.

Lindström znów sięgnął po filiżankę i rozejrzał się po ogrodzie. Annika podążyła za jego wzrokiem. Rabatki pod płotem były pełne kwiatów, rosły tam zarówno rośliny wieloletnie, jak i jednoroczne: aksamitki i lobelie. Na rogu, przy wjeździe, pysznił się wspaniały krzew napierśnika.

– Bardzo dobrze pamiętam tę sprawę – zaczął Lindström. – To bardzo przykra historia.

Odwrócił głowę i spojrzał na swój dom: malowane na zielono drewno, białe okiennice, rzeźbione framugi okien i płot. Annika siedziała z notesem na kolanach i czekała.

– Wszystkie morderstwa są tragiczne – zaczął po chwili powoli. – Ale szczególne tragiczne są te, których ofiarą padają ludzie młodzi, którzy tak naprawdę nie zdążyli jeszcze zacząć żyć... Największa zbrodnia, jaką człowiek może popełnić, to pozbawić życia drugiego człowieka. Największe bluźnierstwo to uznać się za Boga i dać sobie prawo do decydowania o życiu i śmierci. W żadnej kulturze nie jest to dopuszczalne....

– Chyba że się jest prezydentem Stanów Zjednoczonych – wtrąciła Annika.

Lindström się roześmiał.

– To prawda... – Zamyślony zaczął znów mieszać kawę. – Na tym się opiera nasze prawo. Jeśli zabijemy kogoś przez przypadek, wcale nie jest powiedziane, że od razu trafimy do więzienia, ale za świadomie popełnione morderstwo możemy spędzić za kratkami resztę życia. Tak więc nie tyle czyn, ile sama decyzja jest przestępstwem.

Annika spojrzała na notes.

– Jakie to uczucie, kiedy się prowadzi wstępne dochodzenie, domyślając się, kto jest winny, a jednocześnie mając świadomość, że nie można go oskarżyć?

Lindström sięgnął po bułeczkę i ugryzł kęs.

– W tym przypadku mieliśmy podejrzanego. Oskarżyliśmy go o wiele innych przestępstw, trafił do więzienia, i to na całkiem długo.

Pięć i pół roku, pomyślała Annika. Spojrzała na dom. Nierzetelność wobec wierzycieli, oszustwa podatkowe, utrudnianie pracy urzędowi skarbowemu.

Poczuła na sobie spojrzenie Lindströma.

– Chciałbym pani przypomnieć, że informację o podwójnej księgowości dostaliśmy od kogoś z klubu.

Spuściła wzrok i poczuła, że się rumieni.

Zatrudniła się w tym klubie, stała w drzwiach i obsługiwała ruletkę. Joachim dał jej kostium Josefin, różowe bikini z cekinami. Nosiły ten sam rozmiar. Dowiedziała się wielu ciekawych rzeczy: o groźbach, próbach szantażu, a także, gdzie Joachim przechowywał księgi rachunkowe. Nie miała pojęcia, czy Lindström wie, kto doniósł policji, ale na pewno nie zamierzała mu się teraz z tego zwierzać.

– Od dziesięciu lat znów jest na wolności – powiedziała głośno. – Jest zameldowany u rodziców, w Sollentunie. Wie pan, czym dzisiaj się zajmuje?

Lindström westchnął.

– Wiem, że niedługo po tym, jak wyszedł na wolność, podejrzewano go o pobicie siedemnastolatki, ale oskarżenia nie wniesiono. Po jakimś czasie dziewczyna się wycofała. Ostatnio słyszałem, że jest w Chorwacji i zajmuje się handlem nieruchomościami. Potem już nic.

– Może pan potwierdzić, że to on zabił Josefin? Mogę pana zacytować?

Lindström odstawił filiżankę.

– Mężczyźni, którzy biją – zaczął. – To nie jest tak, jak nam się wydaje. Ludzie są ludźmi, nawet mordercy. Nie są potworami, nawet jeśli się dopuszczają rzeczy potwornych.

Annika zapisała. W pewnym sensie była to odpowiedź na jej pytanie, ale nie do końca.

– Większość mężczyzn skazanych w Szwecji za zamordowanie partnerek to rdzenni Szwedzi – ciągnął Lindström. – Większość z nich była trzeźwa. Ponad połowa nie była wcześniej karana, nawet za wykroczenia drogowe. Dziewięciu na dziesięciu jest psychicznie zdrowych. Sytuacja zwykle staje się krytyczna, kiedy kobieta oświadcza, że chce odejść, albo kiedy sąd przyznaje jej opiekę nad dziećmi. Wtedy on traci nad nią władzę. Nie może jej już izolować, manipulować nią, kontrolować… – Pokręcił głową. – Ze wszystkich przestępców ci mężczyźni są najbardziej żałośni. To tchórze. Zadowoleni z siebie, żądni władzy, nieodpowiedzialni. Zabijają kobietę, bo nie chce ich słuchać. A kiedy już ją zabiją, zaczynają rozpaczać. – Pochylił się nad stolikiem. – Niedaleko Mariestadu jest zakład, w którym przebywają mężczyźni skazani za przemoc wobec najbliższych. Wszystkim proponuje się pomoc, ale połowa nie jest podatna na żadne leczenie. Żeby terapia miała jakikolwiek sens, skazany musi uznać swoją winę, zrozumieć, co zrobił. A oni zwykle do końca twierdzą, że są niewinni. On jej nie uderzył, a jeśli nawet, to na to zasłużyła.

– Może sobie nie radzą z własnym wstydem – zasugerowała Annika.

Lindström pokiwał głową.

– Psychologowie, którzy się zajmują takimi przypadkami, twierdzą, że sprawców takich zbrodni cechuje myślenie katastroficzne. Są przekonani, że nie przeżyją, jeśli powiedzą, na co narażali swoje ofiary, że świat nie zniesie prawdy, więc zaprzeczają. A to wymaga siły.

– Jest ktoś, kto się do tego przyznał. Gustaf Holmerud. Co pan o tym sądzi?

Lindström odsunął filiżankę.

– Są ludzie, którzy mają skłonność do brania na siebie winy za zbrodnie, których nie popełnili. To znane zjawisko. W tym przypadku bulwersuje to, że Holmerud został skazany za pięć zbrodni.

– Mogę pana zacytować? – upewniła się Annika.

– Jak najbardziej.

– Uważa pan, że jego przyznanie się do winy jest bezpodstawne? Nie tylko w tych pięciu przypadkach, za które został skazany, ale w ogóle we wszystkich?

– W jednym przypadku od samego początku go podejrzewaliśmy. I o ile wiem, nie jest wykluczone, że rzeczywiście popełnił tę zbrodnię. Tego nie jestem w stanie stwierdzić. Za mało wiem o tej sprawie. Podejrzewam, że pani wie o wiele więcej. Ale na pewno nie zamordował Josefin. To mogę stwierdzić z całą stanowczością. Bardzo dokładnie wszystko sprawdziliśmy: jego nazwisko nigdzie się nie pojawia.

– To też mogę zacytować?

– A dlaczego nie? Co mi mogą zrobić? Zwolnić?

Annika spojrzała na kamerę, żeby się upewnić, czy wszystko działa. Działało.

– Twierdzi pan, że tych pięć wyroków skazujących to skandal prawny?

– Oczywiście.

Świetnie, pomyślała. Po raz pierwszy wysoki urzędnik, bezpośrednio zaangażowany w sprawę, odważył się wypowiedzieć na ten temat publicznie.

– Kontaktował się pan z prokuratorem krajowym?

Lindström zmrużył oczy.

– Czyżby pani wiedziała więcej ode mnie?

Annika powiodła wzrokiem po trawniku.

– Uważa pan, że morderca Josefin ma cechy, które pan wymienił?

– Najprawdopodobniej tak.

– Jest tchórzem, jest żałosny, żądny władzy i nieodpowiedzialny?

– Jak najbardziej.

Sięgnęła po filiżankę. Poczuła na sobie jego wzrok i podniosła głowę.

– Może pani wyłączyć kamerę?

Wstała i spełniła jego prośbę.

– Moja żona jest stąd, z Flen – zaczął, kiedy zdjęła kamerę ze statywu. – Mieszkamy w tym domu od zawsze, od trzydziestu dziewięciu lat. Przez cały czas dojeżdżałem stąd do pracy, do Sztokholmu.

Annika słuchała, nie do końca pewna, do czego zmierza.

– Dlatego zawsze interesowało mnie też to, co się działo tu, w okolicy. Pamiętam, że tego lata, kiedy zamordowano Josefin, w Hälleforsnäs, niedaleko stąd, zginął zawodnik bandy. Sven Matsson. To była pani, prawda?

Annika upuściła statyw, upadł na trawę. Schyliła się i podniosła go.

– Nie chciałem, żeby się pani poczuła skrępowana. Chodzi mi o to, że pani ma własne doświadczenia w tego typu sprawach.

Annika wstała. Czuła, jak mocno bije jej serce. Patrzyła na niego, czekała.

– A doświadczenie zawsze się przydaje – powiedział po chwili.

NIE CHCIAŁA JESZCZE WRACAĆ do redakcji, do katastrofy, która była nieunikniona, która za kilka dni, a może już za kilka godzin miała dotknąć ich wszystkich. Chłonęła krajobraz za oknami: dębowe lasy, pastwiska, łagodne wzgórza i falujące łany pszenicy, i bagna, na których aż się roiło od ptasich gniazd. Stare domy. Stały tam od setek lat: małe drewniane chatki i większe, z dwoma murowanymi kominami i na czerwono pomalowanymi fasadami, zapadające się stodoły, budynki gospodarcze. To była jej ziemia, jej kraj. Przypomniała sobie, co widziała z tylnego siedzenia rodzinnego volvo, kiedy w sobotnie przedpołudnia jeździli na zakupy do Flen do marketu ICA: grało radio, tata wtórował, podśpiewując pod nosem, a ona i Birgitta kłóciły się o spinki i torebki. Wiatr pomarszczył taflę jeziora, skrzyła się w słońcu. Żałowała, że nie wzięła ze sobą okularów słonecznych.

Prokurator wiedział, co zrobiła. Teraz już mało kto pamiętał tamte zdarzenia sprzed lat. Wiedziała, że w redakcji się o tym plotkowało, ale to było na początku, kiedy zaczęła tam pracować. Potem sprawa poszła w zapomnienie, jej miejsce zajęły inne rzeczy. Chociaż nadal się zdarzało, że jakiś stażysta podchodził do niej i trochę niepewnie pytał, czy to prawda, że zabiła swojego chłopaka. Odpowiadała, że zamiast słuchać plotek, zawsze lepiej szukać odpowiedzi u źródła. Wtedy młody człowiek na ogół odchodził, chociaż przecież zrobił to, co mu radziła.

Ostatnio nikt jej już nie zadawał takich pytań. Większość ludzi nie pamiętała już tej starej sprawy, a może przestała ich obchodzić.

Most w Mellösie był w remoncie. Skręciła w lewo, za kioskiem, i powoli ruszyła w stronę Harpsundu. Jej babcia przez lata była gospodynią w letniej rezydencji premiera. Poznała czołowych szwedzkich polityków, a nawet obcych, tak znanych jak Nikita Chruszczow czy Georges Pompidou. Mama i inni dorośli zawsze ją o nich wypytywali: jakie dania im smakowały, który lubił sobie wypić, ale babcia nigdy nie zdradzała tajemnic swoich gości, jak o nich mówiła, a oni czasem odwiedzali ją w jej domku.

Po lewej pojawiły się zabudowania gospodarcze. Zmieniła bieg, zwolniła i powoli przejechała obok wejścia do rezydencji. Na dziedzińcu nie było żadnego samochodu Säpo, co znaczyło, że premiera też nie było.

Nieco dalej, w dolinie, rozciągało się jezioro. Miała wrażenie, że widzi przy brzegu słynną łódkę, w której szwedzcy premierzy pływali z zagranicznymi dygnitarzami.

Po chwili las zaczął gęstnieć, droga zrobiła się węższa. zbliżała się do Granhedu. Wiatr nieco zelżał, nie targał już tak mocno koronami drzew, czuła palące promienie słońca. Opuściła szybę. Uderzył ją zapach mchu i świeżo skoszonej trawy. Zwolniła.

Czy popełniła błąd, przenosząc się do Sztokholmu?

Mogła zostać, pracowałaby w „Katrineholm-Kuriren", mieszkała w domku z ogródkiem, działałaby w różnych organizacjach, poświęcała czas na hobby.

Birgitta tak zrobiła. Została, nie poszła na studia, pracowała w markecie spożywczym we Flen. Była zadowolona z życia, miała krąg przyjaciół, a mama kochała ją taką, jaka była.

Minęła Granhed i skręciła w prawo. W promieniach słońca białe pnie brzóz wydawały się jeszcze bielsze, świerki szumiały. Pasące się na łące konie podniosły łby. Przyglądały się jej, kiedy je mijała. Zauważyła wśród nich maleńkie źrebię.

Zaraz za Johanneslundem zwolniła i zaczęła się wpatrywać w pobocze. W końcu ją zobaczyła: zarośniętą ścieżkę, niemal niewidoczną, prowadzącą do Lyckebo, do letniego domku babci, stojącego na działce wydzierżawionej od Harpsundu. Pod wpływem impulsu skręciła z szosy, przejechała kilka metrów po zarośniętych korzeniach i kamieniach, po chwili pociągnęła za hamulec i wyłączyła silnik. W samochodzie zapadła cisza. Siedziała kilka sekund, wsłuchując się w pustkę. Spojrzała na drogę prowadzącą do domku. To tu nauczyła się jeździć na rowerze, to w pobliskim jeziorze, w Hosjön, nauczyła się pływać. Lata dzieciństwa zlewały się w jedne nigdy się niekończące wakacje.

Wysiadła, przewiesiła torbę przez ramię i odruchowo ruszyła przed siebie.

Wszystko wydawało jej się znajome, ale jednak inne. Nie była tam od dobrych dziesięciu lat, a stan drogi wskazywał na to, nikt inny też nie.

Po deszczu ziemia nadal była mokra.

Doszła do szlabanu, był opuszczony. Obeszła go i ruszyła dalej.

Gdzieś obok przeleciał duży ptak, wzdrygnęła się. Pomyślała, że może to cietrzew, ale nie potrafiła powiedzieć. Słyszała szum wiatru w koronach drzew, pokryta zielonym mchem ziemia wyglądała jak parkiet. Weszła w pajęczą sieć, poczuła na rzęsach lepkie nici.

Miała wrażenie, że nagle znalazła się w miejscu, gdzie czas przestał istniał. Tak musiał wyglądać świat, zanim nastał człowiek, i tak będzie wyglądać, kiedy człowiek zniknie. O ile wcześniej nie uda mu się zlikwidować wszelkiego życia na ziemi, pomyślała.

Dotarła do miejsca, gdzie wśród roślin wznosiły się nagie skały, surowe i dzikie. To właśnie tędy uciekała przed Svenem, tamtego dnia, dawno temu.

Podniosła głowę. Za pniami drzew, gdzieś w oddali, skrzyła się tafla jeziora. Ruszyła przed siebie i po chwili znalazła się na polance, która nieco dalej przechodziła w schodzące niemal do brzegu jeziora łąki. Od dawna nikt ich nie kosił.

Domek babci zarósł bluszczem, krzaki malin zamieniły się w dzikie, niedostępne chaszcze. Gdzieniegdzie prześwitywały białe pnie brzóz. Drewniany domek na jabłoni częściowo się zawalił. Przypomniała sobie, jak go budowali razem z ojcem. Był mniejszy, niż zapamiętała.

Zobaczyła przed sobą dom. To tam, na podłodze w kuchni, znalazła babcię po wylewie.

Torba zaczęła jej ciążyć. Zdjęła ją z ramienia i wzięła do ręki. Dotarła do drzwi i z przyzwyczajenia chwyciła za klamkę, żeby sprawdzić, czy nie są zamknięte. Były, i wymagały odmalowania. Ostrożnie podeszła do kuchennego okna i zajrzała do środka. Na pozbawionej babcinych dywaników podłodze widać było brzydką klapę prowadzącą na dół, do piwnicy. Stolik stał na swoim miejscu, ale nie było na nim obrusu. Ktoś zdjął też obrazek przedstawiający czuwającego nad dziećmi anioła. Na ścianie, tuż pod spadzistym dachem, został po nim ślad. Pamiętała, jaka była nim zafascynowana. Nadal miała go przed oczami: dzieci stały nad przepaścią i próbowały zerwać kwiatek, a Anioł Stróż rozłożył swoje białe skrzydła i czuwał nad nimi.

Po śmierci babci jeszcze przez jakiś czas z domku korzystali myśliwi, ale teraz najwyraźniej nikt już do niego nie zaglądał.

Zaczerpnęła głęboko powietrza, poczuła łzy w oczach.

Jak długo babcia tam mieszkała? Czterdzieści lat?

Co się stało z obrazkiem? Kto opróżnił dom?

Usiadła na schodkach i spojrzała w dół, na jezioro. Ktoś powinien to wszystko uporządkować.

Wysokie sosny szumiały.

Wyjęła komórkę i jeszcze raz spróbowała się połączyć z Birgittą, ale natychmiast włączyła się poczta głosowa.

Odgarnęła włosy z czoła. Zawahała się, ale w końcu wybrała bezpośredni numer sztokholmskiej komendy policji. Poprosiła o połączenie z dyżurnym. Odebrała kobieta, Cecilia. Wytłumaczyła, że zaginęła jej siostra, powiedziała kiedy, podała też jej adres i numer komórki. Odczytała SMS-y, które od niej dostała.

– Siostra często prosi panią o pomoc?

– Czasem.

– W jakich sprawach?

– Zdarza się, że prosi, żebym się zaopiekowała jej dzieckiem, albo pyta, czy może u mnie przenocować, kiedy się spóźni na ostatni pociąg...

Miała wrażenie, że funkcjonariuszka cicho westchnęła.

– Jak wyglądają stosunki siostry z mężem?

– Tego dokładnie nie wiem – odpowiedziała Annika zgodnie z prawdą.

– Nie sądzę, żeby pani miała powód do zmartwienia – uspokoiła ją Cecilia. – Oczywiście przyjmę pani zgłoszenie. Ale proszę też, żeby pani nadal próbowała skontaktować się z siostrą.

– Oczywiście – odpowiedziała Annika.

Z ulgą schowała komórkę do torby i zaczęła się zastanawiać, czy w lesie są już grzyby. Pewnie nie, było jeszcze za wcześnie. A jednak wstała i poszła za stodołę, tam, gdzie zwykle rosły kurki. Teraz był tam tylko mech i zeszłoroczne liście.

Postanowiła pójść nad jezioro. Okazało się, że stary pomost jest w zaskakująco dobrym stanie. Usiadła, spojrzała na wodę, a potem na brzeg, tam, gdzie kiedyś mieszkał stary Gustav.

A gdybym tak wydzierżawiła Lyckebo? – pomyślała. Wygląda na to, że nikt tu nie mieszka. Jimmy pewnie mógłby się dowiedzieć, kto administruje tym terenem...

Zamknęła oczy. Co jej chodzi po głowie? Za kilka dni może zostać bez pracy. Nie będzie jej stać na wynajęcie domku. Wykupienie Thomasa z rąk porywaczy pochłonęło całe jej oszczędności. Jako redaktorka nie miała żadnych dodatków, w ogóle żadnych przywilejów. Jej pensja starczała na utrzymanie domu i na niewiele więcej. Jimmy dokładał się do ich wspólnego gospodarstwa w znacznie większym stopniu. Nie mogła oczekiwać, że będzie jeszcze płacić za jej letni domek. I tak miała szczęście. Bo miała jego.

Tak bardzo się różnił od Thomasa.

Czasem się zastanawiała, dlaczego w ogóle zakochała się w Thomasie. Musiała przyznać, że był zabójczo przystojny: szerokie ramiona, jasne włosy, ale zdecydowało pewnie to, że kiedy go poznała, była bardzo samotna. A on był nią zainteresowany. Uważał, że jest inna, intrygowała go. Już wtedy powinna była się domyślić, że należy do mężczyzn, którzy niewierność mają we krwi. Przecież kiedy się poznali, był mężem Eleonor. Powinna była przewidzieć, że sytuacja może się powtórzyć. I zacząć coś podejrzewać, kiedy zaczął chodzić na treningi, których w ogóle nie było, albo kiedy podobno pracował po nocach i zaraz po powrocie do domu szedł pod prysznic. Kiedy w końcu zaczęła coś podejrzewać, zamknęła się w sobie, była zimna, niedostępna. Kto by wytrzymał taki chłód?

Nienawidziła Sophii. Nie wypisywała co prawda złośliwości w internecie, ale zrobiła coś znacznie gorszego. Nadużyła swojej pozycji w dziennikarskim świecie i doprowadziła do tego, że kochanka jej męża straciła pracę.

Ale Sophia sobie poradziła. Szybko znalazła inną pracę, no i nadal mieszkała w swoim pięknym mieszkaniu w rodzinnej kamienicy na eleganckim Östermalmie.

To, że mogły się normalnie widywać, nie było zasługą Anniki. Kiedy była w potrzebie, to właśnie Sophia przyszła jej z pomocą. Kiedy Thomas został uprowadzony w Somalii, a ona musiała jechać go szukać, Sophia zajęła się dziećmi. Kalle i Ellen ją lubili, nadal od czasu do czasu u niej nocowali.

Annika otworzyła oczy. Oślepiło ją słońce odbijające się od wody. Spojrzała na zegarek i przyciągnęła do siebie torbę.

Ludzie są tylko ludźmi, także mordercy.

Nie tknęła laptopa, sięgnęła po kartkę i ołówek. Słyszała, jak woda uderza o brzeg. W drodze przemyślała wiele rzeczy, teraz zaczęła wszystko spisywać.

Przede wszystkim musi się zająć sprawą Josefin, przypilnować, żeby policja rzeczywiście wróciła do sprawy. Prokurator musiał zareagować. Kjell Lindström zwrócił jej uwagę na dwie rzeczy. Przede wszystkim na to, że z punktu widzenia policji sprawa została wyjaśniona, ale też że jego zdaniem wyroki wydane na Gustafa Holmeruda, który sam uznał się za seryjnego mordercę, z prawnego punktu widzenia są skandaliczne.

Nie możesz mnie tak po prostu zostawić! Co ja bez ciebie zrobię? Annika, do diabła, przecież ja cię kocham!

Właśnie tu, nad brzegiem jeziora, gonił ją Sven. Pamiętała, jak weszła w kałużę, zmoczyła stopy, a potem przemoczona biegła przez las. Ci żałośni mężczyźni, żądni władzy, nieodpowiedzialni, tchórzliwi i egoistyczni. Gotowi zabić, jeśli kobieta nie jest im posłuszna. Nie są w stanie przyznać się do swoich czynów. Kłamią, zmieniają rzeczywistość tak, żeby im pasowała. Zaprzeczają, zaprzeczają w nieskończoność…

Znów oślepiło ją odbite w wodzie słońce. Przypomniała sobie, że właśnie tam, na pomoście, siadała, żeby pisać pamiętnik.

Poruszam się po omacku. Ciemność jest taka wielka.

To dzięki pamiętnikowi nie została oskarżona o zabójstwo,
tylko o przyczynienie się do śmierci drugiej osoby. Opisała w nim wszystko, wszystkie akty przemocy, których była
ofiarą, przez wiele lat, właściwie przez cały czas trwania ich
związku. Fragmenty jej zapisków sprawiły, że sąd przyznał
rację jej obrońcy i uznał, że działała w obronie własnej.

Nie potrzebowała psychologa, żeby zrozumieć, dlaczego
sprawa Josefin nadal tak bardzo ją porusza. Wszystko stało się tamtego lata, kiedy zginął Sven. Teraz znów wracał do
niej w myślach. I od razu stawała jej przed oczami Josefin,
jej niemy krzyk przypominał, że nie doczekała się sprawiedliwości, nawet po śmierci.

Kiedy wróciła do samochodu, czuła na plecach kropelki
potu, strużka spływała jej też po ręce. Wsiadła i zawróciła
w stronę Hälleforsnäs. Opuściła boczną szybę, pozwalając,
żeby wiatr targał jej włosy. Asfalt był świeżo położony, czarny, skwierczał pod oponami.

Mijając drogę prowadzącą do kąpieliska nad Tallsjön,
nawet nie odwróciła głowy, minęła ją ze wzrokiem wbitym
przed siebie. To właśnie tutaj pewnego dnia jej ojciec zasnął
w zaspie w drodze do domu. Kiedy o piątej rano znalazł go
kierowca pługu śnieżnego, był przysypany śniegiem i już nie
żył. Leżał z prawej strony drogi prowadzącej w dół, do kąpieliska. Od tamtej pory już nigdy się tam nie kąpała, nigdy
nawet nie przejeżdżała tamtędy rowerem.

Skręciła w lewo.

Tereny po zlikwidowanych już zakładach przemysło-
wych porosły roślinnością, zielona plama w oddali. Po lewej
zostały jeszcze jakieś zabudowania po dawnej hucie. Kiedyś

była centralnym punktem okolicy. Przez kilkaset lat utrzymywała jej mieszkańców przy życiu. Teraz w części budynków urządzono outlet z ciuchami. Można było tam kupić tanie rajstopy i płaszcze przeciwdeszczowe prosto z palet, a w kafejce wypić sok z marchwi. Nie było w tym nic złego. Pomyślała, że dobrze, że budynek nadal jest wykorzystywany.

Zwolniła i ruszyła pod górę. Minęła pozostałości wielkiego pieca.

Miejsce, w którym dorastała, nazywano Wzgórzem Cyganów. Miała nadzieję, że nazwa poszła już w zapomnienie. Bo znajdujące się tam osiedle zasługiwało na więcej. Ona zasługiwała na więcej. Nie chciała być Anniką z Cygańskiego Wzgórza.

Miała dziwne wrażenie, że ulice miasteczka jakby się skurczyły, były węższe, niż kiedy była dzieckiem, za to pobocza wydały jej się zdecydowanie szersze. Tu i ówdzie wśród żwiru sterczały pojedyncze źdźbła trawy.

Nie podjechała na Odenvägen, tylko zaparkowała na poboczu jedną przecznicę bliżej, zaraz za przyłączem elektrycznym. Przed nią, nieco po przekątnej, stał dom numer dwanaście, typowy czerwony budynek z lat czterdziestych, zbudowany dla robotników z huty. Parter i piętro. Na podwórku panowała dziwna cisza, nie było słychać głosów dzieci, wszystkie chodziły albo do przedszkola, albo do świetlicy.

Okno na piętrze po lewej było kiedyś oknem jej pokoju, dzieliła go z Birgittą. Firanki były zasunięte, za oświetloną słońcem szybą widać było materiał. Firanki były nowe, nie widziała ich wcześniej. Kiedy matka była trzeźwa, zajmowała się urządzaniem domu, kupowała nowe firanki, przestawiała meble.

Sąsiednie okno, kuchenne, było uchylone. Miała wrażenie, że w środku ktoś się rusza, ale może to było tylko odbicie w szybie. Okna salonu i pokoju rodziców wychodziły na północ, nie widziała ich z ulicy.

Nie spuszczając wzroku z kuchennego okna, zadzwoniła do matki. Zobaczyła, że okno zostało przymknięte, i po chwili usłyszała w słuchawce jej schrypnięty głos.

– Cześć, mamo. To ja, Annika – powiedziała.

W kuchni ktoś zaciągnął firankę. Żeby się chronić przed słońcem, a może przed wścibskimi spojrzeniami.

– Masz jakieś wiadomości od Birgitty?

Annika słyszała, że piła.

– Tak, mamo. Dostałam dwa SMS-y, na starą komórkę.

– Dlaczego nic mi nie powiedziałaś? – spytała matka łamiącym się głosem. – Co od ciebie chciała?

– Prosiła, żebym jej pomogła, ale nie wiem, o co jej chodziło.

– Pomogła? Coś jej grozi? Dlaczego nic nie robisz?

Nagle poczuła, że w samochodzie jest duszno, z trudem łapała powietrze.

– Rozmawiałam z policją i z prokuratorem. Nie sądzą, żeby był powód do niepokoju.

– Co oni mogą wiedzieć?

Wydawała się bardzo zdenerwowana.

– Zgłosiłam jej zaginięcie…

– Steven zrobił to wcześniej. Policja zachowała się arogancko.

– Zgłosił jej zaginięcie w Malmö?

– Ledwie się zgodzili zapisać jej dane. Nie poprosili nawet o rysopis!

– Mamo, a może ona nie chce, żeby ją znaleziono? Może wyjechała z własnej woli? Jesteś pewna, że Steven mówi prawdę? Że nigdy nie podniósł na nią ręki?

Matka płakała.

– Powiedziałaby mi o tym. O wszystkim mi mówiła, zawsze do mnie dzwoniła. Dlaczego teraz milczy?

Annika miała tak spoconą rękę, że musiała przełożyć komórkę do drugiej. Bała się, że zaraz dostanie ataku, próbowała uspokoić oddech.

– Mamo, odezwę się, jak tylko się czegoś dowiem, dobrze? Mamo?

Ale matka zdążyła się już rozłączyć. Okno znów się uchyliło, skrzydło poruszało się na wietrze.

LUBIŁ JEŹDZIĆ POCIĄGIEM. Jego brat też.

Chociaż wagony już nie dudniły po szynach jak dawniej, kiedy w dzieciństwie podróżowali między Korsträsk a Storblåliden, to w pociągu zawsze czuł się jak u siebie w domu, pewnie. Jadąc samochodem albo lecąc samolotem, nigdy nie czuł się aż tak bezpiecznie. Ruch go uspokajał, czuł, że las jest blisko, tuż za szybą. Napawał się skrzypieniem kół na torach, zapachem środków czystości.

Torbę położył na półce nad fotelem. Kiedy szedł do wagonu restauracyjnego kupić sobie kubek kawy, zostawiał ją bez strachu. Wiedział, że nikt jej nie ukradnie. Materiał był zniszczony, wyblakły. Kiedyś jedli nad nią jajka na miękko, trochę żółtka się wylało i została plama. Pamiętał wszystko, jakby to było wczoraj, a przecież minęło już kilka lat. Pojechali wtedy na wysypisko. Wracając, zatrzymali się na przydrożnym parkingu przed Moskosel, żeby zjeść to, co sobie przygotowali.

Wagon zarzucił na zakręcie. Spojrzał w górę i zauważył, że torba trochę się przesunęła.

Tęsknota za bratem doskwierała mu coraz bardziej, jazda pociągiem nie była w stanie mu tego wynagrodzić.

Latania samolotem unikał jak ognia. Nie tylko z powodu kamer, biletów i kontroli. Czasem, kiedy musiał zostawić jakiś ślad, decydował się lecieć, w końcu nie był tchórzliwą babą, ale nie czuł się dobrze, kiedy tracił kontakt z ziemią. Nie lubił tego. Pociąg był lepszym środkiem lokomocji. Bilety można było kupić w kasie za gotówkę, nie trzeba było się legitymować.

Najbardziej lubił pociągi. W podróży mógł korzystać z internetu. To był dodatkowy plus. Nauczył się surfować po sieci na nowoczesnym smartfonie, żeby nie zostawiać śladów, które mogłyby kogoś doprowadzić do niego albo do jego brata. Lubił to. To było przyjemne zajęcie, ciekawe, niekiedy nawet pożyteczne.

Wszedł na stronę „Kvällspressen" i zaczął przeglądać tytuły i zdjęcia. Informację o procesie jego brata zamieszczono na końcu strony. Wkrótce cała ta sprawa w ogóle przestanie kogokolwiek obchodzić. Za to sama historia wciąż budziła zainteresowanie, przykuwała wzrok. Przeciągnął palcem po ekranie, ale nie zmienił strony. Zaczął czytać.

Policjantka Nina Hoffman była świadkiem aresztowania mężczyzny podejrzanego o morderstwo. Po raz kolejny mógł przeczytać o błędzie, jaki popełnili, zostawiając na miejscu zbrodni w Nacce kawałek skóry ofiary. Jak to możliwe? Także informacja o kontaktach z policją z innych krajów go zaniepokoiła. W ostatnich latach wiele się zmieniło, zasady gry były inne niż kiedyś. Ślady, na które dawniej nikt by nie zwrócił uwagi, teraz łatwo było zabezpieczyć. Uważał, że to niesprawiedliwe, ale tak po prostu było. Rozumiał to.

Zamknął oczy. Nad nim na półce leżała torba. Była całkowicie bezpieczna. Jutro będzie na miejscu, gotów zrobić następny krok.

Kołysanie pociągu sprawiło, że wrócił myślami do podróży z ojcem do Storblåliden, do wypraw na ryby, do drewnianej szopy, w której nocowali.

To właśnie wtedy, kiedy widział na dnie łódki ryby walczące o oddech, a potem zanurzył nóż w ich brzuchach i pozbawił je życia, po raz pierwszy doświadczył tej dziwnej rozkoszy.

TABLICZKA NA DRZWIACH była z mosiądzu. Jednakowymi literami wygrawerowano na niej wszystkie cztery nazwiska:

HALENIUS SISULU
BENGTZON SAMUELSSON

Nina przyglądała się jej chwilę, zanim wcisnęła dzwonek. Cztery nazwiska nie tylko informowały o tym, kto mieszkał za tymi drzwiami: znaczyły coś znacznie więcej. Że mieszkasz tu ty i ja, twoje dzieci i moje dzieci. I że tak właśnie ma być.

Otworzyła jej Serena. Więc dzieci jeszcze nie spały. Chciała przyjść jak najpóźniej, ale później już nie mogła.

– Cześć, Nina – przywitała ją dziewczynka, uśmiechając się do niej. Oczy jej błyszczały. – Złapałaś dzisiaj jakiegoś mordercę?

Bardzo urosła, sięgała Ninie niemal do ramienia. Miała pomalowane rzęsy, włosy zaplecione w setki cienkich warkoczyków tańczyły jej na plecach.

– Próbowałam – odpowiedziała Nina, zmuszając się do uśmiechu. – Ale nie bardzo mi szło.

Dziewczynka się roześmiała i zniknęła w korytarzu.

– Witaj – usłyszała głos Anniki. Szła w jej stronę ze ścierką w ręku. – Zjesz coś? Mam potrawkę z kurczaka.

– Nie, dziękuję.

– Może kawy bez kofeiny? Z ekspresu.

– Chętnie. Dziękuję.

– Usiądź na kanapie. Zaraz skończę. Dziećmi zajmuje się dzisiaj Jimmy.

Nina zdjęła buty i postawiła je na półce. Sięgnęła po teczkę i manewrując między butami na podłodze w holu, ruszyła do salonu. Słyszała, jak w kuchni ktoś odkręca kran, a po chwili włącza ekspres na drogie kapsułki.

U Anniki czuła się swobodnie, co nie zdarzało jej się często. Po części wynikało to pewnie z ich wspólnych doświadczeń, z tego, co obie przeżyły, chociaż nigdy o tym nie rozmawiały, ani ze sobą, ani z nikim innym. Ale było coś jeszcze. Annika miała w sobie jakąś wrażliwość, która i jej nie była obca. Obu czasem doskwierała rzeczywistość.

Usiadła na kanapie i czekając na Annikę, sięgnęła do torby po papierową teczkę z protokołami z dochodzenia wstępnego w sprawie morderstwa Josefin Liljeberg. Położyła ją na stojącym obok stoliku. Gruba teczka zawierała wszystko: zdjęcia z miejsca zbrodni, protokoły z badań technicznych, opinię lekarza sądowego, zeznania świadków, a także odpis zeznań dwóch mężczyzn podejrzewanych wówczas o popełnienie zbrodni: ówczesnego ministra handlu zagranicznego Christera Lundgrena i chłopaka Josefin, Joachima Segerberga.

Po chwili do pokoju weszła Annika z dwoma kubkami w rękach. Usiadła na kanapie i ze zdziwieniem spojrzała na leżące na stoliku dokumenty.

– Wszystko? Naprawdę?

– Q powiedział, że możesz je przejrzeć. Że może to być z pożytkiem dla dochodzenia. Ale ochrona świadków obowiązuje. Nie wolno ci niczego cytować.

Annika odstawiła kubki, wzięła do ręki dokumenty i zaczęła je przeglądać. Zatrzymała się przy zdjęciach z miejsca zbrodni. Oryginały były kolorowe, ale kopie zrobiła Nina, swoim aparatem. Nie były najlepszej jakości.

– Byłam tam wczoraj – powiedziała Annika. – Szkoda, że wycięli wszystkie krzaki. Razem z nimi zniknęła część magii... – Zamknęła teczkę. – Bardzo ci dziękuję. Przestudiuję wszystko dokładnie, ale nie będę cytować.

Obie jednocześnie sięgnęły po kubki.

– Słyszałam, że obrońca cię wczoraj nie oszczędzał.

Nina chwyciła mocniej kubek, porażka nadal jej doskwierała. Pomyślała, że jeśli Berglund zostanie zwolniony, nigdy sobie tego nie wybaczy.

Podmuchała w napój. Właściwie nie przepadała za kawą, ale przynajmniej mogła czymś zająć ręce. Zwykłej kawy o tak późnej porze nie mogła pić, wtedy nie spałaby do czwartej nad ranem. Bezkofeinowa tak na nią nie działała.

– Nie było tak źle – powiedziała i wypiła łyk kawy. Smakowała jak prawdziwa kawa, cierpko, ostro. – Przesłuchania w tak zwanych bezpiecznych salach zwykle tak przebiegają. Zwykłe procesy z reguły wyglądają spokojniej.

Annika uniosła brwi, jak zawsze, kiedy czegoś nie rozumiała.

– Podejrzewam, że to ma coś wspólnego z samą salą – zaczęła Nina. – Ze względów bezpieczeństwa strony siedzą w osobnych pokojach i wchodzą na salę różnymi drzwiami. Oskarżyciel i obrońca nie spotykają się poza salą rozpraw.

– Nie wpadają na siebie przed automatem z kawą – powiedziała Annika, unosząc kubek.

– Właśnie. Nie witają się, nie wymieniają uprzejmości, nie rozmawiają o pogodzie. Atmosfera na sali bywa czasem bardzo napięta.

– Co o tym wszystkim sądzisz? Myślisz, że go skażą?

Nina próbowała ogrzać dłonie, przykładając je do dna kubka.

– Jeśli sąd uzna badania DNA, to nie będzie miał wątpliwości, że Lundberg tam był. Jeśli nie zrobił tego sam, to na pewno pomagał sprawcy. Próbki nie są stuprocentowo zgodne, ale z drugiej strony prawie nigdy nie są...

Annika spuściła głowę i spojrzała na swoje kolana.

– Muszę cię o coś spytać – zaczęła. – Moja siostra, Birgitta, nie wróciła przedwczoraj do domu po pracy. Nikt nie wie, gdzie jest. Wysłała mi dwa SMS-y z prośbą o pomoc. Ale nie wiem, o co jej chodzi. Rozmawiałam z funkcjonariuszką, która miała dyżur na komendzie, przyjęła zgłoszenie. Co jeszcze mogę zrobić?

Nina wypiła kolejne dwa łyki kawy, żeby móc bez wyrzutów sumienia odstawić kubek.

– Zakładam, że do niej dzwoniłaś.

Annika skinęła głową.

– Boisz się, że coś jej się stało?

Annika się zawahała.

– Coś mi w tym wszystkim nie pasuje. SMS-y, w których mnie prosi o pomoc, przyszły jeden dwudziestego piątego, drugi trzydziestego pierwszego maja. Wtedy jeszcze normalnie pracowała. Tego drugiego wysłała tuż przed piątą rano, w niedzielę, a wieczorem nie wróciła do domu.

– Co mówi jej mąż?

– To on pierwszy zgłosił jej zaginięcie, na komendzie w Malmö. Tam mieszkają. Bardzo się niepokoi...

– Większość zaginionych szybko się odnajduje.

– Wiem – uśmiechnęła się Annika.

– Policja co roku przyjmuje siedem tysięcy zgłoszeń o osobach zaginionych. Ta liczba obejmuje wszystkich, którzy zaginęli, choćby na chwilę: uciekające z domu nastolatki, ludzi ubiegających się o azyl, którzy nagle zapadają się pod ziemię, porwania dzieci przez jedno z rodziców...

Annika wypiła duszkiem zawartość kubka. Nina już wcześniej zauważyła, że zawsze pije kawę łapczywie, jak spragniony na pustyni.

– Co się dzieje z tymi, którzy nie wracają sami? – spytała Annika, odstawiając pusty kubek.

– Po upływie sześćdziesięciu dni ukazuje się kolejny oficjalny komunikat o ich zaginięciu, a potem trafiają do rejestru osób zaginionych. Chodzi o to, że czasem można coś przeoczyć. Zdarza się, że ktoś wrócił, ale zgłoszenie nie zostało wycofane. To coś w rodzaju dodatkowej kontroli przed ostateczną rejestracją.

– O ilu osobach mówimy? Ile się nie odnajduje w ciągu tych sześćdziesięciu dni?

– Jakaś setka. Trafiają do rejestru, zakłada się im kartę: dane, rysopis, stan uzębienia; te informacje są następnie przekazywane do sądowego instytutu odontologicznego w Solnej...

Nina była tam kiedyś w czasie studiów: budynek z czerwonej cegły, z niebieskimi markizami, wszyscy zawsze w pełnej gotowości, bo przecież w każdej chwili może dojść do jakiejś katastrofy, a wtedy należy działać natychmiast, identyfikować zmarłych, rannych…

– A potem?

– Po mniej więcej roku w rejestrze zostaje około trzydziestu osób – powiedziała Nina.

Zapadła cisza.

– A ile osób jest tam teraz? – zapytała po dłuższej chwili Annika. – Wszystkich razem.

– W całym rejestrze? Tysiąc sto.

Annika otworzyła szeroko oczy.

– Szwedów? Którzy tak po prostu zniknęli?

– Część to stare sprawy. Jeszcze z lat pięćdziesiątych.

– Kiedy zostaje się uznanym za zmarłego?

– To prawna formalność. Dawniej musiało minąć co najmniej dziesięć lat. Po tsunami obniżono granicę do pięciu. Jeśli ktoś widział, jak ktoś się topi, ale nigdy nie znaleziono ciała, to już po roku można uznać go za zmarłego. Rodzina składa podanie do urzędu skarbowego z prośbą o uznanie danej osoby za zmarłą. To konieczne, żeby móc zamknąć różne sprawy, chodzi o ubezpieczenia, konta bankowe…

– A jeśli zaginiony nie ma rodziny? Jeśli nikt się nie zwraca z taką prośbą?

Nina zaczerpnęła powietrza. Co się działo z takimi ludźmi? Jak na przykład jej brat?

– Zostają w rejestrze. Jako osoby nieodnalezione…

– Pewnie niedługo się odezwie – stwierdziła Annika. Zajrzała do pustego kubka, jakby miała nadzieję, że sam się napełnił.

Nina się zawahała.

– Jeśli zgłoszono jej zaginięcie zarówno w Sztokholmie, jak i w Malmö, to pewnie sprawa zostanie przekazana Policji Krajowej, która koordynuje takie przypadki. Spróbuję się czegoś dowiedzieć – powiedziała.

– Byłoby super. – Annika pokiwała głową.

Nina wstała.

– Nie będę ci dłużej przeszkadzać.

– Wiesz, że nigdy mi nie przeszkadzasz.

Wyszły do holu i zobaczyły Jimmy'ego. Stał i szukał czegoś w kieszeni kurtki.

– Cześć, Nina. Jak leci?

– W porządku. A u ciebie?

– Wyniki badań opinii publicznej mogłyby być lepsze, ale poza tym świetnie. Nie masz przypadkiem tytoniu do żucia?

Nina uśmiechnęła się przepraszająco i sięgnęła po buty. Jimmy najwyraźniej znalazł to, czego szukał. Odetchnął z ulgą i z pudełkiem tytoniu w ręce poszedł do kuchni.

– Co robisz w midsommar? – spytała Annika.

– Pracuję – odpowiedziała Nina natychmiast. – A wy? – dodała po chwili.

– Jeszcze nie wiemy. Kalle i Ellen pewnie spędzą święta z Thomasem, dzieci Jimmy'ego zaraz po zakończeniu roku szkolnego jadą do mamy do Południowej Afryki. Pomyślałam, że może się zbierzemy w kilka osób i gdzieś wyjedziemy. Szkoda, że pracujesz.

Nina włożyła buty i wstała. Włosy zasłaniały jej oczy.

– Dam znać, jeśli się czegoś dowiem.

Wyszła. Słyszała, jak zamykają się za nią drzwi, stała chwilę bez ruchu. Dlaczego skłamała, że pracuje w midsommar? Może krótki wyjazd dobrze by jej zrobił? Pod warunkiem że jechaliby sami dorośli. Nie żeby miała coś przeciwko dzieciom Anniki i Jimmy'ego. Lubiła je, tworzyły zabawną grupkę. Ellen ze swoimi jasnymi, niemal białymi włosami, Serena, ciemna jak matka, Kalle z zielonymi oczami Anniki i Jacob, który wyglądał jak ciemna wersja ojca. Ale tak w ogóle raczej nie przepadała za rodzinami z dziećmi. Za dużo się wokół nich działo.

Postanowiła nie jechać windą, tylko zejść po schodach.

Wyszła na ulicę i znów się zatrzymała. Na dworze nadal było ciepło, niemal duszno. Czuła, jak wilgotne powietrze klei się jej do pleców.

Czasem brakowało jej rodzeństwa. Tęsknota była tak silna, że aż bolesna. Byli od niej znacznie starsi, więc nie dorastała z nimi. Pojawiali się w jej życiu od czasu do czasu. Pamiętała, jak Yvonne przynosiła jej krem do opalania, który pachniał kokosem, i smarowała jej nim ramiona, nos i kolana. *Nie pozwalaj jej tak długo siedzieć na słońcu. Widzisz, jak ona wygląda? Co z ciebie za matka?* Filip przynosił jej książki, czytał je jej po szwedzku, po hiszpańsku i po niemiecku: *er war einmal ein Mädchen, das mit seinem Vater und Stiefmutter lebte…*

Ale Yvonne zginęła przed sześciu laty, zastrzelona przez jej kolegów, policjantów, gdzieś w lasach na północ od Örebro. Filip, jej rycerz i starszy brat, został uznany za zaginionego. Już nigdy nie wróci. Zastrzeliła go na rodzinnej farmie, na której uprawiano haszysz, w pobliżu Asili, w północnym Maroku. Za dwa tygodnie minie pięć lat.

Wstrzymała oddech, aż poczuła w płucach wilgoć. I ból.

W końcu ruszyła przez kamienne miasto do domu.

W SALONIE LECIAŁ amerykański serial komediowy. Śmiech wdzierał się do kuchni. Jimmy siedział i rozmawiał przez telefon. Pewnie z ministrem, pomyślała Annika. Z głębi mieszkania dochodził jego głos, falująca melodia bez słów. Dzieci spały, ich oddechy docierały do niej niczym lekki powiew wiatru.

Na stole w kuchni leżały dokumenty związane ze sprawą Josefin. Na osobnej kupce położyła zeznania, które dawały Joachimowi alibi na noc morderstwa. Przeczytała je wszystkie, dwa razy.

Część z nich znała.

Joachim twierdził, że tamtej nocy nie widział się z Josefin. W ogóle nie był w Studio Sex. Imprezował z kumplami w nocnym klubie Sturecompagniet aż do zamknięcia. Tuż po piątej nad ranem z sześcioma kolegami pojechali taksówką na prywatne przyjęcie na Rörstrandsgatan. Zasnął tam na kanapie.

Annika przerzuciła kilka kartek.

Alibi wydawało się nie do podważenia. Wszyscy jego koledzy byli zgodni. Kierowca taksówki potwierdził, że tego dnia nad ranem wiózł grupę podchmielonych młodych mężczyzn ze Stureplanu do Birkastanu. Joachim pokazał rachunek. Właścicielka mieszkania przy Rörstrandsgatan potwierdziła, że zasnął na jej kanapie.

Ale Annika wiedziała, że był w klubie tuż przed piątą rano. Pokłócił się z Josefin, jej przyjaciółka ich słyszała. Za to kelner nie potrafił powiedzieć, o której widział Joachima. To mogło być koło drugiej, tak powiedział. Kierowca taksówki nie był natomiast w stanie stwierdzić, czy rzeczywiście go wiózł. Nie widział dokładnie, kto siedzi z tyłu. Koledzy Joachima byli tak pijani, że z pewnością też nie byliby w stanie stwierdzić, kto gdzie był, kiedy doszło do morderstwa.

Annika doskonale pamiętała, co tamtego krytycznego lata piętnaście lat temu powiedział jej komisarz Q, mianowicie że świadkowie dobrze przygotowali swoje kwestie. Z dwoma z nich udało jej się skontaktować: jeden się rozłączył, ledwie zdążyła się przedstawić, drugi zaprzeczył, że w ogóle miał coś wspólnego ze sprawą, chociaż dowody były ewidentne.

Właścicielka mieszkania, w którym odbywała się impreza, była pijana. Potwierdziła co prawda, że Joachim nocował na jej kanapie, ale nie potrafiła powiedzieć, o której się u niej zjawił.

Annika odsunęła teczkę z dokumentami i sięgnęła po zdjęcie, które udało jej się zdobyć dzięki znajomościom w rejestrze praw jazdy w Strängnäs.

Dobrą godzinę poświęciła na szukanie Robina Bertelssona. To było jedyne jego zdjęcie, jakie udało jej się znaleźć. Najwyraźniej bardzo chronił swoje dane. Nie miał profilu na Facebooku, przynajmniej nie na własne nazwisko, nie miał konta ani na Twitterze, ani na Instagramie, nie prowadził bloga, w ogóle nie było go w sieci.

Przyglądała się jego symetrycznej twarzy, jasnym włosom, ostro zarysowanej szczęce. Był przystojny.

I wiedział wszystko.

To Robin Bertelsson zapłacił za taksówkę. To on dał rachunek Joachimowi. Jeśli ktoś udzielał świadkom jakichś instrukcji, to na pewno on. W klubie odpowiadał za bezpieczeństwo, chronienie jego właściciela zapewne też należało do jego obowiązków.

A potem się ożenił i wyjechał do Danii. Ani on, ani jego żona nie udostępniali swoich numerów telefonów, nie prowadzili żadnej działalności gospodarczej. W szwedzkim rejestrze ludności odnotowano ich wyjazd, a zdobycie ich adresu w Danii było szalenie trudne. Annika skontaktowała się z duńskim rejestrem ludności, ale niczego się nie dowiedziała. Odesłali ją do urzędu gminy. Żeby dostać czyjś adres, trzeba było podać imię i nazwisko, poprzedni adres, datę urodzenia albo PESEL, aktualny albo wcześniejszy. A przynajmniej tak jej się zdawało, bo nie rozumiała dokładnie, co mówiła duńska urzędniczka. Jedyne, czego się dowiedziała, to to, że Robin pracował w firmie Doomsday Denmark, jako konsultant do spraw bezpieczeństwa w sieci.

Bezpieczeństwo. Znów, pomyślała.

Z salonu dobiegł głośny śmiech Jimmy'ego. Nie potrafiła powiedzieć, czy to minister powiedział coś zabawnego, czy Jimmy śmieje się z filmu.

Robin odszedł z klubu wkrótce po morderstwie. Dlaczego? Nie chciał dłużej w tym wszystkim uczestniczyć? Uznał, że Joachim posunął się za daleko?

Położyła dłoń na zdjęciu. Poczuła, że twarz pod jej palcami jest zimna.

Środa, 3 czerwca

POKÓJ WYGLĄDAŁ dokładnie tak jak poprzednim razem.
Tylko w kącie przybył metalowy wiatrak. Kręcił się powoli
to w jedną, to w drugą stronę, szumiąc głucho. Co piętnaście sekund powiew trafiał Annikę w twarz i zmuszał, żeby
mrugała oczami.

– Wspomniała pani, że nie utrzymuje bliskich kontaktów z siostrą. Dlaczego?

Psycholożka zmieniła swój służbowy mundurek na letni: dżinsową spódnicę do kolan i biały T-shirt. Siedziała
i przeglądała notes. Annika poczuła się niepewnie, zaczęła
się zastanawiać, co ma tam zapisane. Czy notuje wszystko,
czy tylko swoje uwagi, i co się stanie, jeśli jej notatki wpad-
ną w niepowołane ręce?

Przełknęła ślinę. Obicie fotela łaskotało ją, położyła dłonie na kolanach. Podobnie jak poprzednim razem miała poczucie porażki i tak samo jak podczas pierwszej wizyty czuła
irracjonalny strach, że psycholożka uzna, że jest głupia.

– Birgitta i ja bardzo się różnimy.

– Pod jakim względem?

Zaczęła się wiercić na krześle, gdzieś w żołądku poczuła dziwny opór. Nie płaciła za to, żeby siedzieć i ważyć każde słowo.

– Birgitta nie ma życiowego napędu, nie ma ambicji. Jedyne, na czym jej zależy, to żeby być lubianą. Jej jedynym życiowym celem jest siedzieć w pizzerii w Hälleforsnäs i pić piwo z colą razem ze swoim towarzystwem z lat dziewięćdziesiątych.

Nareszcie to z siebie wyrzuciła, obnażyła swoją wielkomiejską pogardę. Podniosła głowę, gotowa przyjąć krytykę, ale psycholożka nawet nie mrugnęła. Poczuła się niemal zawiedziona.

– Pani siostra mieszka tam, gdzie się urodziła?

– Niedawno przeniosła się do Malmö.

Powinna wspomnieć, że zniknęła? Przyszło jej to do głowy, ale nie powiedziała tego na głos. Ta godzina nie należała do Birgitty, tym razem wyjątkowo nie ona była w centrum uwagi.

– Utrzymuje pani kontakty z ludźmi, których pani znała w młodości?

Annika milczała chwilę, chciała, żeby psycholożka pomyślała, że się zastanawia.

– Nie bezpośrednio…

– Pani chłopak zmarł, jego rodzina, przyjaciele, może rodzice…

– Nie!

Zabrzmiało to ostro, zbyt ostro, sama była zdziwiona. Psycholożka coś zanotowała. Co? Może powiedziała coś nie tak? Może to była zła odpowiedź?

Ciemność zaczęła wirować. Nagle zobaczyła rodziców Svena, jego piękną matkę i potężnie zbudowanego ojca, Maj-Lis i Birgera. Nie widziała ich od śmierci Svena. Ona nie poszła na pogrzeb, a oni nie pokazali się na rozprawie.

Wiedziała, że Maj-Lis już nie żyje. Rak piersi, umarła kilka lat temu.

– Pani ojciec zmarł, kiedy miała pani siedemnaście lat. Jak pani przeżyła jego śmierć?

Powiew z wentylatora trafił w psycholożkę, jej krótko ostrzyżone włosy zadrgały, chusteczki higieniczne w pudełku załopotały.

– Okropnie – powiedziała Annika.

– Jak pani sobie z tym poradziła?

Powietrze stało się cięższe.

– Nie myślałam o tym.

– Jak to się stało?

– Był pijany i zamarzł w zaspie.

Przy drodze prowadzącej nad jezioro. Kiedy tamtędy przejeżdżała, nawet po latach, nigdy nie patrzyła w tamtą stronę.

– Był pani bliski?

Była córeczką tatusia. Birgitta mamusi.

– Tak sobie.

Psycholożka spojrzała na nią.

– Ale jego śmierć była dla pani okropnym doświadczeniem. Może pani powiedzieć coś więcej?

Bo ją porzucił, zostawił. Samą. Bo zrobił to w tak cholernie krępujący sposób, jak jakiś pijaczyna. Ludzie jej współczuli. Nie dlatego, że jej ojciec umarł, tylko dlatego, że był świrnięty, słaby, no i pił. Wolałaby, żeby umarł na raka albo zginął w wypadku samochodowym, albo w jakiś inny, bardziej normalny sposób. Wmawiała sobie, że wtedy czułaby się zupełnie inaczej, że potrafiłaby przeżywać żałobę tak jak należy. Ludzie by jej współczuli, ale mieliby powód. Dzisiaj nie miało to już żadnego znaczenia, ale pamiętała, co wtedy czuła.

– Pamiętam, że to było okropne uczucie – powiedziała tylko. – Było mi bardzo smutno, ale to po jakimś czasie minęło.

Psycholożka zmarszczyła brwi, ale postanowiła nie drążyć.

– Poprzednim razem powiedziała pani, że pani matka pani nie lubi. Może pani to rozwinąć?

Annika zmusiła się, żeby nie spojrzeć na wiszący na ścianie zegar. Nie chciała być niegrzeczna, przecież dopiero przyszła.

– Cóż mogę powiedzieć – zaczęła i mimo wszystko spojrzała na zegar. – To żadna tajemnica. Mama mówi to każdemu, kto chce jej słuchać.

W pokoju było piekielnie gorąco. Wiatrak dmuchał teraz w drugą stronę, zostawił po sobie nieruchomą ciszę, powietrze było aż gęste.

– Co mówi? Pani mama.

Annika starała się skupić. Musi spróbować, w końcu po to przyszła. Poza tym to tylko słowa, może się od nich zdystansować, udawać, że opowiada historię kogoś, kogo właściwie nie zna.

– Mówi, że zniszczyłam jej życie. Gdyby nie ja, ona, tata i Birgitta byliby szczęśliwą rodziną.

Nagle pokój jakby się zmienił: skurczył się, ale też wydłużył. Gdzieś z oddali dochodził przytłumiony szum wiatraka.

– A co takiego pani zrobiła?

Annika słyszała, jak słowa odbijają się dziwnym echem w jej głowie, jakby sama się złapała na kłamstwie.

– Mama twierdzi, że coś jest ze mną nie tak, od samego początku. Podobno urodziłam się zła.

Spojrzała na swoje kolana, czuła, że pieką ją policzki. Zabrzmiało to dziwnie, jakby próbowała zrobić z siebie kogoś wyjątkowego.

– Zła? Czyli jaka?

Annika zamknęła oczy, żeby nie zniknąć.

– Prawdę mówiąc, nie wiem – wyszeptała.

Na moment w pokoju zapadła cisza. Tylko wiatrak cicho szumiał. Musiała chwilę odczekać, znów czuła się jak nieudacznica. W końcu otworzyła oczy. Psycholożka przyglądała się jej w skupieniu. Pomyślała, że pewnie każdy psycholog lubi słuchać o takich sprawach: o matkach, które nie były takie, jakie powinny być.

– Powiedziała pani, że pani matka nie robi tajemnicy z tego, że pani nie lubi. Co mówi ludziom?

Annika odwróciła głowę w stronę okna. Pomyślała, że pewnie wkrótce zaczną się pożary lasów. Jeśli nadal będzie pracować w redakcji, pewnie wyślą ją w samo piekło ognia.

– Że próbowałam zabić Birgittę, kiedy jeszcze była niemowlakiem.

Psycholożka poprawiła się na krześle, przetarła czoło dłonią.

– Może pani to rozwinąć?

– Birgitta musiała leżeć w inkubatorze. Urodziła się za wcześnie i to była moja wina.

– Co pani zrobiła?

– Przewróciłam się na schodach i zbiłam sobie kolano, a mama tak się zdenerwowała, że dostała skurczów i odeszły jej wody.

– A na czym polegała pani wina? Że się pani przewróciła? Mając dwa lata?

Annika pokiwała głową.

– Mama nie była gotowa. Nie chciała mnie. Zaszła w ciążę i nie poszła na studia.

Powiew znów trafił ją w twarz, zabrakło jej powietrza. Włosy poleciały do góry, musiała je okiełznać.

– Mam wyłączyć wiatrak? – spytała psycholożka.

– Nie, wszystko w porządku.

Łopaty wiatraka mieszały powietrze jak mieszacz cementu.

– Jak by pani opisała swoje uczucia wobec matki?

Annika oddychała przez otwarte usta, czuła pieczenie pod powiekami.

– Zawsze mam problem, kiedy dzwoni. Staram się jej unikać.

Psycholożka coś zanotowała.

– W psychologii mówimy o uczuciach podstawowych – powiedziała po chwili. – Większość z nich to uczucia negatywne: złość, strach, żal i wstyd, odraza, obrzydzenie, ale są też pozytywne: radość, ciekawość, zdziwienie... to niektóre z nich. Używając tych określeń, jak by pani opisała swoje odczucia wobec matki?

Annika przełknęła ślinę.

– Nie wiem.

W jej lewym uchu znów rozległ się dźwięk, tak głośny, że zagłuszał wszystkie inne.

– Jak się pani teraz czuje? Kiedy pani o tym myśli.

Jak? Nieprzyjemnie. To też jedno z uczuć podstawowych?

Pozwoliła, żeby ciemność wypełniła jej płuca i trzewia. Co czuła? Słyszała wieczne żądania matki, oskarżenia, miała przed oczami jej pełne wyrzutu spojrzenie i swoje niezręczne palce, które nie były w stanie niczego utrzymać, krzyki: Idź stąd!

Poczuła pod powiekami coś ciepłego, zaczerpnęła powietrza, żeby się nie rozpłakać.

– Jest mi wstyd – powiedziała po dłuższej chwili. – Nigdy nie spełniałam oczekiwań, wszystko robiłam nie tak. Mama była zła, a mnie było smutno. Żałuję… żałuję, że nie starałam się bardziej.

– Żadnej radości?

Annika próbowała zajrzeć w głąb siebie, w ciemność. Czy było w niej wspomnienie czegoś jaśniejszego, weselszego? Dalekie echo śmiechu, zapach świeżo upieczonego ciasta? Tak, ale te krótkie radosne chwile kojarzyły jej się z babcią. I z ojcem. *Widzisz tę srokę? Widzisz, jak pięknie jest upierzona? Jej lśniące niebieskie pióra przypominają noc pod koniec lata. Jeśli ktoś nie lubi srok, to znaczy, że nigdy im się dokładnie nie przyjrzał…*

Spojrzała na swoje kolana i pokręciła głową. Nie, nie miała żadnych radosnych wspomnień związanych z mamą. Tęsknota… czy to jest uczucie podstawowe? Żal? Poczucie niesprawiedliwości, które pewnie ma źródło w złości. Boże, nie potrafiła powiedzieć…

Psycholożka dalej coś zapisywała, potem przez chwilę wertowała notes.

– Poprzednim razem rozmawiałyśmy o wypadku, w którym pani chłopak stracił życie. Może mi pani coś o tym powiedzieć?

Annika nagle poczuła, że powietrze wokół niej zaczyna wirować, napełniało jej gardło duszącą ciemnością. Nie chciała tam wracać, nie chciała tam być.

– On... wpadł do wielkiego pieca.

– Do wielkiego pieca?

Wiatrak mełł powietrze, dźwięk w jej głowie przybrał na sile.

– W hucie. Wtedy już nikt tam nie pracował. Teraz jest tam outlet, w dawnych halach fabrycznych...

– Jak to się stało?

– Gonił mnie z nożem w ręku, zabił mojego kotka. Próbowałam się bronić i wtedy wpadł do pieca.

– Często robił takie rzeczy? Gonił panią, groził, bił?

Nie dała rady, wpadła w ciemność. Zasłoniła uszy dłońmi, żeby nie dopuścić do nich dźwięków. *Nie możesz mnie tak zostawić. Co ja bez ciebie zrobię? Annika, do cholery, ja cię kocham!*

– On... tak, on...

– Trudno pani o tym mówić?

Ciemność zamknęła się wokół niej, jej płuca krzyczały, dłonie piekły, zaczęła spadać. Spadała, spadała, coraz głębiej...

NINA JECHAŁA wynajętym samochodem przez długi most z wygiętymi w łuk przęsłami. Rzeka Lule płynęła powoli w dole, tuż przy ujściu miała prawie kilometr szerokości.

Dom opieki, w którym przebywała Ingela Berglund, znajdował się w dzielnicy Björkskatan. *Skatan* to po szwedzku sroka, ale w miejscowym dialekcie znaczyło podobno cypel, tak przynajmniej twierdziła kierowniczka domu. Za rondem Hertsö miała skręcić w lewo, a potem jechać zgodnie z drogowskazami. Na wszelki wypadek wynajęła samochód z GPS-em.

Most się skończył, wjechała do miasta: niskie murowane budynki kryte blachą, sękate drzewa liściaste, świeża, delikatna zieleń. Po drugiej stronie szerokiego fiordu widać było zakłady przemysłowe. Obok, po prawej stronie, wznosił się magazyn portowy i duży budynek z czerwonej cegły. Minęła centrum miasteczka. Zabudowania były rzadsze, ruch niemal całkiem zaniknął.

Po chwili dojechała do ronda. Niedaleko były dwie stacje benzynowe, zgodnie ze wskazówkami kierowniczki skręciła w lewo, w stronę Skurholmen. Po kilku minutach zobaczyła zjazd na Bensbyn i Björkskatan.

Wjechała w małe podmiejskie uliczki, zwolniła. Taką Szwecję rzadko miała okazję oglądać. Skromne, zadbane domy z balkonami, zadbane trawniki, ozdobne krzewy, place zabaw dla dzieci. Tak mieszkała większość rodzin.

Zobaczyła, że GPS mruga, dotarła do celu podróży. Wyjrzała przez szybę. Dom opieki był częścią większego kompleksu: była tam przychodnia, apteka i ośrodek rehabilitacji. Znów skręciła, znalazła parking, zajęła jedno z wolnych miejsc, sprawdziła, że ma przy sobie komórkę, wyłączyła silnik, wysiadła i zamknęła samochód.

Na dworze wiał chłodny wiatr; siedząc w samochodzie, nie czuła go. Niebo było błękitne, wisiało nisko nad dachami domów. Spojrzała na zegarek, podróż zajęła jej mniej czasu, niż się spodziewała.

Dom opieki znajdował się w piętrowym budynku, fasada była pokryta falistą blachą, parapety zdobiły pelargonie. Na drzwiach wisiała tabliczka, na której ozdobnym pismem napisano: WITAMY. Zadzwoniła, gdzieś w głębi rozległ się dzwonek.

Po chwili drzwi się otworzyły i w progu stanęła kobieta, mniej więcej w jej wieku. Miała na sobie dżinsy i wygodne buty, w ręku trzymała pęk kluczy. Nie wyglądała szczególnie sympatycznie.

– Evelina Granqvist? – spytała Nina.

– Zgadza się.

Kierowała domem opieki, a cztery lata wcześniej została kuratorką Ingeli Berglund.

– Nina Hoffman. – Nina podała jej rękę. – Przepraszam, że jestem trochę wcześniej, niż się umawiałyśmy, ale na drodze nie było ruchu i…

– Proszę wejść – przerwała jej Evelina Granqvist, wskazując w stronę pomieszczenia, które najwyraźniej było kuchnią. Wydawała się skrępowana jej wizytą. – Proszę zdjąć buty.

Mówiła wyraźnym dialektem, powoli i melodyjnie. Nina zauważyła, że Ivar Berglund mówi bardzo podobnie.

Rozejrzała się. Na ścianach wisiały oprawione w ramki rysunki, zapewne mieszkańców domu. Była też duża tablica z bieżącymi informacjami i zdjęcia. Niektóre były podpisane: „Sandra weszła na Ormberget!", „Peter upiekł dzisiaj ciasto!". Po lewej była świetlica. Grał telewizor, słychać było głośne rozmowy.

– Napije się pani kawy? – spytała kierowniczka, nie patrząc na nią. Zadała pytanie raczej z grzeczności niż po to, żeby dogodzić policjantce ze Sztokholmu. Nie chciała się z nią spotykać.

– Chętnie – odpowiedziała Nina i zdjęła buty.

Ze świetlicy wyjrzał mężczyzna, najwyraźniej z zespołem Downa. Przyglądał się jej chwilę.

– Cześć. Mam na imię Nina – przedstawiła się. – A ty jak się nazywasz?

– Peter z nikim nie rozmawia. – Z kuchni dobiegł ją głos Eveliny Granqvist.

Mężczyzna wrócił do świetlicy, zamknął za sobą drzwi. Głosy ucichły.

Podłogę pokrywała jasna wykładzina ze sztucznego tworzywa. Nina czuła pod stopami jej chłodną powierzchnię. Kuchnia wyglądała jak zwykła kuchnia w domu jednorodzinnym. Na stole stały dwa kubki z kawą, obok talerz z cynamonowymi bułeczkami, zapewne upieczonymi przez Petera.

Weszła, Evelina Granqvist zamknęła za nią drzwi.

– Mam wrażenie, że wczoraj wyraziłam się jasno – zaczęła. – Jestem przeciwna przesłuchiwaniu Ingeli. Nie może być świadkiem w żadnej sprawie.

Nina usiadła przy stole, wzięła cynamonową bułeczkę i zaczęła jeść.

– Ma pani prawo mieć na ten temat własne zdanie.

– Słyszałam, że zażądała pani także jej karty choroby. Mogę wiedzieć po co? Chyba nie podejrzewacie, że może mieć cokolwiek wspólnego z tą sprawą?

Nina znów sięgnęła po bułeczkę. Przyglądała się jej: stała ze skrzyżowanymi rękami, w pozycji obronnej. Sprawiała wrażenie obrażonej, a nawet wręcz osobiście dotkniętej, była zdenerwowana.

– Nie sądzę, żeby Ingela Berglund była zamieszana w sprawy brata – powiedziała Nina. – Mogę dostać mleko do kawy?

Usta Eveliny Granqvist wykrzywił grymas, ale wstała, podeszła do lodówki i wyjęła otwarty karton mleka.

Nina podziękowała i dolała sobie mleka. Wypiła łyk. Napój zmienił kolor na szary. Kawa była ledwie ciepła.

– Więc po co pani przyjechała? – spytała Evelina Granqvist. Było widać, że nieco się odprężyła.

– Bo Ingela jest ważna – odpowiedziała Nina.

Evelina Granqvist spojrzała na nią zdziwiona. Nina milczała, jadła bułeczkę.

– Co pani ma na myśli? – spytała Evelina po dłuższej chwili.

Nina sięgnęła po serwetkę, starła z kącików ust kilka ziarenek perłowego cukru.

– Dochodzenie wstępne trwa już ponad rok. Prowadziło je kilku śledczych, ale żaden się nie pofatygował porozmawiać z Ingelą – powiedziała. Miała nadzieję, że rzeczywiście tak było.

– Zawsze wszystkim odmawiałam – powiedziała Evelina Granqvist buńczucznie. – Żadna rozmowa z nią nie jest możliwa.

– Właśnie to mam na myśli. Nikt nawet nie próbował z nią rozmawiać.

– Ingela nie ma pojęcia, co jej brat zrobił.

– Podchodzi pani do tego dokładnie tak jak śledczy. Wypowiada się pani w jej imieniu, jakby pani sama wiedziała wszystko najlepiej.

Evelina Granqvist znów skrzyżowała ręce na piersi.

– Robię to ze względu na nią – oświadczyła. – Nie chcę, żeby się zdenerwowała.

– Pani niepokój jest zrozumiały – przytaknęła Nina.

– Mam z nią dobre relacje. Ingela mi ufa. Dlaczego miałabym pani pozwolić z nią rozmawiać?

Nina wyprostowała się.

– Wszyscy, którzy się zajmowali tą sprawą, z góry ją skreślili jako osobę upośledzoną umysłowo, co osobiście uważam za brak szacunku.

Evelina Granqvist nadal wyglądała na nieprzekonaną.

– Nie rozumiem, dlaczego to takie ważne. Nic, co ten człowiek zrobił, nie może być powodem, żeby zakłócać spokój Ingeli.

Nina spojrzała na nią uważnie.

– Ten człowiek jest oskarżony o zamordowanie włóczęgi w Nacce – powiedziała cicho. – Przed śmiercią sprawca go torturował. Zdarł mu paznokcie, posmarował go miodem i powiesił nagiego nad mrowiskiem. Bezpośrednią przyczyną śmierci było uduszenie. Zrobimy wszystko, żeby znaleźć sprawcę tych okrucieństw, nawet jeśli to pani nie w smak.

Evelina Granqvist otworzyła szerzej oczy.

– Ivar Berglund jest podejrzany także o inne morderstwa – ciągnęła Nina. – Do tej pory nie udało nam się zdobyć wystarczających dowodów, żeby wnieść kolejne oskarżenie, ale jesteśmy w stanie go powiązać z pobiciem znanego polityka, Ingemara Lerberga, które miało miejsce w zeszłym roku w Saltsjöbaden. Może pani czytała o tym w gazetach?

Evelina Granqvist zamrugała kilka razy, może szukała w pamięci. Nina nie zamierzała czekać, mówiła dalej:

– Sprawca rozwarł nogi tego człowieka do tego stopnia, że popękały mu mięśnie. Związał mu ręce na plecach i powiesił za nadgarstki, co spowodowało wywichnięcie ramion. Bił go po stopach, złamał mu pięć żeber, zmiażdżył szczękę i wybił jedno oko. Lerberg nadal jest w śpiączce, ma trwałe uszkodzenia mózgu. Niestety oddycha samodzielnie, więc nie można wyłączyć respiratora.

Twarz Eveliny zrobiła się biała. Przełknęła głośno ślinę i spuściła wzrok.

– Żona Lerberga zniknęła. Podejrzewamy, że Berglund mógł ją zabić. Trójka ich dzieci trafiło do rodzin zastępczych. Lerberga nikt nie odwiedza, chociaż to akurat nie robi mu większej różnicy…

Evelina Granqvist wstała i podeszła do zlewu. Nalała sobie wody do szklanki i wypiła jednym haustem.

– Ingela nie jest w stanie się stawić w sądzie i zeznawać – powiedziała cicho. – To niemożliwe. Natychmiast by się zdenerwowała i dostała ataku.

– Nikt nie zamierza jej wzywać do stawienia się w sądzie – uspokoiła ją Nina. – Zresztą proces dobiega końca. Chcę z nią po prostu porozmawiać, wypytać o ich dzieciństwo.

Nagle pomyślała o Peterze, który upiekł bułeczki, i zaczęła się zastanawiać, czy Ingela w ogóle mówi.

Evelina Granqvist patrzyła na nią, siedziała i ściskała w rękach kubek.

– Co chce pani wiedzieć?

– Co pamięta z dzieciństwa. Jaki wtedy był Ivar. Nie wiem, na ile Ingela jest w stanie się komunikować. Sądzi pani, że da radę odpowiedzieć na kilka prostych pytań?

Evelina Granqvist sięgnęła po bułeczkę. Zdjęła i zmięła papierową foremkę.

– Zdobędę kartę choroby Ingeli, w ten czy w inny sposób – powiedziała Nina. – A pani może mi pomóc albo nie.

Evelina Granqvist spuściła wzrok.

– Ingela jest inna niż wszyscy – odezwała się w końcu. – Diagnoza nie jest jednoznaczna. Ma wiele upośledzeń: cierpi na ADHD, wykazuje cechy autystyczne. Może podczas porodu doszło do niedotlenienia, nikt tego nie wie. Iloraz inteligencji ma dość wysoki, właściwie na średnim poziomie, ale w gronie innych ludzi nie funkcjonuje. Doskonale sobie natomiast radzi ze zwierzętami. Niestety Peter jest uczulony na sierść…

Urwała i zamilkła. Nina siedziała niemal nieruchomo.

– Chce pani być przy naszej rozmowie? Ma pani do tego prawo.

Evelina Granqvist zamknęła oczy, zacisnęła mocno powieki, przełknęła ślinę.

– Jest w swoim pokoju – powiedziała w końcu. Wstała i ruszyła przed siebie. Podeszwy jej butów uderzały o plastikową podłogę.

Nina podążyła za nią, przeszły przez hol i ruszyły schodami na piętro. W świetlicy na dole ktoś zaczął śpiewać.

Pokój Ingeli znajdował się w głębi mrocznego korytarza. Evelina Granqvist zapukała.

– Ingela? Masz gościa. Jakaś pani chce z tobą rozmawiać. Możemy wejść?

Żadnej odpowiedzi.

Otworzyła drzwi, promień światła rozświetlił ciemny korytarz.

– Dzień dobry! – Evelina Granqvist weszła do środka.

Nina zatrzymała się w progu. Pokój był jasny i przyjemny, w różnych tonacjach różu i błękitu.

Evelina Granqvist podeszła do Ingeli: siedziała w fotelu i wyglądała przez okno. Położyła dłoń na jej ramieniu i pochyliła się nad nią.

– Masz gościa. Przyjechała pani ze Sztokholmu. Specjalnie, żeby się z tobą spotkać.

Ingela była pod wieloma względami podobna do brata: niska, raczej przysadzista, miała jasne brązowe włosy. Zaczynała siwieć. Miała na sobie różowy dres. Odwróciła głowę i spojrzała nieśmiało na Ninę.

– Dzień dobry. Mam na imię Nina i chciałabym z panią porozmawiać. Mogę?

Ingela miała oczy brata, tylko bardziej błyszczące, jakby głębsze. Szybko odwróciła wzrok.

– Nie lubię obcych – stwierdziła.

Nina zauważyła, że mówi takim samym dialektem jak brat i Evelina Granqvist. Wyjęła komórkę i wcisnęła nagrywanie.

– Przesłuchanie Ingeli Berglund w domu opieki Blomstergården w Lulei. Środa, trzeci czerwca, godzina dziesiąta piętnaście. Obecna jest kierowniczka domu opieki, Evelina Granqvist.

Kobieta się zaczerwieniła, ale nie zaprotestowała.

Nina schowała komórkę do kieszeni marynarki. Mikrofon był mocny, materiał nie powinien zbytnio tłumić dźwięków. Przyniosła z drugiego końca pokoju drewniane krzesło i usiadła obok Ingeli. Przez moment razem wyglądały przez okno. W dole rozciągał się parking, za jedną z brzóz Nina dostrzegła swój samochód. Ingela zdawała się nią w ogóle nie przejmować.

– Kiedy byłam mała, miałam psa. Wabił się Zorro – zaczęła Nina. – Zorro to po hiszpańsku lis. Wtedy mieszkałam w Hiszpanii. Pies miał rudą sierść i naprawdę przypominał lisa. – Przerwała na chwilę. Siedziała niemal nieruchomo, w pokoju było duszno. Po chwili zauważyła, że Ingela na nią zerka. Wróciła do opowieści: – Zorro i ja bawiliśmy się codziennie. Był moim najlepszym przyjacielem. Nauczył się pływać i przynosić piłki. Uwielbiał piłki, a najbardziej taką jedną czerwoną, może dlatego, że była prawie takiego samego koloru jak jego sierść…

Ingela przyglądała się jej z szeroko otwartymi oczami. Kiedy Nina przekręciła lekko głowę i spojrzała na nią, natychmiast spuściła wzrok.

Nina znów zaczęła wyglądać przez okno.

– Lubi pani psy? – spytała.

Ingela skinęła głową.

– Świadek kiwa głową – powiedziała Nina. – Ma pani psa?

Ingela się żachnęła.

– Peter – powiedziała. – Choruje od psów, głupi Peter.

Evelina Granqvist otworzyła usta, pewnie chciała jej zwrócić uwagę, żeby się wyrażała grzeczniej, ale Nina ją powstrzymała.

– Jak się nazywał twój piesek? – zwróciła się do Ingeli.

– Buster – odpowiedziała natychmiast.

– To był tylko twój pies czy także Ivara?

Ingela znów się żachnęła.

– Pies Ivaraiarnego umarł.

Imiona braci wymieniła jednym ciągiem.

– Ivara i Arnego – powtórzyła Nina. – To przykre.

Ingela nadal patrzyła przez okno.

– To był bardziej pies Ivara czy Arnego? – dopytywała się Nina.

– Ivaraiarnego – powiedziała Ingela. – Ivariarne. Są jednacy.

Mimo że było lato, grzejnik był włączony. Nina poczuła ciepło na twarzy.

– Ivar i Arne – powtórzyła. – Twoi bracia. To był ich wspólny pies?

Ingela podniosła się niezdarnie, podeszła do łóżka i położyła się na plecach. Nina spojrzała na jej krępe ciało, na jej brązowe włosy. *Są jednacy?*

Evelina Granqvist podeszła szybko do Ingeli, położyła dłoń na jej ręce.

– Jak się czujesz, Ingelo?

Nina wstała i też podeszła do łóżka. Usiadła na jego brzegu.

– Co się stało z psem Ivara i Arnego? – spytała.

– On...

Ciałem Ingeli wstrząsnął skurcz, jej ręce i nogi zaczęły się trząść.

– Narzędzia – wyszeptała. – Narzędzia taty, piła...

Nina przysunęła bliżej komórkę.

– Co Ivar i Arne zrobili psu?

Oczy Ingeli były szeroko otwarte, leżała wpatrzona w sufit.

– Stópki – powiedziała. – Próbował chodzić bez stópek...

Nina nachyliła się nad nią.

– Bomba – jęknęła Ingela. – Wysadzili bombę. Nad Naustą.

– Gdzie? Naus...

Evelina Granqvist podeszła i odepchnęła Ninę.

– Ingela – powiedziała głośno i wyraźnie. – Jestem przy tobie. Jestem tutaj, Ingelo.

Usiadła obok niej, położyła ręce na jej ramionach.

– Wszystko jest dobrze, wszystko jest dobrze...

Nogi i ręce Ingeli drżały, z jej gardła dobył się charczący dźwięk, jeden, potem drugi, a potem zaczęła krzyczeć.

Kiedy Nina zaczęła schodzić po schodach, Ingela nadal krzyczała.

THOMAS UDERZAŁ STOPAMI o asfalt, jakby wybijał rytm, siedem kilometrów na godzinę. Nie biegł bardzo szybko, nie rzęził jak przeładowana ciężarówka na szosie, ale jednak na tyle szybko, że koszulka, którą miał na sobie, szybko zrobiła się mokra. Czuł, że lepi mu się do piersi, mokre włosy opadały mu na czoło.

Pocił się także dlatego, że miał na sobie koszulkę z długim rękawem, żeby ukryć hak. Starał się trzymać rękę luźno, palce lekko podkurczone, jak w prawej dłoni, tej zdrowej. Nogi miał umięśnione, opalone, dwa domy od jego okropnego mieszkania było solarium, chodził tam kilka razy w tygodniu.

Czuł na sobie spojrzenia zarówno kobiet, jak i mężczyzn. Był zdziwiony, jak wiele osób nadal go pamięta. Minęło już dobre półtora roku, wydarzyło się wiele równie dramatycznych historii jak jego, ale akurat tę zapamiętano: historię urzędnika, który został porwany i okaleczony, ale udało mu się uciec. Prawdziwy bohater.

Głos kobiety mówiącej z amerykańskim akcentem w jego aplikacji poinformował go, że pokonał dwa kilometry i sto metrów w ciągu kwadransa. Utrzymywał właściwe tempo.

Wydłużył krok, trochę przyspieszył.

Nie zamierzał iść do pracy. Sama myśl o pracy sprawiła, że przeszył go dreszcz.

Następnego dnia na posiedzeniu rządu miał przedstawić sprawozdanie. Miał zasiąść przy stole obok ministerialnych doradców, naprzeciwko samego ministra, i przedstawić istotę zmian, które proponował. Wytłumaczyć, dlaczego są ważne. Spodziewał się pochwały. Potem projekt miał zostać odesłany do pracy w komisjach. Po jego przeanalizowaniu przedłożyłyby swoje uwagi, zarówno te krytyczne, jak i pozytywne. Był przygotowany i na jedne, i na drugie. Ale Halenius wszystko zastopował, sabotował jego pracę.

Poczuł w ustach gorzki smak, zrobiło mu się niedobrze. Biegł dalej, stopy uderzały o asfalt. Obok niego błyszczały wody Riddarfjärden. Minął kobietę z wózkiem, obejrzała się za nim.

Właśnie teraz powinien być na konferencji prasowej w rządowym centrum prasowym, on i minister. Pod sprawozdaniem miały widnieć ich podpisy, ale tak naprawdę to on wykonał całą pracę, więc to on odpowiadałby na pytania dziennikarzy reprezentujących wszystkie programy informacyjne i publicystyczne: „Rapport", „Aktuellt", „Ekot" i oczywiście wiadomości w TV4. Na pewno przyszliby też dziennikarze z prasy codziennej, na „Kvällspressen" nie liczył, tę plotkarską gazetę interesowały tylko morderstwa i skandale, a nie poważne tematy, a już na pewno nie te dotyczące ustawodawstwa.

Ale konferencja została odwołana.

Miał też napisać obszerny artykuł do „Dagens Nyheter". Właściwie tekst był już gotowy, sekretarka go przejrzała i poprawiła. Musiał przyznać, że jest w tym niezła. Co prawda redakcja gazety jeszcze go nie przyjęła, zastrzegli sobie prawo do przejrzenia go, ale był pewien, że zostałby zaakceptowany.

Gdyby nie Jimmy Halenius, jego szef, który mu ukradł rodzinę, kiedy on trafił w łapy somalijskich porywaczy, który sprawił, że nie może obserwować, jak jego dzieci dorastają…

Głos kobiety z aplikacji znów przerwał mu rozmyślania. Poinformował go, że przebiegł dwa kilometry i sześćset metrów w ciągu dwudziestu minut. Wyraźnie zwolnił. Przyspieszył, musiał dbać o formę. Nie zamierzał uchodzić za ofiarę.

Nie chciał iść na przyjęcie do Sophii. Nie miał ochoty spotykać się z jej sztywnymi gośćmi z kręgów finansowych. Sophia była atrakcyjna, zamożna, ale miała w sobie jakąś słabość, która mu nie odpowiadała. Potrzebował bardziej wyrazistej kobiety. Właściwie bardziej w typie Anniki, tylko z klasą i stylem.

W tylnej kieszeni spodni poczuł wibracje. Wziął ze sobą komórkę nie tylko po to, żeby móc korzystać z aplikacji Runkeeper. Jego stanowisko wymagało, żeby zawsze był dostępny.

O wilku mowa, pomyślał, kiedy spojrzał na wyświetlacz.

– Cześć, Annika – powiedział i zwolnił.

– Cześć! – usłyszał głos byłej żony. – Przeszkadzam?

– Mam minutę – stwierdził krótko.

– Dobrze, mam do ciebie prośbę…

Szedł, machając hakiem.

– Tak, a o co chodzi?

– Pamiętasz, że wieczorem przychodzą do ciebie dzieci?

Niech to szlag, nie pamiętał.

– Dobrze, że dzwonisz, bo chciałem o tym z tobą porozmawiać.

– Tylko nie mów, że znów zapomniałeś!

– Nie wiem, czy Jimmy ci wspominał o moim sprawozdaniu, ale jest trochę rzeczy…

– Thomas, jeśli nie chcesz się nimi zajmować, to powiedz! Teraz Kalle będzie bardzo zawiedziony.

Przełknął ślinę.

– Nie, wszystko w porządku. Niech przyjdą.

– Idziesz na przyjęcie do Sophii?

Zatrzymał się przy pomoście, dwie nastolatki spojrzały na niego i zaczęły chichotać. Odwrócił się i schował hak za plecami.

– A ty się wybierasz? – rzucił lekko.

– Chciałabym wpaść, ale nie wiem, czy zdążę. Właśnie dlatego dzwonię. Jestem na lotnisku w Kastrup. Mam kilka rzeczy do załatwienia w Kopenhadze, a Jimmy leci do Brukseli…

No proszę! Był wyraźnie zaintrygowany.

– Tak? O co chodzi?

– Jacob i Serena sami potrafią zrobić coś do jedzenia, więc właściwie nie ma problemu, ale oboje lubią Sophię i chcieliby osobiście złożyć jej życzenia…

Thomas spojrzał na wody Mälaren. Właściwie nie zamierzał składać życzeń swojej byłej kochance, ale kiedy dostał od niej maila, zaczął się zastanawiać. Ludzie miewają dziwne oczekiwania.

– Ale co ja…

– Wiem, że może ci to nie pasuje, i bardzo cię przepraszam, ale chciałam cię prosić, żebyś ich podrzucił do Sophii, kiedy przyjedziesz po Ellen i Kallego. Mógłbyś?

Wypuścił z płuc powietrze. Annika chyba oszalała? Miał niańczyć dzieci Haleniusa? Zadzwoniła do niego z lotniska, z Kopenhagi, więc z góry założyła, że się zgodzi. Bezczelność też ma swoje granice.

– Jasne – powiedział krótko. – Zabiorę je ze sobą, skoro i tak będę tam szedł.

Annika odetchnęła głęboko, w słuchawce rozległy się trzaski.

– Bardzo ci dziękuję. Bardzo mi pomogłeś – powiedziała. – Rozumiem, że widzimy się wieczorem? – dodała.

Rozłączyli się. Głos z amerykańskim akcentem poinformował go, że przebiegł dwa kilometry i siedemset metrów w dwadzieścia pięć minut.

SZEDŁ PRZED SIEBIE między sosnami, nogi miał lekko zgięte w kolanach, tak jak ich uczył Signar Allas, kiedy pędzili renifery na zimowe pastwiska. Ziemia nie była pokryta kamieniami, jak tam, skąd pochodził. Była bardziej gliniasta, grząska, jakby kiedyś przeszedł tędy lodowiec. Ciało miał ciężkie, ale szedł pewnie, nogi go słuchały, umysł miał jasny i trzeźwy. Korony drzew szumiały mu nad głową. Melodia samotności, która przyprawiała go o melancholię. Zamyślony podniósł głowę, spojrzał na sięgające niemal do nieba pnie. Były proste jak maszty do flag. Las był zadbany, uporządkowany. Drzewa miały sześćdziesiąt, niektóre może nawet siedemdziesiąt lat. Niedługo, za dziesięć, może dwadzieścia lat, będą się nadawać do ścięcia.

Zaczerpnął głęboko powietrza, pozwolił, żeby zapach igliwia wypełnił mu płuca.

Żal mu było tego pięknego lasu. Drzewa zostawione same sobie rosłyby jeszcze kilkaset lat, potem by zbielały i zaczęły powoli usychać. W końcu padłyby na ziemię i po kolejnych stu latach nie byłoby po nich śladu.

Usłyszał brzęczenie komara, uderzył się w ucho, na kciuku zobaczył sporą czerwoną plamę. Kogo komar ugryzł? Jego na pewno nie zdążył. Może jakieś zwierzę? Ale jakie?

W promieniu trzech kilometrów nie było żywej duszy. Był tego pewien, bo przez ostatnią dobę krążył tam bez przerwy. Leśne drogi zostały wyłączone z ruchu, nie widział też żadnych rowerzystów ani wędrowców, sezon zbierania jagód jeszcze się nie rozpoczął, grzybów też nie.

Torba zakołysała mu się w ręku.

Pomyślał o Signarze Allasie, mężczyźnie z samskiej wioski Udtja, który ich nauczył lasu. Lubili go, i on, i jego brat. Natomiast ojciec nie cenił ani Samów, ani ich kultury. Cholerny Laponiec, narzekał. To się nadaje tylko dla Lapończyków i mew, mawiał, kiedy coś było bardzo złe. Przeklinał cholernych Lapończyków, siedząc na kanapie i popijając bimber.

Ojciec nie był dobrym przykładem *Homo sapiens*, był złośliwy, zgarbiony. Matka była słabowita i nie miała głowy do myślenia. Ostatnio sporo o nich rozmyślał, szczególnie teraz, kiedy został sam. Chociaż właściwie ledwie był w stanie sobie przypomnieć, jak wyglądali. Rysy twarzy z czasem się zatarły, głosy stały się niewyraźne, chrapliwe, ale pamiętał, jak na nich reagował, pamiętał wibracje, które w nim uruchamiali.

Krajobraz otworzył się przed nim, tafla jeziora drżała. Pomiędzy drzewami ukazał się dom. Zauważył, że podwórze nie jest tak zadbane jak las, i zrobiło mu się żal.

Był już prawie na miejscu.

Wspaniale będzie mieć to wszystko za sobą.

ANNIKA SPOJRZAŁA na fasadę kamienicy przy Køb-
magergade. Na najwyższym piętrze mieściła się siedziba wydawnictwa, na parterze miała lokal agencja reklamowa, a na
środkowych piętrach firma IT, w której pracował Robin.

Domofon miał jedynie trzy przyciski. Wcisnęła ten z napisem DOOMSDAY.

Usłyszała kobiecy głos.

– Szukam Robina Bertelssona – powiedziała.

– Jest pani umówiona?

Co takiego?

– Czy umawiała się pani na spotkanie?

Annika przełknęła ślinę.

– Nie, nie umawiałam się…

– Proszę się umówić na spotkanie na naszej stronie internetowej.

Usłyszała lekkie kliknięcie, cofnęła się nieco.

Z bramy wyszły dwie młode kobiety, zrobiła kilka kroków w bok i stanęła przed oknem wystawowym H&M. Pomyślała, że kolejna próba nic jej nie da, zwróci tylko na
siebie uwagę ochroniarzy.

Rozejrzała się. Kopenhaga była inna niż Sztokholm, miała inny klimat. Domy były niskie, stare i nie tak pompatyczne.

Czuło się, że to prawdziwe miasto, chociaż nie potrafiła powiedzieć, na czym to polegało. Może na tym, że nie było wielkich wielopoziomowych parkingów, było za to stosunkowo mało brzydkich nowych budynków...

Młode kobiety poszły, śmiały się, rozmawiały. Annika musiała przyznać, że nie zrozumiała ani słowa. Poczuła się głupio. Do tej pory żyła w przeświadczeniu, że duński i szwedzki w zasadzie niczym się nie różnią.

Prawda była też taka, że rzadko bywała w Danii. Kalle od kilku lat prosił, żeby się wybrali do Legolandu, ale Thomas uważał, że to mało ambitny pomysł. To już lepiej jechać do Disneylandu pod Paryżem. Kiedy jednak Annika zaczęła się przymierzać do wyjazdu, okazało się, że taka impreza jest za droga, i kolejne wakacje spędzili w letnim domku teściów na szkierach.

Przeszła kilka metrów, dotarła do dużego rynku i zawróciła. Był upał, pod podeszwami czuła miękki asfalt. A mimo to było jej zimno. Czuła drapanie w gardle, ręce jej drżały, jakby atak paniki, który ją chwycił u psycholożki, wciąż trzymał ją w swojej lepkiej sieci.

Torba ciążyła jej na ramieniu, zdjęła ją i położyła na chodniku.

Jeśli Robin Bertelsson jest w pracy, to wcześniej czy później będzie musiał opuścić budynek. Samolot do Sztokholmu odlatywał dopiero pięć po osiemnastej, miała czas.

Odgarnęła włosy z czoła i zaczęła się wpatrywać w bramę.

Po jakimś czasie wyszło z niej czterech mężczyzn w niemal jednakowych garniturach. Skręcili w jej stronę, więc mogła im się dokładnie przyjrzeć. Żaden nie był Robinem Bertelssonem.

Jeden z nich źle odczytał jej spojrzenie i mrugnął do niej porozumiewawczo. Odwróciła się.

Minęła ją para, kobieta i mężczyzna. Zatrzymali się przy bramie z numerem sześćdziesiąt dwa, wstukali kod. Mężczyzna był nieogolony, pomyślała, że pewnie jest pracownikiem agencji reklamowej.

Znów zaczęła się rozglądać. Po drugiej stronie ulicy była niewielka kawiarnia, może zamówi cappuccino? Chociaż wtedy zaraz będzie musiała oddać mocz, zacznie szukać toalety i może przegapić Robina Bertelssona.

Sięgnęła po komórkę. Żadnych nowych wiadomości.

Nagle brama pod numerem sześćdziesiąt dwa się otworzyła. Annika trzymała w ręku komórkę, nie spuszczała wzroku z drzwi. Po chwili wyszedł jasnowłosy mężczyzna, może trzydziestopięcioletni. Miał na sobie koszulkę z długim rękawem i spodnie moro. Wypadł z bramy i niemal biegiem ruszył chodnikiem. Może to on, Robin, pomyślała i schowała komórkę do kieszeni.

Mężczyzna dotarł do rynku, rozejrzał się, żeby sprawdzić, czy nie nadjeżdża samochód, i przeszedł przez ulicę. Annika czuła, że otwiera usta, ale nie była w stanie wydobyć żadnego dźwięku. Ruszyła za nim, zobaczyła, że wchodzi do kawiarni i mówi coś do baristy. Po chwili obaj się roześmiali. Pomyślała, że Duńczycy należą do najszczęśliwszych ludzi na świecie, ale też biorą najwięcej antydepresantów.

Odwróciła się plecami do kawiarni i zaczęła się wpatrywać w wystawę sklepu. Zobaczyła w szybie, jak mężczyzna, który mógł być Robinem Bertelssonem, wychodzi z kawiarni z dużym papierowym kubkiem w ręce. Zatrzymał się przed jezdnią, przepuścił taksówkę i ruszył szybkim krokiem w stronę numeru sześćdziesiąt dwa.

Uniosła komórkę i zaczęła go filmować. Potem zaczerpnęła powietrza i ruszyła w stronę drzwi. Miała wrażenie, że znów ma dwadzieścia cztery lata.

Mężczyzna już miał zacząć wstukiwać kod, kiedy do niego podeszła.

– Robin? – zaczepiła go, radosnym i pełnym nadziei głosem.

Spojrzał na nią zdziwiony. Tak, to był on. Bez wątpienia. Uśmiechnęła się szeroko.

– Boże drogi, to naprawdę ty, Robin!

Rzuciła się na niego, zarzuciła mu ręce na szyję, przywarła do niego. Zrobił pół kroku do tyłu i przestraszony wyciągnął rękę, żeby ratować kawę.

– Co ty tu robisz? – nie odpuszczała Annika.

Niemal widziała, jak w jego głowie kłębią się najróżniejsze myśli, próbował się uśmiechnąć, ale nie był w stanie.

– Nie poznajesz mnie? – spytała. Zdziwiona, ale nie urażona.

Rozłożyła ręce.

– Jestem Annika. Z klubu na Hantverkargatan! Boże, ile to czasu minęło. Piętnaście? Obsługiwałam ruletkę, w bikini z cekinami...

Wypchnęła biust do przodu i rzuciła mu uwodzicielskie spojrzenie. W jego oczach pojawił się błysk.

– Do diabła, przestraszyłaś mnie.

Roześmiała się serdecznie. Widziała, że nie ma pojęcia, z kim rozmawia.

– Przepraszam, nie chciałam – powiedziała. – Co u ciebie?

Uśmiechnął się trochę krzywo, zrobił ruch ręką, wyraźnie zmieszany.

– Mieszkam tu. Żona, dzieci, wiesz, jak to jest…

Czyli: nie rób sobie żadnych nadziei.

– Ale fajnie cię znów zobaczyć! Masz kontakt z kimś z tamtych czasów?

Zrobił krok do tyłu.

– Z kim?

– No z ludźmi z klubu! Słyszałeś o Luddem?

W jej oczach pojawił się smutek. Robin był wyraźnie zdezorientowany.

– A niby co?

– Byłeś na pogrzebie?

Odgarnął włosy z oczu.

– Nie… nie poszedłem na pogrzeb. Ja…

– Okropnie przykra sprawa. – Annika pociągnęła nosem. – Przeklęty rak…

Pokiwał ostrożnie głową. Z bramy wyszły trzy kobiety. Chwycił za klamkę, jakby chciał wejść, ale Annika zagrodziła mu drogę.

– Miałeś ostatnio jakieś wieści od Joachima? – spytała.

Przyglądał jej się uważnie.

– Nie, już od dawna się nie odzywa.

Annika westchnęła.

– Słyszałam, że był w Chorwacji. Pracował w jakiejś agencji nieruchomości. To było tuż po tym, jak ta młoda laska wycofała oskarżenie…

– Muszę już… – wszedł jej w słowo Robin.

– Czasem o tym myślę – powiedziała Annika cicho i podeszła do niego. – Wszyscy go chronili.

Robin zastygł. Annika się uśmiechnęła i wzruszyła ramionami.

– To mogło mieć poważne konsekwencje. Krycie sprawcy to przestępstwo, na szczęście sprawa już dawno się przedawniła. Dzisiaj wszyscy mogą powiedzieć prawdę o tym, co się stało tamtej nocy. Nikt nic nie ryzykuje.

Stanęła tuż przed nim, czuła, że się cofnął, oparł się plecami o ścianę.

– Nigdy nie myślałeś o tym, że Josefin nie doczekała się sprawiedliwości nawet po śmierci? Joachim się wywinął, powinien za to podziękować świadkom. Także tobie, bo dałeś mu nieprawdziwe alibi na tamtą noc.

Robin zbladł. Otworzył szeroko oczy, ściskał kurczowo kubek z kawą.

– Kim jesteś? I co tu robisz?

Annika wskazała na domofon. Obok wisiała mosiężna tabliczka z logo wydawnictwa.

– Piszę o tej sprawie. O Josefin i o tym, co się stało tamtej nocy.

Robin zrobił dwa kroki w bok.

– Na litość boską, nie wciągaj mnie w to.

– Na pewno niejeden raz o tym myślałeś – powiedziała Annika cicho. – Możesz jej oddać sprawiedliwość. Jeśli się skontaktujesz ze sztokholmską policją albo z prokurator Sanną Andersson i opowiesz, co się naprawdę wtedy stało...

Robin odwrócił się na pięcie i długimi krokami ruszył przed siebie. Annika podniosła torbę i pobiegła za nim.

– Robin! – zawołała. – Robin, zastanów się...

Wpadła na wysoką kobietę. Kobieta zaczęła ją wyzywać. Pobiegła dalej i chwyciła Robina za rękaw.

– Robin, zaczekaj!

Zatrzymał się nagle i odwrócił, usta miał zaciśnięte. Gwałtownym ruchem zdjął z kubka pokrywkę i oblał ją kawą. Cofnęła się, ale za późno. Kawa polała jej się po piersiach i po lewej ręce. Poparzyła ją. Na moment straciła oddech. Otworzyła usta, żeby coś powiedzieć, ale nie była w stanie. Czuła, jak kawa ścieka jej po palcach i kapie na chodnik.

Robin Bertelsson biegł, lawirując między ludźmi. Przez chwilę widziała go w tłumie, potem zniknął.

NINA WESZŁA na pomalowaną na czerwono klatkę schodową. Winda zamknęła się za nią ze szczękiem. Jej miejsce pracy wyróżniało się całym szeregiem wyjątkowych dźwięków i zapachów. Szczelny budynek jęczał i zawodził. Na wzgórzu nad nim unosił się areszt Kronoberg, zamknięty, nieludzki. Pod nią, pod ziemią, były podziemne korytarze i duża, b e z p i e c z n a sala sądowa, z której korzystano, kiedy mniejsza, na samej górze, okazywała się niewystarczająca. Na piętrach, między strychem a piwnicami, pracowali policjanci i śledczy. Tworzyli jeden zintegrowany organizm, przepuszczający przez swoje tryby najróżniejsze przestępstwa, akty przemocy, zabójstwa. To właśnie tam nadawano sprawom formalny kształt, wszystko spisywano i archiwizowano.

Przyłożyła przepustkę do czytnika i wstukała kod. Zamek wydał cichy dźwięk i drzwi do siedziby Krajowej Policji Kryminalnej się rozsunęły. Idąc do swojego pokoju, sięgnęła do kieszeni marynarki po komórkę. Wybrała numer do dyżurnego policji wojewódzkiej, ale nikt nie odebrał. Wstrzymując oddech, zajrzała do swojego pokoju. Z zadowoleniem stwierdziła, że Jesper Wou wciąż nie wrócił z podróży służbowej. Odetchnęła z ulgą, zdjęła marynarkę i powiesiła ją na oparciu krzesła. Poczuła, że jej T-shirt jest mokry na plecach.

Usiadła przy biurku, wypiła kilka łyków wody mineralnej i zaczęła się zastanawiać.

Po chwili otworzyła komputer i rozpoczęła poszukiwania. Weszła do Spar, państwowego rejestru osób i adresów, i zaczęła szukać ludzi noszących nazwisko Berglund, urodzonych dwudziestego ósmego maja przed pięćdziesięciu pięciu laty.

Jeden wynik. Ivar Oskar Berglund, urodzony w gminie Älvsbyn, obecnie zameldowany w Täby.

Żadnego Arnego.

Zagryzła wargi, napełniła płuca powietrzem.

Musiała spróbować inaczej. Poszukiwanie historyczne, te same dane...

Na ekranie kręciło się kółko.

Brak danych.

Wylogowała się z rejestru, położyła palce na klawiaturze i znów pogrążyła się w myślach.

Jej dział miał dostęp do wielu rejestrów osobowych, zarówno szwedzkich, jak i międzynarodowych. Nie zawsze było to zgodne z prawem, ale w tym przypadku nie chodziło jej o rejestry objęte tajemnicą. Szybko spisała na kartce dane Arnego Berglunda, wzięła wydruk z danymi Ivara Berglunda i wyszła na korytarz. Zjechała windą na parter niebieską klatką schodową, następnie wjechała na siódme piętro, na którym mieściła się centrala informacyjna. W sali panował półmrok, ekrany komputerów rzucały niebieskie światło. Z sąsiedniej sali wpadały pojedyncze promienie słońca. Jej koledzy, większość w cywilu, dwóch w mundurach, siedzieli i w pełnym skupieniu stukali w klawisze.

– Witaj, Nina. Potrzebujesz pomocy? – spytał mężczyzna w cywilu, z wąsikiem. Nie pamiętała, jak się nazywa.

Uśmiechnęła się i podała mu kartkę z imieniem, nazwiskiem, datą i miejscem urodzenia Arnego Berglunda.

– Można go znaleźć w rejestrze ludności? Facet wyleciał ze Spar, wyemigrował pod koniec lat osiemdziesiątych albo na początku dziewięćdziesiątych, umarł jakieś dwadzieścia lat temu.

Mężczyzna z wąsikiem wziął kartkę i zasiadł przed jednym z monitorów. Nina rozglądała się za jakimś identyfikatorem, ale nic takiego nie zauważyła.

Wstrzymała oddech. Mężczyzna się zalogował, wpisał dane i komputer zaczął szukać. Po chwili coś zamrugało.

– Jesteś pewna daty urodzenia?

– Nie.

– Ale nie żyje, tak? To wiesz na pewno?

– Zginął w wypadku samochodowym w Alpujarras jakieś dwadzieścia lat temu…

– Alpu co?

– Łańcuch górski na południe od Granady, w Andaluzji, w południowej Hiszpanii.

Czekała w milczeniu. Mężczyzna wylogował się z jednego systemu i zalogował do drugiego. Odczekał chwilę, strona się załadowała.

– Nie. Te dane nie pasują do żadnego Arnego Berglunda – stwierdził.

– Możesz spróbować znaleźć Ivara Berglunda? Ta sama data urodzenia. Sprawdź, jakie ma powiązania rodzinne.

Komputer zaczął pracować, słychać było szum wiatraczka.

– Mamy go. Rodzice to Lars Tore Berglund i Lilly Amy Berglund, zmarli w tysiąc dziewięćset siedemdziesiątym roku, województwo numer dwadzieścia pięć, gmina numer sześćdziesiąt, parafia zero dwa.

Województwo Norrbotten, gmina Älvsbyn, parafia również Älvsbyn.

– A jego rodzeństwo?

Mężczyzna z wąsikiem pokręcił głową.

– Spróbuj poszukać w archiwum wojewódzkim.

Czyli w księgach parafialnych.

Mężczyzna z wąsikiem zapisał jej wszystkie dane. Sięgnęła po nie. Miała wrażenie, że przytrzymał je chwilę za długo.

– Mogę ci jeszcze w czymś pomóc?

Zacisnęła usta.

– Nie, dziękuję – rzuciła i niemal wyszarpnęła mu papier z ręki.

Wróciła do swojego pokoju.

Województwo Norrbotten podlegało działowi archiwum krajowego w Härnösandzie. Znalazła numer telefonu w internecie, poprosiła o połączenie z recepcją działu osobowego i trafiła do kolejki. Nie była długa, w upalny letni dzień ludzie mieli na głowie inne sprawy niż zajmowanie się swoją genealogią. Przedstawiła się, wyjaśniła, że szuka daty urodzenia zmarłego Arnego Berglunda. Data musiała być albo w księdze urodzeń i chrztów, albo w rejestrze zgonów. Podała kod województwa, gminy i parafii.

Kobieta po drugiej stronie długo nie odpowiadała.

– Może pani przyjść osobiście i poszukać?

– Dzwonię z Policji Krajowej ze Sztokholmu. Będę wdzięczna, jeśli mi pani pomoże.

– Oczywiście. Proszę wypełnić formularz na naszej stronie internetowej, dane dostarczymy w ciągu dwóch tygodni.

– Chodzi o toczące się śledztwo w sprawie o morderstwo – powiedziała Nina. – To dane kogoś, kto jest podejrzany o morderstwo w Nacce, popełnione w zeszłym roku.

– On nie zginął?

Nina westchnęła cicho.

– Zaczekam przy telefonie.

Kobieta wróciła po dziesięciu minutach.

– Znalazłam dane w księdze chrztów – powiedziała. – Arne Johan Berglund, urodził się dwudziestego ósmego maja, w tym roku skończyłby pięćdziesiąt pięć lat. Zmarł szóstego października w wieku trzydziestu pięciu lat.

Nina zapisała wszystko na wydruku z datą urodzenia Ivara.

– Dziękuję za pomoc – powiedziała i rozłączyła się.

Wracając, zajrzała do Johanssona. Zapukała w futrynę.

– Masz chwilę?

Sekretarz siedział pochylony nad biurkiem, spojrzał na nią smutnym wzrokiem. Stanęła obok niego, starała się nie sprawiać wrażenie zestresowanej ani zbyt nachalnej.

– Chyba rozwiązałam zagadkę próbki DNA z Orminge – powiedziała. – Ivar Berglund i jego brat, Arne Berglund, są bliźniakami jednojajowymi.

Johansson podniósł głowę. Nina podała mu wydruk: Ivar Oskar Berglund, urodzony dwudziestego ósmego maja, i Arne Johan Berglund, urodzony dwudziestego ósmego maja, miejsce urodzenia to samo, rok urodzenia ten sam.

Johansson zaczął studiować dane.

– Arne wyemigrował do Hiszpanii tuż przed przejęciem przez urząd skarbowy rejestru ludności, w lipcu tysiąc dziewięćset dziewięćdziesiątego pierwszego roku – ciągnęła Nina. Starała się brzmieć rzeczowo. – Nie ma go w normalnych rejestrach, a nikomu nie przyszło do głowy, żeby poszukać w innych.

– Nadal nie rozumiem – powiedział Johansson, oddając jej wydruk.

– To wyjaśnia sprawę próbki DNA z Orminge. Profil jest niemal identyczny, ale nie w pełni. Nasze DNA zmienia się w ciągu życia pod wpływem różnych czynników: chorób, nawyków żywieniowych, nałogów...

– Nina – przerwał jej Johansson. – Facet nie żyje od dwudziestu lat.

Nina spróbowała się odprężyć, rozluźniła ramiona.

– Tak, wiem, zginął w wypadku samochodowym. Kto się zajmował tą sprawą?

Johansson westchnął.

– Dlaczego twierdzisz, że byli bliźniakami monozygotycznymi?

– Mono...

– Że byli identyczni.

Znów sięgnął po wydruk, potem spojrzał na nią. Z danych nie wynikało, że byli bliźniakami jednojajowymi.

– Ingela Berglund. Powiedziała, że są jednacy.

Johansson spojrzał na nią znad okularów.

– Jednacy?

– Ingela ma problemy z kontaktami z ludźmi. Przesłuchanie jej nie było proste.

– Mam wrażenie, że niepotrzebnie komplikujesz sprawę. Próbki DNA są niemal identyczne. W dziewięćdziesięciu dziewięciu procentach.

– Możemy się dowiedzieć czegoś więcej o okolicznościach wypadku w Hiszpanii? Sprawdzić, co się tam naprawdę stało?

Johansson westchnął.

– Dowiem się wszystkiego, ale spokojnie. Powinniśmy być zadowoleni, jeśli odpowiedzą przed końcem roku.

Nina wstała, próbowała się uśmiechnąć.

– Szukał cię ktoś z policji wojewódzkiej – przypomniał sobie Johansson. – Chodziło o jakąś komórkę.

– Dziękuję – powiedziała Nina.

Wyszła z poczuciem, że została skarcona.

Była świadoma, że może nie mieć racji.

Niewykluczone, że szuka ducha.

POCIĄG MINĄŁ ØRESTAD i zbliżał się do Tårnby. Annika zerknęła na zegarek, samolot do Sztokholmu odlatywał o osiemnastej zero pięć. Spojrzała na swoje odbicie w szybie. Miała jeszcze cztery i pół godziny. Zerknęła na poplamioną kawą koszulkę. Zdążyła już wyschnąć, materiał był sztywny, ostry. Będzie musiała kupić nową.

Konduktor powoli szedł przez pociąg. Annika nastawiła uszu, żeby usłyszeć jego głos. Mówił po szwedzku. Ucieszyła się.

– Rozumiem, że ten pociąg jedzie dalej do Malmö? – spytała, kiedy wziął do ręki jej bilet.

– Skarbie, ten pociąg jedzie jeszcze dalej, do Göteborga.

Dworzec kolejowy w Tårnby był nowoczesnym budynkiem z szarego betonu. Lodowato zimny, surowy, skandynawski styl.

Nigdy nie była w Malmö. Redakcja miała tam dział zajmujący się lokalnymi sprawami: przemocą, burdami kibiców, ulicznymi awanturami.

Niewiele wiedziała o mieście, znała je właściwie jedynie z nagłówków. Mity tworzone przez gazety nie zawsze były prawdziwe. Najbardziej niebezpieczne miasto w Szwecji. Getto Rosengård. I drużyna piłkarska grająca w lidze mistrzów, ale też wrogość wobec obcokrajowców i zlikwidowana stocznia, no i oczywiście Zlatan Ibrahimović.

Dlaczego Birgitta się tam przeprowadziła? Nikt z rodziny nie miał żadnych powiązań z tym miastem. Może Steven miał tam jakichś krewnych? Rozumiała, że jej siostra i szwagier chcieli wyjechać do Norwegii, wielu Szwedów jeździ tam, gdzie można lepiej zarobić. Ale do Malmö?

Zawsze była przekonana, że zna Birgittę. Wiedziała, kiedy dostała pierwszą miesiączkę, wiedziała, jakich potraw nie lubi, że nuci, kiedy rysuje, i czasem płacze przez sen.

Dlaczego wybrała Malmö? Co tam robiła? Kim teraz była?

Nagłe szarpnięcie i pociąg ruszył.

Annika wyjęła komórkę: żadnych nowych wiadomości. Zobaczyła, że w pociągu jest Wi-Fi. Weszła na profil Birgitty na Facebooku. Dużo zdjęć, selfie albo lustrzane odbicia. Ładna twarz. Prawie zawsze była uśmiechnięta i zawsze gustownie ubrana. Wzrok Anniki zatrzymał się na jednym ze zdjęć zrobionych latem w ogródku przed jakimś lokalem: targane przez wiatr długie jasne włosy, błyszczące oczy, roześmiana twarz. Pewnie selfie. Wróciła do wcześniejszych zdjęć, było nawet kilka z dzieciństwa. Na jednym z nich była też ona, na plaży nad jeziorem, nad Tallsjön. Ona i Birgitta siedziały obok siebie na niebieskim kocu, każda owinięta w duży ręcznik, każda ze swoim lodem. Birgitta uśmiechała się kokieteryjnie do aparatu, twarz Anniki było widać z profilu. Przypomniała sobie tamten dzień: koc, który ją drapał, i upał. To był najgorętszy dzień tamtego lata. Zdjęcie zrobił im ojciec.

Zaczęła dokładnie studiować jej profil. Nigdzie nie napisała, że się przeprowadza do Malmö.

Nad drzwiami wagonu zapaliła się tabliczka: „następna stacja Kastrup".

Pasażerowie zaczęli zbierać swoje rzeczy, zamykali torby, sprawdzali paszporty i bilety. Pociąg zwolnił i po chwili się zatrzymał. Siedzący obok niej mężczyzna jęknął i podniósł się.

Annika została na miejscu.

Większość pasażerów wysiadła, w wagonie zapanowała cisza. Pociąg stał chwilę na stacji, do wagonu wpadł powiew wiatru, niosąc ze sobą zapach rozgrzanej gumy. Pod podłogą coś zatrzeszczało.

Drzwi się zamknęły.

Nic nie wiedziała o Birgitcie i Stevenie. Nie wiedziała nawet, jak się poznali. Wtedy już jej nie było w Hälleforsnäs, wyjechała wkrótce po śmierci Svena. Stevena spotkała tylko raz, tej nocy, kiedy spóźnili się z Birgittą na pociąg po koncercie Rammsteinu. Oboje za dużo wypili. Pamiętała, że Steven położył się na kanapie, a Birgitta błagała, żeby go nie ruszać, bo się wścieknie. Kiedy Halenius powiedział, że pracuje w policji, Steven natychmiast wytrzeźwiał i udało im się ich pozbyć. Odniosła wrażenie, że jej siostra boi się męża. Wyraźnie zdradzał skłonność do przemocy. Ale wiedziała też, że pewnie nie jest obiektywna.

Może rzeczywiście projektowała własne doświadczenia na Birgittę? I w każdym facecie ze słabą głową widziała potencjalnego przestępcę?

Otworzyła oczy i nagle zobaczyła przed sobą niebo. Pociąg wyjechał już z tunelu pod Sundem, otaczał ją błękit, niebo i woda, daleko na horyzoncie z prawej strony majaczył skrawek lądu. Puściła gazetę i podświadomie wzięła głęboki oddech. Widziała zarys wysokich domów i kilka wielkich betonowych bunkrów, pewnie bloki elektrowni atomowej Barsebäck. O ile dobrze pamiętała, została zamknięta już jakiś czas temu.

Gdzieś tam powinna przebiegać granica między Danią a Szwecją, może właśnie teraz ją przekraczała? Spojrzała na wodę i pozwoliła myślom szybować.

Birgitta była w jej mieszkaniu na Södermalmie dwa razy: raz, kiedy zostawiła u niej córeczkę, i drugi, kiedy po nią przyjechała. Czyli przed podróżą i po podróży do Oslo, podobno w poszukiwaniu pracy. Odniosła wtedy wrażenie, że jest zmęczona. Miała w sobie jakąś ostrość. Znała ją z własnych zachowań, ale nigdy wcześniej nie zauważyła jej u niej. Birgitta, która zawsze się zachwycała pięknymi rzeczami, spojrzała na kryształowy żyrandol w salonie i dywany na parkiecie i powiedziała: Annice wiedzie się nie tylko w pracy, ale i w życiu osobistym.

O Stevenie wiedziała tylko tyle, że w żadnej pracy nie potrafił dłużej zagrzać miejsca, najczęściej był na zwolnieniu i pracował na czarno w budownictwie, co było dość powszechne w miejscowościach, gdzie upadł lokalny przemysł.

Spojrzała na niechlujnie złożoną gazetę na siedzeniu naprzeciwko. Lokalne wydanie „Kvällspressen". Wzięła ją i otworzyła na stronach szesnastej i siedemnastej. Najwięcej miejsca zajmował jej wywiad z byłym prokuratorem rejonowym Kjellem Lindströmem. W artykule redakcyjnym podkreślono jego opinię o wyrokach, które dostał Gustaf Holmerud: określił je jako skandal prawny. Natomiast informacja o tym, że policja wie, kto zamordował Josefin Liljeberg, wylądowała gdzieś na szarym końcu. Cóż, ciekawszy był kolejny seryjny morderca niż morderstwo młodej dziewczyny sprzed piętnastu lat.

Na wodzie nagle wyrósł wrak jakiegoś statku, tuż obok mostu, po prawej. Annika puściła gazetę i zaczerpnęła powietrza. Statek okazał się kutrem rybackim. Osiadł na mieliźnie i poszedł na dno. Uniosła się nieco, żeby lepiej widzieć. Burta kutra była pomalowana na biało i na niebiesko, maszt był połamany. Rozejrzała się. Pasażerowie wpatrywali się w swoje komórki albo patrzyli pustym wzrokiem w niebo. Domyśliła się, że wrak pewnie leży tam już od dłuższego czasu. Dawne tragedie nie budzą ani zainteresowania, ani strachu.

Nieco zawstydzona znów sięgnęła po komórkę i znów zaczęła studiować profil Birgitty na Facebooku. W ostatnim roku jej siostra ani razu nie zaktualizowała swojego statusu. Kiedy mieszkała w Hälleforsnäs, była bardzo aktywna. Co się zmieniło?

Pociąg zahamował i zatrzymał się. Podniosła głowę: pierwsza stacja po szwedzkiej stronie albo ostatnia, zależy dla kogo, pomyślała.

Zadzwoniła jej komórka, ale to nie była Birgitta, tylko Kalle. Pytał, czy naprawdę musi wieczorem jechać do taty. Poczuła się winna. Z drugiej strony cokolwiek robiła, zawsze było źle. Zawsze ktoś był zawiedziony. Pociąg ruszył. Odpowiedziała synkowi, że to dni taty i że tak musi być. A potem napisała mu jeszcze, że wieczorem zobaczą się u Sophii, i dodała uśmiechniętą buźkę.

Pociąg znów jechał pod ziemią.

W końcu zatrzymał się przy stacji Triangeln, wykutej w skale: kamienie i beton, świat w odcieniach szarości.

Do wagonu wsiadła młoda kobieta z córeczką, usiadły obok Anniki. Kobieta zerkała na jej poplamiony kawą T-shirt. Dziewczynka miała jasne włosy i niebieskie oczy, przypominała jej córeczkę Birgitty, Destiny.

– Cześć – powiedziała mała. – Jak masz na imię?

– Annika. A ty?

Dziewczynka ukryła twarz w rękawie matki, zajętej wciskaniem przycisków w komórce.

Destiny musiała już być dużą dziewczynką. Skończyła trzy latka. Kiedy ostatnio widziała się z Birgittą, siostra wspomniała, że z małą coś jest nie tak. Podejrzewała, że jest opóźniona w rozwoju. Ale gdyby rzeczywiście tak było, pomyślała Annika, to pewnie wyszłoby to na jaw wcześniej.

Spojrzała na zegarek, do odlotu zostały jej jeszcze cztery godziny i kwadrans.

Pociąg wjechał na dworzec w Malmö. Annika wstała, przecisnęła się obok kobiety z córeczką. Dziewczynka pomachała jej na pożegnanie, matka nawet nie podniosła głowy znad komórki.

Ruchome schody zawiozły ją do hali dworca. Budynek był stary, ale przyjemny. W przeciwieństwie do poprzedniej stacji z kamienia i betonu był jasny, z czerwonej cegły, z malowidłami na suficie. Wokół były sklepy i kafejki. Stanęła na środku hali. Mijali ją ludzie, wszyscy zagonieni, w drodze dokądś. Zakręciło jej się w głowie. Na miękkich nogach weszła do jednej z kafejek i zamówiła kawę w papierowym kubku. Usiadła przy stoliku i znów sięgnęła po komórkę. Wyświetliła mapę Malmö, poszukała Branteviksgatan pięć i marketu MatExtra, czyli domu, w którym Birgitta mieszkała, i sklepu, w którym pracowała.

Oba znalazła niemal natychmiast. Branteviksgatan leżała w dzielnicy Östra Sorgenfri. Rozpoznała nazwę, to chyba tam dorastał Zlatan Ibrahimović. Pamiętała, że nazywano go łobuzem z Sorgenfri.

Market stał przy dużym placu, który najwyraźniej był też miejscowym węzłem komunikacyjnym. Był częścią większej galerii handlowej. Znajdował się niedaleko dworca, postanowiła pójść na piechotę: kawałek prosto, a potem powinna lekko skręcić na południowy wschód.

Wypiła łyk kawy.

Nikt nikomu nie zabrania opuszczać domu. Dorośli ludzie robią różne rzeczy. Może Birgitta wcale nie chciała, żeby ktoś ją znalazł? Może potrzebowała chwili samotności?

Wysłała SMS-a do Niny Hoffman. Chciała się dowiedzieć, czy wie coś nowego o komórce Birgitty.

Gdzieś z tyłu głowy kołatała jej myśl, że często ten, kto pierwszy zamieszcza w gazecie ogłoszenie o czyimś zaginięciu, potem okazuje się sprawcą zbrodni. Dziennikarze z działu kryminalnego znali wiele takich przypadków.

Życie jest kruche. Nietrudno kogoś zabić. Nagle poczuła w dłoni żelazny pręt, jego zimną szorstkość, plamy rdzy.

Potarła ręką o udo, dopiła kawę.

Przed dworcem wiał ciepły wiatr. Przeszła przez kanał, wkroczyła do kamiennego miasta i nagle poczuła się jak w średniowieczu: niskie domy, wąskie fasady, wypukłe szyby wystawowe mieniące się w słońcu. Ludzie jedli lody, śmiali się. Minęła rynek ze starymi kamienicami i kolejne sklepy. Weszła do H&M i kupiła nowy T-shirt. Stary wyrzuciła.

Przeszła kolejny kanał i znalazła się w Rörsjöstaden. Domy jakby urosły, kamienice były większe, fasady bogatsze, cięższe, na chodnikach rosły kasztanowce.

Birgitta zawsze miała wielkie marzenia: miała zostać księżniczką, primabaleriną, Madonną. Lubiła koronki, tiule, piękne kolory, bała się ciemności, szczurów i pająków. Może to było miejsce dla niej? Malowała akwarelami ładne obrazki, mama je uwielbiała. Namalowane przez nią portrety Anniki, mamy i babci wisiały na lodówce. Annika przypomniała sobie, jak zareagowała, kiedy je zobaczyła: duma mieszała się z zazdrością. I ze zdziwieniem, że to Birgitta je namalowała. Pomyślała, że na pewno chętnie namalowałaby tę aleję, była w sam raz kiczowato spektakularna. Słońce sączyło się przez wielkie korony drzew, tworząc na żwirowej ścieżce falujące wzory. Przed nią wznosił się kościół z błyszczącymi wieżyczkami, pompatyczny niczym pałac.

Przyspieszyła, doskwierał jej upał.

Dotarła do placu Värnhemstorget i zabudowa się zmieniła. Pojawiły się betonowe ławki, przystanki, cuchnące autobusy, opary diesli. Kilku nieszczęśników pokłóciło się o ćwiartkę gorzałki; przechodząc obok nich, odwróciła głowę.

„Przepraszamy za niedogodności, trwa przebudowa" – głosił napis na kartce na drzwiach galerii. Weszła razem z czterema kobietami, wszystkie były w nikabach.

Galeria handlowa należała do tych tańszych: gipsowe ściany, blisko do sufitu, wystawy chwilowo zasłonięte płachtami papieru. MatExtra był nieco dalej, w głębi. Przy wejściu stały automaty do gry, był też punkt pocztowy, a potem cały rząd kas. Połowa była otwarta, żadnych kolejek.

A więc to tutaj pracowała.

Annika stanęła przed kasami i zaczęła obserwować kasjerki. Cztery młode kobiety, dwie w średnim wieku, w jednakowych czerwonych koszulach z logo sklepu na plecach, skanowały towary. Patrzyły obojętnym, pustym wzrokiem, wydawały resztę, przyjmowały karty.

Kasjerka najbliżej niej zatrzymała taśmę, postawiła na niej tabliczkę z jakimś napisem, wstała i zamknęła kasę. Wyglądała na wykończoną. Annika podeszła do niej.

– Dzień dobry. Jestem Annika Bengtzon, siostra Birgitty, która tu pracuje.

Kobieta trzymała w rękach plik banknotów. Była młoda, na pewno nie miała więcej niż dwadzieścia pięć lat. Ciemne włosy, umalowane oczy.

– Muszę się z nią skontaktować. To pilne – nalegała Annika.

– Muszę przekazać pieniądze.

Kobieta patrzyła na nią zmęczonym wzrokiem. Annika dobrze go znała. Nagle stanęła jej przed oczami matka wracająca do domu po całym dniu pracy, z zakupami, które zrobiła w sklepie, w którym pracowała. *Annika, obierz ziemniaki, nie leń się.*

– Nie wiesz, czy Birgitta dzisiaj pracuje?

– Birgitta już w ogóle tu nie pracuje – powiedziała kobieta i cofnęła się.

Annika otworzyła usta, zamknęła je i dopiero po chwili spytała:

– Jak to?

Kobieta zamrugała oczami.

– W ogóle nie jesteście do siebie podobne.

Poczuła ukłucie irytacji. *Jasne, że jesteśmy, tylko ona jest jasna, a ja ciemna.*

– Wiesz, jak mogę się z nią skontaktować?

Zmusiła się do uśmiechu, kobieta zerknęła na zegarek.

– Chodź ze mną do biura – rzuciła.

Odwróciła się na pięcie i ruszyła w stronę działu z warzywami. Annika przeszła przez łańcuch ogradzający kasy od sklepu i pospieszyła za nią. Kobieta zatrzymała się przed nieoznaczonymi drzwiami, otwieranymi kodem.

– Zaczekaj chwilę – rzuciła krótko.

Annika zatrzymała się posłusznie obok pojemnika holenderskich ziemniaków. Po chwili kasjerka wróciła, stanęła w drzwiach i oparła rękę o framugę. Jej ręka pachniała ziemią.

– Dlaczego jej szukasz? – spytała zaciekawiona. – Coś się stało?

Mówiła dialektem, ale nie skańskim, raczej gdzieś z zachodniej części Götalandu.

Annika zaczerpnęła bezgłośnie powietrza, za wszelką cenę chciała zachować spokój.

– Nie wiedziałam, że odeszła. Kiedy to zrobiła?

– Jakieś dwa tygodnie temu. Nagle. Po prostu napisała do Lindy SMS-a. Nawet nie wiedziałam, że szuka nowej pracy. Mogła mi powiedzieć. Przekaż jej, że tak się nie robi. Mogła wpaść, pożegnać się…

Annika zastygła.

– Ma nową pracę? – weszła jej w słowo. – Gdzie?

– W Triangeln. Dostała etat, ale tak czy inaczej mogła się pożegnać, przynieść coś słodkiego, wszyscy tak robią…

A więc Birgitta miała stałą pracę. Mama chyba nic o tym nie wiedziała. Inaczej na pewno od razu by do niej zadzwoniła, żeby się pochwalić, jak Birgitta świetnie sobie radzi, jaka jest mądra, jak wszyscy ją cenią. A może nie? O przeprowadzce do Malmö jej nie powiedziała. Zaczęła się zastanawiać dlaczego.

– A Linda to…

– Nasza szefowa. Birgitta pracowała co prawda tylko na zastępstwo, ale i tak mogła to załatwić jakoś inaczej. Tak uważam.

– Linda jest tutaj?

Kobieta pokręciła głową.

– Nie, jutro otwiera sklep. A co się stało?

Zrobiła krok do przodu.

– Jak długo Birgitta tu pracowała?

– Przyszła jesienią, na zastępstwo. Naprawdę jesteś jej siostrą?

Annika stała i przestępowała z nogi na nogę. Zapach ziemniaków ją dusił.

– Jej starszą siostrą. Dawno ze sobą nie rozmawiałyśmy.

– Birgitta nigdy nie wspominała, że ma siostrę.

– Dobrze ją znasz?

Kobieta wzruszyła ramionami.

– Była ulubienicą Lindy. Obiecała jej etat, chociaż inni czekają dłużej…

Jej twarz wykrzywił grymas, co pewnie świadczyło o tym, że ona również do nich należała.

– Elin, wejdź i zamknij drzwi. Nie da się słuchać tego hałasu! – zawołał ktoś z głębi.

Kobieta przewróciła oczami i spojrzała przez ramię.

– Daj mi znać, jeśli Birgitta się odezwie – poprosiła Annika.

– Co mam jej przekazać? Co jest takie ważne?

– Po prostu przekaż jej, że dostałam jej wiadomość.

Kobieta wzruszyła ramionami, była wyraźnie zawiedziona. Zniknęła za drzwiami, zamknęły się z cichym trzaśnięciem.

Annika nie ruszyła się z miejsca, poczuła ulgę.

Birgitta najwyraźniej postanowiła zmienić swoje życie. Już się nie ograniczała do plotek z koleżankami, zabiegała o względy szefowej, szukała stałej pracy. Zostawiła męża nieudacznika i postanowiła iść dalej, poczuła się odpowiedzialna za swoje życie. Może zaczęła szukać nowego mieszkania? Jak tylko je znajdzie, pewnie przyjedzie po Destiny. Po prostu chciała najpierw załatwić to, co najpilniejsze…

Annika odwróciła się, minęła kasy i wyszła z marketu. Ruszyła ponurym korytarzem przez galerię. Próbowała się dodzwonić do marketu Triangeln. W końcu jej się udało. Odebrała kobieta, mówiła wyraźnym skańskim dialektem.

– Szukam kasjerki, Birgitty Bengtzon. Pracuje u was od niedawna. Jest może teraz w pracy?

– Kto?

– Birgitta Bengtzon…

Usłyszała jakiś hałas.

– Nie mogę przełączyć do kas.

Annikę przeszył dreszcz.

– Więc pracuje dzisiaj?

– Nie wiem. Ma komórkę?

– Tak, ale…

– Jeśli to coś pilnego, proszę do niej zadzwonić.

Rozmowa została przerwana. Annika się rozejrzała, próbowała się zorientować, gdzie jest. Znalazła adres sklepu na mapie. Triangeln znajdował się tuż obok dworca; pomyślała, że w drodze na lotnisko zdąży tam jeszcze zajrzeć.

Na przystanek wjechał autobus jadący do Bunkeflostrand. Zatrzymał się z westchnieniem, wypuszczając kolejną porcję spalin. Dwóch nieszczęśników zasnęło na jednej z ławek, obok jednego z nich dyszał duży owczarek niemiecki. Na podłodze leżała pusta butelka po ćwiartce gorzałki. Po chwili autobus ruszył dalej z rykiem.

Annika schowała komórkę do kieszeni i ruszyła w stronę domu Birgitty i Stevena. Starała się zebrać myśli i uporządkować wszystko, czego się dowiedziała.

Steven twierdził, że w niedzielę Birgitta poszła do pracy jak zwykle, a potem nie wróciła do domu. W pracy powiedziano jej, że Birgitta odeszła już dwa tygodnie wcześniej. W niedzielę wcześnie rano wysłała do niej SMS-a. Właśnie wtedy, kiedy według Stevena miała jak zwykle pójść do pracy.

Steven kłamał. To było jasne.

Zobaczyła przed sobą duży cmentarz. Zadbane groby ciągnęły się po horyzont, granitowe nagrobki, żwirowe ścieżki.

Po raz kolejny wybrała numer Niny Hoffman. Nie odebrała. Szybko napisała do niej SMS-a: „Cześć, dzwoniłam przed chwilą, jestem w drodze do Stevena, jeśli masz jakieś wieści, mogę mu przekazać. Odezwę się. Annika".

Teraz Nina wiedziała, gdzie jest.

Szła dalej wzdłuż ogrodzenia cmentarza, wędrowała wzrokiem po nagrobkach. Jak krótko człowiek żyje, pomyślała.

Może Birgitta zniknęła już dwa tygodnie temu, a Steven z jakiegoś powodu nikomu o tym nie powiedział? Może to on wysłał SMS-a z jej komórki albo ją do tego zmusił? A może Birgitta wcale nie zniknęła? Może Steven więzi ją w domu? Może chciała się z nim rozwieść i wrócić do Hälleforsnäs? Krytyczny moment następuje wtedy, kiedy kobieta postanawia odejść, przypomniała sobie.

Gdzieś zza drewnianego płotu doszły ją radosne krzyki i śmiech dzieci. Miała nadzieję, że Destiny chodzi do przedszkola, że ma własną sieć bezpieczeństwa. Słońce prażyło, przeszła kładką przez drogę szybkiego ruchu i znalazła się w środku osiedla. Wokół ciągnęły się dwupiętrowe domy z żółtej cegły, zadbane trawniki, zapach świeżo skoszonej trawy. Kilku chłopców grało w piłkę. Ruszyła przed siebie osiedlową ścieżką. Minęły ją dwie dziewczynki na rowerach, z lizakami w buziach. Zaraz powinna być na miejscu. Zatrzymała się przed biblioteką i wyjęła GPS-a. Ze zdziwieniem stwierdziła, że stoi na środku Rosengårdu, najsłynniejszego szwedzkiego getta, dzielnicy, którą Duńczycy straszyli swoje dzieci.

Dom Birgitty stał po drugiej stronie trasy szybkiego ruchu, minęła go.

Branteviksgatan pięć. Wysoki blok z kilkoma klatkami. Obeszła go całego, zanim znalazła właściwą. Drzwi z szyfrowym zamkiem. Zaczekała chwilę, aż z klatki wyjdzie starszy pan, i wślizgnęła się do środka.

Bengtzon i Andersson mieszkali na ósmym piętrze. Winda pięła się mozolnie do góry.

Na piętrze były cztery mieszkania, wszędzie unosił się zapach środków czyszczących. Na drzwiach wisiała drewniana tabliczka z narysowanymi kwiatami i motylami i dwoma nazwiskami: Bengtzon i Andersson.

Stała chwilę i nasłuchiwała, ale za drzwiami panowała cisza, tylko z klatki schodowej dochodził szum wentylatora. Wstrzymała oddech i zadzwoniła. Usłyszała zbliżające się kroki, po chwili ktoś przekręcił klucz.

Otworzył jej Steven. Stanął w drzwiach niczym Herkules, potężny, szeroki w ramionach. Widać było, że niedawno się ostrzygł.

– Annika – powiedział zdziwiony i zrobił krok do tyłu. – Co ty tu robisz?

W jego głosie nie było wrogości.

– Byłam służbowo w Kopenhadze i zostało mi trochę czasu – powiedziała.

Weszła do holu, opuściła torbę na podłogę. Jeśli będzie chciał się mnie pozbyć, będzie musiał mnie wyrzucić siłą, pomyślała.

– Diny, zobacz, kto nas odwiedził? Ciocia Annika…

Zza drzwi najbliższego pokoju wychyliła się mała dziewczynka. Miała na sobie różową sukienkę, we włosach czerwone wstążki. Annika kucnęła. Czuła na karku wzrok Stevena.

– Cześć, kochanie. Pamiętasz mnie? Byłaś kiedyś u mnie, bawiłaś się z Ellen i Sereną...

Dziewczynka odwróciła się i podbiegła do Stevena, schowała się za jego nogą. Annika zauważyła, że bardzo urosła. Wstała.

– Nie spodziewałem się ciebie – powiedział szczerze Steven. – O co chodzi?

Ich spojrzenia się skrzyżowały. Annika zauważyła, że ma przekrwione oczy. Nie po raz pierwszy zaczęła się zastanawiać, co Birgitta w nim widziała.

– Masz coś nowego? – spytała.

Steven odwrócił się.

– Diny, wyjmiesz z szafki ciasteczka i poczęstujesz ciocię?

Dziewczynka zniknęła w niewielkim korytarzu po lewej stronie.

– Coś musiało się jej przytrafić – powiedział Steven cicho. Nie chciał, żeby córeczka go słyszała. – Coś złego – dodał.

Annika zauważyła, że drżą mu ręce.

– Nie wiadomo – powiedziała, mając na myśli nową pracę siostry. Obiecała sobie, że mu o niczym nie wspomni. Jeśli o tym nie wie, to znaczy, że Birgitta z jakiegoś powodu postanowiła zachować to dla siebie.

Steven stał i kołysał się na boki.

– Zrobić ci coś? Może kawę?

– Chętnie.

Ruszył do kuchni, zauważyła, że lekko powłóczy nogami. Zdjęła buty i postawiła je na sosnowej półce. W mieszkaniu było bardzo cicho, zza ścian nie dochodziły żadne dźwięki. W kuchni Destiny opowiadała coś ojcu. Annika nie była w stanie dojść co. Na wprost był jej pokój: mały, skromnie umeblowany. Domek dla lalek, trochę zabawek, regał Billy na książki. Zrobiła kilka kroków i podeszła do uchylonych drzwi nieco w głębi. Zajrzała do środka: sypialnia. Porządnie zasłane łóżko, narzuta z Ikei. Na niej kilka poduszek. Pod ścianami szafy, drzwi nie były zamykane na klucz.

Wycofała się, zostawiając uchylone drzwi.

Stała w holu i próbowała się uspokoić. Po chwili weszła do salonu. Pod jedną ze ścian stało kilka obrazków: motyle, kwiaty, podobne do tych na tabliczce na drzwiach. Podeszła bliżej, zaczęła oglądać pozostałe. Nagle zobaczyła przed sobą twarz Destiny, tyle że z czerwonymi ustami i długimi rzęsami. Portrecik był bardzo ładny, ale umalowana dziecięca buzia budziła niesmak.

– Prawda, że jest zdolna? – spytał Steven. W jego głosie pobrzmiewała duma.

Annika odstawiła portrecik.

– Birgitta wróciła do malowania?

– Chodzi na kurs, chociaż zdarza się, że nie ma czasu. Pracuje wieczorami.

Steven podszedł do okna po drugiej stronie salonu. Annika zauważyła niewielki oszklony balkon. Poszła za nim, stanęła obok. Sięgała mu do ramion.

Widok zapierał dech. Czerwone dachy ciągnęły się jak okiem sięgnąć, było też dużo zieleni, w dali widać było jakieś wieże.

– Bardzo ładne mieszkanie – powiedziała.

Steven sprawiał wrażenie zdziwionego, jakby dopiero teraz uświadomił sobie jego zalety.

– Należy do mojego kuzyna. Przeniósł się do Kiruny, dostał tam pracę w kopalni rudy. Wynajmujemy je z drugiej ręki.

Znów wyjrzał przez okno.

– Można odnieść wrażenie, że widać stąd cały świat.

– Dlaczego się tu przenieśliście?

W kuchni zabulgotał ekspres. Steven się odwrócił i wyszedł z pokoju. Annika poszła za nim. Mimo upału podłoga była zimna.

Na stole w kuchni leżało opakowanie herbatników prze-
kładanych czekoladą. Destiny wdrapała się na swoje wysokie krzesełko i zaczęła je chrupać. Steven nalał jej do
szklanki mleka. Wyjął dwie filiżanki, dla siebie i dla Anniki,
potem talerzyki i łyżeczki. Wyjął też cukier i mleko. Opadł
ciężko na krzesło. Annika wzięła herbatnika, odgryzła kawałek, poczuła w ustach okruchy.

Patrzyła na szwagra, na jego wielkie dłonie, zauważyła,
że na czole ma plamy wątrobowe. Zaczął powoli nalewać
kawę do filiżanek.

– Birgitta ma problem – zaczął. – Musieliśmy coś zrobić.

– Nie rozumiem?

Spojrzał na nią, po czym odwrócił się do córeczki.

– Diny, może obejrzysz jakiś film w telewizji? Może
o Pingu?

Dziewczynka skinęła główką.

Podniósł ją z krzesełka, postawił na podłodze i razem
poszli do dużego pokoju. Po chwili Annika usłyszała sygnał
rozpoczynający program dla dzieci.

Steven wrócił do kuchni i usiadł ciężko na krześle.

– Birgitta pije. Mnie też czasem się zdarza, ale nie jestem
nałogowcem.

Annika spojrzała na niego. Miała wątpliwości, paliły ją
w gardle.

– Co masz na myśli, mówiąc, że pije?

– Straciła kontrolę. To nie mogło dłużej trwać – powiedział i znów wyjrzał przez okno. – Zawsze potrafiła znaleźć pretekst. Bo jest piątek albo sobota, miała ciężki dzień
w pracy, musi się odprężyć albo odwrotnie, coś poszło dobrze i chce to uczcić…

– Rozumiem, że przyznajesz, że ty też masz problem.

Rzucił jej szybkie spojrzenie.

– A kto, do cholery, nie ma? Ty nie masz żadnych?

Annika ugryzła kawałek herbatnika, czuła, jak rośnie jej w ustach. Steven zasłonił oczy dłonią.

– Pracowałem na budowie w Fjällskäfte, przekładaliśmy dach. Kiedy wróciłem do domu, Birgitta leżała na kanapie. Widziałem, że piła wino i wódkę, absoluta. Nie mogłem jej dobudzić. Diny siedziała w łazience, zrobiła kupkę i ściągnęła sobie pieluchę…

Annika popiła herbatnika kawą. Steven siedział wpatrzony w jakiś punkt nad jej głową.

– Przez tydzień leżała w Kullbergsce. Nie było pewne, czy z tego wyjdzie.

Annika wiedziała, że Kullbergska to szpital w Katrineholm. Przyglądała się szwagrowi z niedowierzaniem.

– Barbro wie o tym? – spytała.

– Nie, do diabła, dostałaby szału. Powiedziałem, że byliśmy na urlopie w Finlandii.

Wlał w siebie resztkę kawy, skrzywił się i odstawił filiżankę na talerzyk.

– Musiałem ją odciągnąć od psiapsiółek. I od matki.

– Wypuścili ją już po tygodniu? – spytała Annika. – Ze szpitala. I zostawili samą sobie?

– Do wyjazdu była na oddziale otwartym.

– Zgodziła się wyjechać do Malmö?

– Miała dość waszej matki.

Oczy Anniki się zwęziły: izolować, kontrolować, manipulować.

– I co dalej? Po przyjeździe tutaj przestała pić?

– Oboje przestaliśmy. Dla mnie to nie był żaden problem, ale Birgitta początkowo bardzo źle się czuła.

Annika spojrzała na szwagra. Zauważyła, że jest ogolony, ma na sobie czyste dżinsy i wyprasowaną koszulkę. Czy to coś znaczyło? A jeśli tak, to co?

– Zastanawiałam się, co podać w zawiadomieniu. Pamiętasz, co tamtego dnia miała na sobie?

Steven spuścił wzrok. Annika zauważyła, że się zaczerwienił.

– To co zawsze. Przebierała się w pracy.

– Mama – powiedziała Destiny, stając w drzwiach. – Mama jest w pracy.

Annika zwróciła uwagę, że mówi skańskim dialektem. Pomyślała, że to dobrze, bo to znaczy, że chodzi do przedszkola.

– Tak – powiedział Steven łamiącym się głosem. – Mama jest w pracy. Ale niedługo wróci.

– Pamiętasz? W co była ubrana?

Steven wstał, żeby wziąć dzbanek z kawą. Annika śledziła go wzrokiem. Maj był w tym roku wyjątkowo chłodny, w całym kraju. W nocy były przymrozki, zarówno w Svealand, jak i w Götaland. Jeśli Birgitta zniknęła dwa tygodnie temu, powinna mieć na sobie kurtkę, spodnie, porządne buty, może nawet szalik. W niedzielę fala upałów dotarła także do Skanii, więc jeśli zniknęła później, po niedzieli, miała na sobie letnie ubranie.

– Dokładnie nie pamiętam – powiedział Steven, nie patrząc na nią.

– Zastanów się.

Przełknął ślinę.

– Miała na sobie szorty i T-shirt. Sandałki. Koński ogon…

Ręka drżała mu coraz bardziej.

– Coś jeszcze sobie przypominasz? Miała ze sobą jakąś torbę?

– Tę, którą zawsze nosi. Tę jasną, ze skóry…

Annika nie wiedziała, o jaką torbę mu chodzi.

Położył jedną dłoń na drugiej. Drżały trochę mniej. Rozejrzał się po kuchni, nasłuchiwał dźwięków z dużego pokoju.

– Co zrobię, jeśli ona nie wróci?

Nie wiedziała, co odpowiedzieć.

– Czy ostatnio zachowywała się tak samo jak zawsze? – odpowiedziała pytaniem na pytanie.

– Tato, Pingu się skończył – oznajmiła Diny.

Steven zniknął w holu. Kiedy wrócił, bez słowa usiadł z powrotem na krześle.

– Masz pracę? – spytała Annika.

Pokręcił głową.

– Może dostanę rentę – powiedział.

– Coś ci dolega? – spytała ostrzej, niż zamierzała.

– Mam parkinsona. Teraz jest trochę lepiej. Biorę madopark.

Annika otworzyła usta, ale natychmiast znów je zamknęła.

– Od dawna chorujesz?

– Tak – potwierdził. – Chociaż diagnozę postawiono dopiero jesienią. Powinienem wcześniej zgłosić się do lekarza. Od dawna kiepsko się czułem, ale byłem przekonany, że to przejdzie.

Spojrzała na jego potężne dłonie, prawa trzęsła się rytmicznie pod lewą. Poczuła, że się czerwieni. Zawsze miała go za lenia i nieudacznika. Może Birgitcie znudził się chory mąż i postanowiła rozpocząć nowe życie?

– Mam koleżankę w Policji Krajowej. Obiecała, że przyciśnie kolegów, żeby jak najszybciej wyśledzili jej komórkę.

Steven schował twarz w dłoniach.

– Jak myślisz? Gdzie może być? Przecież dorastałyście razem. Nie wiesz, dokąd mogła pojechać?

Annika spuściła wzrok, poczuła się bezradna. Powinna wiedzieć, powinna potrafić pomóc.

– Odezwę się, jak tylko się czegoś dowiem – obiecała.

Destiny siedziała w swoim pokoju z gigantycznymi słuchawkami na uszach i wpatrywała się w niewielkiego iPada. Annika nie chciała jej przeszkadzać. Włożyła buty i cicho zamknęła za sobą drzwi. Nie zjechała windą, tylko zeszła po schodach.

Powietrze było orzeźwiająco świeże. Wyszła z bramy i ruszyła szybkim krokiem, nie oglądając się za siebie. Zatrzymała się dopiero, kiedy miała pewność, że Steven nie widzi jej z balkonu. Oparła się o ścianę domu. Poczuła, że musi oddać mocz. Oddychała ciężko. Sięgnęła po komórkę i wybrała numer Niny Hoffman. Nie odebrała. Zadzwoniła do marketu, w którym miała pracować Birgitta. Podobnie jak poprzednim razem dodzwoniła się do centrali.

– Chciałabym rozmawiać z kimś z kierownictwa.

– A o co chodzi?

– Znalazłam kawałek szkła w słoiczku z jedzeniem dla dziecka.

Kobieta z centrali zamilkła. Rozległy się trzaski, po chwili usłyszała kobiecy głos. Przedstawiła się.

– Dzień dobry, jestem Annika Bengtzon, szukam siostry, Birgitty Bengtzon. Nie jestem pewna, czy dzisiaj pracuje.

– Kogo pani szuka?

– Birgitty Bengtzon, z Hälleforsnäs. Pracuje u was od niedawna, może jeszcze nie zdążyła zacząć…

– W jakim dziale?

– Na kasie.

– Na kasie? Nie, to niemożliwe.

Annika przełknęła ślinę.

– Może mnie pani przełączyć do kierownika sklepu?

– To ja. Podobno znalazła pani kawałek szkła w słoiku z jedzeniem dla dzieci.

– Nie, musiała pani coś źle zrozumieć. Dziękuję, że poświęciła mi pani czas.

Opuściła rękę.

Wszyscy kłamali.

GREGORIUS

(wpis z 3 czerwca, szesnasta pięćdziesiąt trzy)

Według mnie równość jest wtedy, kiedy się zgwałci seksistowską feministyczną kurwę, wkładając jej nóż do pochwy. Należy wyjść na ulicę z kijem baseballowym i wybić te seksistowskie szmaty.

ANDERS SCHYMAN czuł pod dłońmi szorstką powierzchnię skały. Kiedy zamknął oczy, mógł sobie wyobrazić, że jest na swojej wyspie na szkierach. Dźwięki i zapachy były takie same, szum fal, gnijące wodorosty, z tą różnicą, że tutaj w tle było słychać ludzkie głosy i szum samochodów.

Właściwie nie bardzo wiedział, gdzie jest. Ale nie martwił się tym. Jego służbowy samochód był wyposażony w GPS.

Zmrużył oczy i spojrzał na taflę wody. Oślepiły go słoneczne refleksy. Uwielbiał to uczucie, jakby słońce brało go we władanie.

Zdjął koszulę i położył ją obok na skale. Jego blade ciało, z czasem coraz obfitsze, zdążyło się już zaróżowić od słońca, czuł, że pieką go ramiona. Wiedział, że jest na Varmdö, na skale, tam, gdzie kończy się droga, a zaczyna morze. Gdzieś za oślepiającym go słońcem widniały jakieś wyspy.

Wyjechał rano z domu i w drodze do redakcji utknął w korku, jak zwykle zresztą. Tkwił nieruchomo w morzu samochodów i nagle coś w nim pękło. Wrzucił bieg i zjechał na pobocze. Jadąc poboczem, ominął sznur samochodów i po chwili wylądował na leśnej drodze, ale w końcu miał przecież swojego wielkiego, pożerającego litry benzyny SUV-a.

Potem jechał kawałek bez celu. Po raz pierwszy w życiu zadzwonił do swojej sekretarki i powiedział, że nie będzie go w pracy. Słyszał, że jest zdziwiona, ale nic nie powiedziała.

Gdzieś w pobliżu zgasł silnik łodzi, zakasłał i zapadła cisza. Przeciągnął dłonią po skalnym występie, między palcami został mu skalny pył i igliwie. Morze było jego pociechą, jego tęsknotą i wiecznością. Kiedy próbował wyobrazić sobie raj, przed oczami stawał mu archipelag Rödlöga, szare skały i spienione morze. Niestety raj jego żony wyglądał inaczej. Lubiła teatr i zadbane trawniki, więc dopóki są razem, raczej nie zniknie na swojej wyspie.

A na nagrodę w drugim życiu nie liczył.

Jego żona była wierząca, czego w skrytości jej zazdrościł. Na początku, kiedy się poznali, rozmawiali o religii. Żadnemu z nich nie udało się przekonać drugiego, potem już nigdy nie wracali do tego tematu.

Dla niego wiara, niezależnie od wyznawanej religii, była czymś całkowicie niepojętym. Nie był w stanie zrozumieć, jak dorośli ludzie, wykształceni, mądrzy, mogą wierzyć w bajki. I to na serio.

Rozumiał aspekty kulturowe, etyczne, moralne, tradycję. Można zostać wychowanym na katolika, żyda czy muzułmanina, tak jak na Szweda czy socjaldemokratę. Takim się człowiek rodzi albo tak zostaje wychowany, ale żeby naprawdę wierzyć? Żyć w złudzeniu, że zostaliśmy stworzeni przez siłę wyższą, która na dodatek z całkowicie niezrozumiałych powodów pragnie naszego dobra?

Dla niego było oczywiste, że jest dokładnie odwrotnie.

Kiedy człowiek stał się świadom tego, że żyje, zrozumiał też, że życie kiedyś się kończy. Trudno z tą wiedzą żyć, więc uznał, że jego bezsensowne życie na ziemi musi mieć jakiś inny cel.

Człowiek stworzył Boga na swoje podobieństwo, na podobieństwo kogoś, kto nas chroni i się nami opiekuje, wszystko ogarniającej siły, której możemy zaufać, która jest dla nas podporą, do której możemy się modlić.

Początkowo tę rolę pełniła kobieta, dobra matka, która dawała życie i nas karmiła.

W miarę jak człowiek odchodził od polowań i zbieractwa i zaczynał się osiedlać, zaczynały się walki o terytorium i do władzy zaczynał dochodzić patriarchat. Bóg zmienił płeć i stał się mężczyzną.

Schyman westchnął, roztarł między palcami sosnowe igły. Silnik znów zapalił i tym razem nie zgasł. Jego warkot zmieszał się z dzwonkiem komórki. Schyman rozejrzał się ze zdziwieniem. Przez cały dzień miał spokój. Rano powiedział sekretarce, że nie będzie odbierał telefonów, ale komórka dzwoniła dalej. Nie poddawała się. Może to jego żona?

Sięgnął po koszulę, komórka była w kieszonce na piersi. Spojrzał na wyświetlacz: nie, to nie jego żona, to ktoś z redakcji. Opróżnił płuca z powietrza i odebrał.

– Mam na linii seryjnego mordercę – powiedziała jego sekretarka. – Gustaf Holmerud. Koniecznie chce z tobą rozmawiać. Nalega.

Teraz religia stała się czymś wyjątkowym. Kiedyś przeczytał – niewykluczone, że we własnej gazecie – że więcej Szwedów wierzy w duchy niż w Boga. To pewnie nie była prawda, ale jednak. Szwedzi są prawdopodobnie najbardziej zsekularyzowanym narodem na świecie. Co wcale nie czyni ich bardziej racjonalnymi niż wcześniejsze pokolenia. Po prostu ufają komuś innemu.

– Czego chce?

Bóg jest wytyczną, Jego wola kształtuje dzień powszedni wielu ludzi, ustanawia normy i zasady moralne. Jego słowa można przeczytać w Biblii, to w niej jest Prawda. Do Niego zwracają się o łaskę, Jemu spowiadają się z grzechów, Jego proszą o wybaczenie. A Bóg osądza, potępia, niszczy i wybacza, chociaż teraz pewnie wygląda to nieco inaczej.

– Mam wrażenie, że jest zły – usłyszał głos sekretarki.

Teraz ludzie zwierzają się ze swoich grzechów na stronach gazet albo w telewizji: celebryci, którzy przekroczyli prędkość, gwiazdy sportu oskarżone o doping, politycy przyłapani na piciu, mordercy, którzy zwykle twierdzą, że są niewinni.

– Przełącz go – zarządził.

– Halo?

Tak, halo, tu Bóg.

– Halo? Mówi Anders Schyman. Co mogę dla pana zrobić?

Gustaf Holmerud ze świstem zaczerpnął powietrza.

– To jest nękanie! – powiedział z pewnym wysiłkiem. – Po prostu nękanie.

Schyman przełożył komórkę do drugiej ręki.

– Jest pan wzburzony.

– „Kvällspressen" mnie nęka, prześladuje! – krzyczał Gustaf Holmerud drżącym głosem. – Kłamiecie, wypisujecie niestworzone rzeczy.

Schyman miał wrażenie, że mężczyzna szlocha. Nic z tego nie rozumiał.

– Proszę przedstawić swoją wersję, chętnie się z nią zapoznamy – powiedział ugodowo.

– Piszecie, że mój wyrok to skandal prawny! Że nie popełniłem czynów, za które zostałem skazany. Jak można coś takiego napisać, nie porozmawiawszy najpierw ze mną?

Ach tak, pewnie chodziło o wypowiedź byłego prokuratora rejonowego.

Schyman wstał. Spocił się na słońcu, wiatr znad wody przyjemnie go chłodził.

– Czego pan od nas oczekuje? – spytał.

– Tylko ja mogę powiedzieć, że jestem niewinny. Musiałbym wycofać przyznanie się do winy, inaczej nie ma mowy o wznowieniu postępowania przed Sądem Najwyższym.

Schyman poczuł, że włosy jeżą mu się na karku. Cóż za ironia losu.

Pomysł, że na przedmieściach Sztokholmu grasuje tajemniczy seryjny morderca, zrodził się na jednym z zebrań redakcji, w jego własnym gabinecie. Pamiętał, że był to wyjątkowo spokojny dzień, żadnych dramatycznych wydarzeń. I wtedy właśnie chyba Patrik Nilsson wpadł na pomysł, że to seryjny morderca. No i się zaczęło. Sprawa zaczęła się rozkręcać. Rozkręciła się do tego stopnia, że w końcu musiała się wypowiedzieć policja. Z czasem pewnie wszystko by się uspokoiło, gdyby nie to, że Holmerud nagle przyznał się do wszystkich zbrodni. I za pięć z nich został nawet skazany. Jedno morderstwo najprawdopodobniej rzeczywiście popełnił. To on zabił Lenę, fizjoterapeutkę, z którą miał romans. Schyman pamiętał, że chyba nawet rozmawiał z jej matką.

– Musiało panu być bardzo ciężko – powiedział głośno.

– Przecież skazano pana niesłusznie.

Teraz Holmerud już naprawdę płakał.

– Oszukali mnie. Policja doprowadziła do tego, że się przyznałem. Lekarze otępili mnie lekami, interesowali się mną, dopóki mówiłem to, co chcieli usłyszeć. A ja chciałem się poczuć kimś, chciałem spełnić ich oczekiwania...

Schyman poczuł, że skręca mu się żołądek.

– Więc jest pan niewinny? – spytał, starając się, żeby jego głos brzmiał spokojnie i obojętnie.

– Całkowicie niewinny – stwierdził Holmerud. – Będę się domagał od szwedzkiego rządu dużego odszkodowania. Zabrano mi wiele lat życia.

Nie aż tak wiele, pomyślał Schyman. Dokładnie półtora roku.

– Może pan to powiedzieć na łamach naszej gazety. Jutro rano przyślę reportera do więzienia, do Kumli. Oczywiście jeśli pan się zgodzi.

– Chcę, żeby pan o tym napisał.

Jasne.

– Moi reporterzy pracują na moje zlecenie. Robią to, o co ich proszę.

W komórce zapadła cisza. Słyszał, jak fale uderzają o brzeg, z oddali znów dobiegł warkot silnika.

– Halo?

– Niech tak będzie – powiedział w końcu Gustaf Holmerud. – Ale muszę się zgodzić na każdą literę.

– Na pewno dostanie pan wywiad do przeczytania. Proszę załatwić zgodę na wizytę z kierownictwem zakładu i dać nam znać. Na pewno ktoś się zjawi.

W komórce znów zapadła cisza.

– Prawdę mówiąc, wszyscy jesteście kłamcami – stwierdził Gustaf Holmerud i odłożył słuchawkę.

Schyman stał i wpatrywał się w wodę.

Czuł na sobie brzemię odpowiedzialności. Ale to się wkrótce skończy, pomyślał. Niezależnie od tego, czy „Kvällspressen" zostanie zlikwidowane, czy nie, zbliża się koniec. Dziennikarstwo się przeżyło. Wraz z rozwojem internetu i mediów społecznościowych władza i odpowiedzialność przeszła na każdego z nas. Każdy jest dla siebie Stwórcą, a to już prosta droga do piekła.

Ale jeśli będzie mógł zakończyć swoją dziennikarską karierę wznowieniem postępowania w Sądzie Najwyższym, to może jednak nie wszystko było na próżno.

Włożył koszulę.

Nagle uświadomił sobie, że jest potwornie głodny.

WCZEŚNIEJ THOMAS uwielbiał przyjęcia. Ale to było w czasach przed hakiem. Krążył po salonie, w jednej ręce trzymał kieliszek czerwonego wina, drugą nonszalancko wkładał do kieszeni spodni. Koszula rozpięta pod szyją, włosy w lekkim nieładzie, uśmiechnięte oczy. Rozmawiał, flirtował i cały czas był w ruchu. Chodził po pokojach, z każdym zamienił kilka słów. Mężczyźni chętnie z nim przestawali, kobiety marzyły, żeby z nim być.

Teraz nie był pewien, jak sobie poradzi.

Jeśli będzie trzymał kieliszek w prawej dłoni, nie będzie mógł się witać z ludźmi. Właściwie mógłby trzymać kieliszek hakiem, ale jak by to wyglądało.

Wypił łyk wina i odstawił kieliszek na stolik.

W mieszkaniu było aż czarno od ludzi. Goście byli wszędzie, w kuchni, w salonie, w jadalni. Koledzy Sophii, szczeniaki ze świata finansjery, prawnicy biznesowi, kapitaliści i czasem jakiś zabłąkany artysta. Wszyscy mieli się za Bóg wie kogo. Odnieśli w życiu sukces, to prawda, ale nikt z nich nie miał tak naprawdę nic do powiedzenia, na żaden temat. Nie miał też władzy, prawdziwej władzy.

Ruszył do kuchni, hak włożył do kieszeni. Miał nadzieję, że nie spotka nikogo znajomego. Dzieci na szczęście zamknęły się w małej sypialni. Kiedy mieszkał tam z Sophią, była pokojem Ellen i Kallego. Odgłosy wskazywały na to, że została tam ich stara konsola do gier.

– Dobrze się bawisz?

Sophia podeszła do niego, chwyciła go za lewą rękę i lekko ścisnęła. Poczuł, jak cały sztywnieje. A jeśli wyczuje hak? Cofnął rękę.

– Zawsze dobrze się czułeś w towarzystwie. – Roześmiała się. Najwyraźniej nie poczuła się urażona tym, że cofnął rękę.

– Przynieść ci coś do picia?

Przekrzywił nieco głowę, udawał, że się zastanawia.

– Może whisky? – zgodził się w końcu.

Whisky mógł wypić jednym haustem, a czuł, że bez alkoholu nie przetrwa przyjęcia, zwłaszcza że zamierzał poczekać, aż przyjdzie Annika.

Sophia posłała mu swój najpiękniejszy uśmiech.

– Zaraz ci przyniosę. Tylko nie odchodź!

Podszedł do stolika z winem, zaczął się przyglądać jej kolekcji. Niewiarygodne, że nadal nie kupiła lodówki na wino. Kilka butelek rozpoznał. Stały tam już w czasach, kiedy tam mieszkał. Wątpił, żeby wino nadawało się do picia.

– Wiem, co sobie myślisz – powiedziała, podając mu szklankę z ciemnożółtym napojem.

Uniósł brwi, jakby zdziwiony, i wypił łyk. Whisky miała smak fenkuła.

– Obiecuję, że kupię lodówkę do wina, ale pewno do nowego domu w Sätrze. Planuję przeprowadzkę.

Wypił whisky, odstawił szklankę, stuknęła o blat. Sätra. Rodowy majątek Grenborgów w północnej Upplandii.

– Porzucisz miasto? Co będziesz robić? Tam, w lesie?

Sophia uśmiechnęła się smutno.

– Tata nie radzi sobie z gospodarstwem, a ja mam dosyć bawienia się w urzędnika...

Jakaś kobieta z silikonowym biustem wtargnęła między nich i zarzuciła Sophie kwiatami i pocałunkami. Thomas poczuł zapach alkoholu. Po chwili kobieta się odwróciła i zaciekawiona spojrzała na niego.

– A to kto? – spytała kokieteryjnie, zwilżając wargi językiem.

Thomas zauważył kątem oka, że Sophia spochmurniała. Wyciągnął rękę i przywitał się z kobietą, robiąc jednocześnie krok w stronę Sophii. Ich ciała niemal się dotykały.

– Thomas Samuelsson – przedstawił się. – Dobry znajomy Sophii... – dodał z wyraźnym podtekstem.

Kobieta się uśmiechnęła i poszła.

Sophia stała nieruchomo, dotykała pośladkami jego uda.

– Co to miało znaczyć? – spytała cicho.

Przeciągnął ręką przez jej włosy i w tym momencie zauważył, że do holu wchodzi Annika.

Była zmęczona, spocona. Kiedy się nachyliła, żeby zdjąć buty, włosy opadły jej na czoło. Boże drogi, kto zdejmuje buty na przyjęciu? – pomyślał zdegustowany. Zauważył, że w ręce trzyma foliową torbę ze sklepu wolnocłowego z Kastrup.

– Wszystkiego najlepszego – powiedziała. Uściskała Sophię, na niego w ogóle nie zwróciła uwagi.

Sophia wzięła torbę i wyjęła z niej butelkę dość pospolitego szampana.

– Bardzo ci dziękuję, jak miło...

– Witaj, Thomas. – Annika rzuciła mu szybkie spojrzenie. – Operacja z dziećmi się udała?

Sophia poszła postawić butelkę na stoliku z prezentami.

– Jasne – odpowiedział, dopijając whisky.

Thomas zamówił taksówkę dla siebie i dzieci.

– Dziękuję. Jestem ci bardzo wdzięczna.

Nachylił się nad nią.

– Wiem, że to moja kolej, ale mam strasznie dużo pracy…

– Jutro wcześnie rano jadę do Kumli – powiedziała Annika. Zakręciło jej się w głowie.

– Rozumiem, ale…

– Nie tłumacz się. Wezmę je, dla mnie to żadne poświęcenie.

– Świetnie. Wiesz, że zawsze chętnie spędzam z nimi czas, tylko akurat teraz…

Uśmiechnęła się, ściągając wąskie wargi.

– Powiedziałam: w porządku.

Odwróciła się na pięcie i poszła do pokoju, w którym urzędowały dzieci.

Thomas poczuł w żołądku ciepło. Przez whisky.

Na szczęście byli też tacy, którzy go doceniali.

Może powinien wypić jeszcze szklaneczkę?

NINA SZŁA oszczędnie oświetlonym korytarzem, starała się nie robić hałasu. Większość tabliczek wiszących na drzwiach poodpadała. Zaczęła po cichu liczyć drzwi. Zatrzymała się przy dziewiątych po lewej stronie, położyła rękę na klamce i zaczęła nasłuchiwać. Za gipsową ścianką słychać było czyjeś kroki, ktoś zapalił światło, świetlówka zasyczała. Wentylator zasysał powietrze, brzmiało to jak niekończący się oddech, z daleka doszedł odgłos pracującej kamery.

Weszła do środka. Nie zapukała.

Sala była pogrążona w półmroku. W kącie paliło się kilka lamp, żółtawe światło rzucało na łóżka pacjentów długie cienie. Łóżek było osiem, stały jedno obok drugiego, ściśnięte na niewielkiej powierzchni. Ale pacjenci na pewno nigdy nie mieli się poskarżyć. Żaden nie był świadom, co się z nim dzieje.

Podeszła do łóżka, do tego, do którego zawsze podchodziła. Przysunęła krzesło, sprawdziła, czy książka, którą zostawiła na stoliku, nadal tam jest. Potem spojrzała na leżącego na łóżku mężczyznę. Był świeżo ogolony, czysty, piżama, którą miał na sobie, pachniała świeżością. Jego zdrowe oko było na wpół przymknięte i wpatrywało się w sufit.

– Dzień dobry, Ingemar – powiedziała i pogładziła go po policzku. – To ja, Nina. Widzę, że brałeś dzisiaj prysznic.

Nie zareagował. Złapała go za rękę, ogrzała zimne palce. – Proces nadal trwa – powiedziała cicho. – Wszystko idzie tak, jak powinno. Zobaczymy, co będzie dalej.

Ingemar Lerberg nie cierpiał. Jego porozrywane mięśnie zostały zszyte, połamane żebra się zagoiły, stawy zostały nastawione. Okaleczona gałka oczna nigdy się nie zregenerowała, ale przestała boleć.

– Martwię się wynikami badania DNA – ciągnęła Nina. – Johansson twierdzi, że są w porządku, że zwykle nie osiąga się większej zbieżności. Ale adwokatka bardzo mocno to podkreślała i właśnie to mnie niepokoi.

Początkowo przychodziła do niego po to, żeby się przekonać, czy rzeczywiście nie ma szans, żeby odzyskał przytomność. Bo właśnie on był kluczowym świadkiem w procesie Ivara Berglunda. Gdyby potrafił wskazać, kto się nad nim znęcał, mogliby rozwiązać także wiele innych spraw. Co wieczór siadła przy jego łóżku, wsłuchiwała się w bicie jego serca, sprawdzała, czy oddycha. Zamknięty w swojej skorupie był uosobieniem samotności w czystej postaci. Nikt nie potrafił powiedzieć, czy cokolwiek do niego dociera, czy w jakikolwiek sposób jest świadom tego, co się wokół niego dzieje. Prawdopodobnie nie. Ale Ninie to nie przeszkadzało, z czasem zaczęła w tym nawet znajdować swoiste pocieszenie.

Sięgnęła po krem do rąk, który kupiła zimą na lotnisku w Amsterdamie. Była tam na rozmowach z Europolem. Pachniał kokosem. Wycisnęła trochę i zaczęła masować sztywną prawą dłoń Lerberga.

– Spotkałam się dzisiaj z młodszą siostrą Berglunda – powiedziała. – Nie miała wesołego dzieciństwa. Zastanawiam się, co jej zrobili, że jest w takim stanie.

Skończyła masować jego prawą dłoń, zabrała się do lewej. Wycisnęła kolejną porcję kremu.

Po chwili otworzyły się drzwi i weszła pielęgniarka.

– Dzień dobry – powiedziała.

– Witaj, Petra. Widzę, że Ingemar ma nową piżamę. Bardzo ładna.

– Tak, wczoraj dostaliśmy nową dostawę. Napijesz się kawy?

– Chętnie.

Petra się uśmiechnęła i okryła szczelniej leżącego obok drugiego pacjenta.

– Powiedz, jeśli będziesz miała jeszcze jakieś życzenia. – Uśmiechnęła się i wyszła z sali, zabierając ze sobą torbę z odchodami.

Drzwi się zamknęły i Nina poczuła lekki powiew. Wstała i zaczęła masować Lerbergowi stopy, blizny lśniły w żółtym świetle. Powiodła po nich palcem, były twarde i błyszczące. Usiadła i wzięła do ręki książkę.

– *En esto, descubrieron treinta o cuarenta molinos de viento que hay en aquel campo, y así como don Quijote los vio, dijo a su escudero…*

Jej ulubiony fragment klasycznej powieści Cervantesa, rozdział ósmy, opowiadający o tym, jak biedny szlachcic o wielkim sercu postanawia podjąć walkę ze złem tego świata i rusza walczyć z wiatrakami. Wiedziała, że Lerberg uczył się kiedyś hiszpańskiego. Podejrzewała, że siedemnastowieczny tekst może być dla niego zbyt ambitny, ale postanowiła się tym nie zrażać. Czytała dla własnej przyjemności. W ten sposób mogła mówić w języku swojej matki, przypominała sobie, jak brzmiał jej głos. I głos Filipa. Pamiętała, jak jej czytał, a potem, kiedy już prawie zasypiała, szeptał do ucha: Może to jednak były olbrzymy, Nino, tylko przebrane za wiatraki. Musisz się dowiedzieć, jaka jest prawda.

Doszła do zawołania Don Kichota przed walką: *Non fuyades, cobardes y viles criaturas, que un solo caballero es el que os acomete*, kiedy zadzwoniła jej komórka. Dzwonek zabrzmiał jak alarm przeciwpożarowy, odebrała pospiesznie.

– Gdzie jesteś? – usłyszała głos Johanssona.

– Siedzę i czytam.

– Dostaliśmy odpowiedź od kolegów z Hiszpanii.

– Szybko – zauważyła Nina. – Kto się zajmował tym wypadkiem?

– Wypadkiem?

– W górach, w Alpujarras…

– Miejscowa policja, z Albuñol, ale nie dlatego dzwonię. Mamy zgodność z kolejną próbką. Tym razem nie ma żadnych wątpliwości.

Nina poczuła, jak jej tętno przyspiesza. Spojrzała na na wpół przymknięte oko Lerberga.

– Gdzie?

– W San Sebastian, sprawa sprzed osiemnastu lat.

Wstała, ale po chwili znów usiadła.

– W Kraju Basków?

– Przypisano to ETA, dlatego tyle to trwało.

Nina oddychała przez otwarte usta.

– Tym razem jest pełna zgodność? Stuprocentowa?

– Nie dość tego, mamy jeszcze odciski palców.

Nina zacisnęła pięści. Odciski palców są niepowtarzalne, nawet w przypadku bliźniąt jednojajowych są różne.

– Dziękuję, że zadzwoniłeś – powiedziała.

Johansson się rozłączył.

Zaczekała chwilę, aż jej organizm się uspokoi. Potem sprawdziła, czy dobrze zakręciła tubkę z kremem, odłożyła książkę, pogładziła Lerberga po ręce i wyszła.

Czwartek, 4 czerwca

MURY ZACZYNAŁY SIĘ TAM, gdzie kończyły się domy. Ciągnęły się w nieskończoność, zapewne jak kary dla więźniów skazanych na dożywocie. Kolejne betonowe ściany, ogrodzenie pod napięciem, nuda i frustracja, druty kolczaste i metalowe furtki: Viagatan cztery w Kumli, czyli tak zwany Bunkier.

Annika skręciła na parking dla gości, zajęła jedno z wolnych miejsc, zaciągnęła hamulec ręczny, wyłączyła silnik, a tym samym radio, przerywając w pół zdania Adamowi Alsingowi. Poczuła ciepłe powietrze i krople potu na plecach.

Była trochę spóźniona. Ellen rano bolało gardło i musiała zaczekać, aż paracetamol zacznie działać, żeby mała mogła pójść do szkoły. Zresztą spóźnienie nie miało żadnego znaczenia. Gustaf Holmerud nie mógł się nigdzie ruszyć, a Schyman uprzedził ją, że pewnie i tak będzie niezadowolony, więc kwadrans spóźnienia nie grał większej roli.

Wysiadła z samochodu i poczuła wiatr we włosach. Gorący, duszący, niosący popiół i siarkę. Torbę i statyw do kamery zostawiła w samochodzie na miejscu pasażera. Była tam już kiedyś, więc wiedziała, że nie będzie mogła nic wnieść. Może notes. Włożyła go do tylnej kieszeni spodni.

Zgłosiła swoje przybycie przez domofon. Przywitała ją funkcjonariuszka. Po chwili usłyszała elektroniczny pisk i furtka zaczęła się otwierać. Ruszyła przed siebie długim pasażem, przez ziemię niczyją. Do wejścia dla gości prowadziła żwirowa ścieżka otoczona setkami metrów drutu. Stopy uderzały o nierówne podłoże. Kolejna brama, telefon. Ta sama funkcjonariuszka. Tym razem drzwi były znacznie cięższe, zapamiętała to z poprzedniej wizyty. Nie potrafiła sobie tego w żaden sposób wytłumaczyć. Może była w tym jakaś ukryta symbolika? Musiała je pchnąć obiema rękami, co wymagało sporo siły.

Poczekalnia była pusta. Jedną ze ścian zajmowały białe szafy, w niektórych zamkach brakowało kluczy, a więc tego czwartkowego poranka nie była tam jedynym gościem. Kolejny domofon. Nadal ta sama funkcjonariuszka.

Czekała, nie chciała odsuwać zasłon. Wiedziała, co za nimi zobaczy. Białe kraty i żwirowy dziedziniec. Na tablicy ogłoszeń obok domofonu wisiała kartka z godzinami odwiedzin. Informowano też, że można przenocować w specjalnym gościnnym mieszkaniu.

Odgarnęła włosy z czoła. Pomyślała, jak dziwne bywają koleje losu. To, że tam teraz była, w pewnym stopniu było także jej winą, a może zasługą, zależy jak na to spojrzeć. Jesienią, wkrótce po powrocie z Waszyngtonu, sporządziła listę niewyjaśnionych morderstw z ostatniego pół roku, których ofiarami były kobiety ze Sztokholmu i okolic. Doliczyła się pięciu zabójstw, do wszystkich doszło w pobliżu domu albo miejsca pracy ofiary. Narzędziem zbrodni we wszystkich przypadkach był nóż, we wszystkich podejrzanym był obecny bądź były partner, co oznaczało, że media na ogół nie informowały o sprawie. W końcu powszechnie wiadomo, że zabójstwo żony nie jest tak naprawdę zabójstwem, tylko nieszczęśliwym wypadkiem. Traktowano to podobnie jak zabójstwa pijaków w dzielnicy narkomanów albo ludobójstwo w Afryce. Patrik uznał, że z medialnego punktu widzenia lista nie jest interesująca. Wtedy powiedziała coś, czego później żałowała. Powiedziała mianowicie: A jeśli mamy do czynienia z seryjnym mordercą?

A teraz stała tam i czekała na ponoć pięciokrotnego mordercę. Zastanawiała się, kogo za chwilę spotka. Żałosnego dręczyciela, bezwzględnego seryjnego mordercę czy niewinną ofiarę morderstwa sądowego.

– Proszę wejść – powiedział głos. Dobiegał z głośników na suficie.

Podniosła rękę do kamery w kącie poczekalni i weszła do śluzy bezpieczeństwa. Przez taflę pancernego szkła obserwowało ją dwoje strażników: kobieta i mężczyzna. Włożyła notes do niewielkiej plastikowej skrzynki. Skrzynka przejechała przez skaner. Po chwili sama została poddana badaniu detektorem metalu. Przeszła dalej, wylegitymowała się. Dostała do ręki długopis, żółtego bica, napisała imię i nazwisko więźnia, którego przyszła odwiedzić. Wyraziła też zgodę na rewizję osobistą. Miały ją przeprowadzić dwie strażniczki – o ile zajdzie taka potrzeba. I na badanie na obecność narkotyków – o ile zajdzie taka potrzeba, i na zamknięcie z więźniem w specjalnym pomieszczeniu.

– Pokój numer siedem – powiedział strażnik, wieszając jej prawo jazdy na tablicy za ladą. – Podać pani kawę?

Odpowiedziała, że nie, dziękuje.

Przeszli przez korytarz, po obu stronach były oznaczone numerami pokoje.

– Proszę po sobie posprzątać – rzucił strażnik.

Jakby miała uprawiać z więźniem seks.

Weszła do ciasnego pomieszczenia.

– Tym guzikiem wzywa pani strażnika, a tu jest przycisk alarmu w razie napadu…

Skinęła głową i podziękowała.

Usłyszała, że drzwi się za nią zamykają. Stała na środku pokoju. Spojrzała na piankowy materac na łóżku, na komodę z prześcieradłami i kocami w szufladach, na toaletę z kabiną prysznicową i jedno jedyne krzesło. Na ścianie wisiał plakat reklamujący wystawę niejakiego Johana Wahlströma w Muzeum Sztuki Współczesnej: naiwistyczne ludziki, niebieskie, czerwone i srebrne. I podpis: „W poczekalni". Bardzo na miejscu, pomyślała.

Usiadła na krześle. Strażnicy mieli za chwilę przyprowadzić Gustafa Holmeruda, pewnie szli z nim teraz jednym z wielu korytarzy. Potem Holmerud zostanie sprawdzony, jak ona przed chwilą, z tym że jemu każą jeszcze zmienić buty, zdarzało się bowiem, że więźniowie przemycali w wydrążonych podeszwach heroinę. Po spotkaniu będzie musiał przejść nagi przez bramkę z wykrywaczem metalu. Sprzęt był sprawdzany codziennie, wszystko musiało działać idealnie. Dlatego w Bunkrze niemal nie było narkotyków, nikomu nie udało się z niego uciec i bardzo rzadko dochodziło do morderstw.

Spojrzała na kraty w oknach.

Czytała gdzieś, że ludzie, którzy przez dłuższy czas nie oglądają horyzontu, cierpią na zaburzenia perspektywy. Ich wzrok zawsze natrafia na mur, nie mogą swobodnie wodzić wzrokiem po niebie. Dlatego po jakimś czasie nie są w stanie właściwie ocenić odległości. Pochodzimy z sawanny, a tam niebo jest nieskończone, pomyślała. Tak naprawdę jesteśmy rybami, które sto pięćdziesiąt milionów lat temu wyszły na ląd.

Drzwi się otworzyły. Annika wstała, zrobiła to mimowolnie. Otworzyła szeroko oczy, poczuła, że ma spocone dłonie.

Gustaf Holmerud był potężniejszy, niż się spodziewała. Zawsze wyobrażała sobie, że jest niski, zgarbiony, że ucieka gdzieś wzrokiem. Widziała co prawda jego zdjęcia z rozprawy, ale na nich wyglądał inaczej. Kiedy teraz przed nią stanął, wypełniał niemal całe drzwi: wysoki, szeroki w ramionach, z krótkimi rękami i krótkimi nogami. Włosy miał wilgotne, pewnie niedawno brał prysznic.

Podali sobie ręce, jego dłoń była chłodniejsza. Grymas ust świadczył o pewnej nerwowości, zapewne też frustracji.

– A więc Schyman wysłał swojego człowieka. No cóż, niech tak będzie – powiedział.

Drzwi zamknęły się za nimi, usłyszała szczęk klucza. Szybko wróciła na krzesło, jedyne, które było w pokoju. Nie chciała ryzykować, że wyląduje obok niego na łóżku.

– Dziękuję, że zgodził się pan na wywiad – zaczęła. Notes i długopis, żółty bic, położyła na kolanach.

Gustaf Holmerud stał. Statystycznie rzecz biorąc, spełniał wszystkie kryteria, żeby być typowym mordercą żony: był rdzennym Szwedem, zdrowym psychicznie, wcześniej niekaranym, jak większość szwedzkich mężczyzn. Tyle że większość szwedzkich mężczyzn nie zabijała swoich żon kuchennym nożem.

– Mam wrażenie, że źle pani rozumie, po co pani tu przyszła – powiedział, siadając na krawędzi łóżka. – Mnie nie chodzi o wywiad, tylko o to, żebym stąd wyszedł.

Przysunął się do niej, tak blisko, że ich kolana niemal się stykały, oparł się łokciami o kolana. Poczuła na twarzy jego oddech, pachniał kawą.

Siedziała nieruchomo na krześle. Postanowiła, że nie pozwoli mu się sprowokować. Patrzyła mu w oczy, nieco mętne, wodniste, przekrwione. Może dostawał jakieś środki uspokajające?

– Nie. To pan coś źle zrozumiał. Nie jestem pańskim obrońcą. Jestem dziennikarką i mam napisać artykuł do gazety, do „Kvällspressen".

Patrzył na nią, otworzył usta, zamknął. Poprawił się na materacu.

– Rozumiem, że jest pani bardzo podniecona całą tą sytuacją. Trafił się pani świetny temat. Może nawet dostanie pani za niego nagrodę?

Uśmiechnął się szeroko, skinął głową w jej stronę, ale w jego oczach nie było radości.

– Masz mokrą cipkę?

Zachowała kamienną twarz.

– Myślisz, że w ten sposób wyprowadzisz mnie z równowagi?

Roześmiał się, parsknął śmiechem.

– Powiedziałeś Schymanowi, że jesteś niewinny. Że nie popełniłeś morderstw, za które zostałeś skazany, i że chcesz przedstawić własną wersję. Dlatego tu przyszłam. Jestem gotowa wysłuchać, co masz do powiedzenia.

Holmerud przestał się śmiać.

– Maleńka, to ja wybieram, z kim chcę rozmawiać. A chcę rozmawiać z prawdziwym dziennikarzem.

Pewnie z białym mężczyzną w średnim wieku. Najlepiej z takim, który często występuje w telewizji i nosi arystokratyczne nazwisko, pomyślała Annika złośliwie.

Wytrzymała jego spojrzenie.

– Masz na myśli kogoś poważnego, z dużym doświadczeniem i pozycją, tak? Kogoś, kim tak naprawdę sam chciałbyś być?

Spojrzał na nią pustym wzrokiem.

– Posłuchaj, maleńka, powiedz mi, dlaczego ja tu siedzę, a ty chodzisz wolna?

Annika poczuła falę zimna, przeszył ją dreszcz.

– Co masz na myśli?

– To ty kogoś zabiłaś, nie ja. Napisz to w swojej gazecie.

Annika poczuła, że głos więźnie jej w gardle.

– Twierdził, że krzyk jest oznaką rozkoszy, nie bólu – powiedział Holmerud. – I dalej cię pieprzył. Fajna lektura.

Boże, czytał jej pamiętnik. Jak to możliwe? Pewnie zamówił z sądu, po zapadnięciu wyroku pamiętnik stał się ogólnodostępny. Oddychała z trudem, czuła, jak uchodzi z niej energia.

Holmerud znów się uśmiechnął.

– Zresztą jest was więcej, w tej waszej redakcji. Twój kolega, Patrik Nilsson, został skazany za prowokację, wiedziałaś o tym? Przebrał się za policjanta i przesłuchał świadka na miejscu zbrodni. Bosse z „Konkurrenten" miał kłopoty z komornikiem, interesy kiepsko mu idą. A Berit Hamrin, stara komunistka, dzisiaj zostałaby pewnie uznana za terrorystkę.

Złożył ręce na brzuchu, wyraźnie napawał się tym, co się działo. Annika notowała.

– Widzę, że potrafisz zdobywać informacje. Pewnie dlatego udało się ci doprowadzić do tego, żeby cię skazano w tylu sprawach. Nauczyłeś się, jak odpowiadać na pytania i jak się zachowywać podczas oględzin miejsca zbrodni.

Przestał się uśmiechać, zacisnął usta.

– Chcę sam wybierać, z kim rozmawiam.

– Przykro mi, ale dzisiaj musisz się zadowolić mną. Jak to się stało, że zmieniłeś zdanie? Dlaczego chcesz wycofać przyznanie się do winy?

Znów poprawił się na łóżku, oparł się plecami o ścianę, wyciągnął przed siebie nogi. Annika zauważyła, że ma na nich plastikowe więzienne klapki.

– Wydaje ci się, że mnie omamisz tym swoim gadaniem. Ale mnie nie interesuje jakiś gówniany artykuł w pierwszym lepszym szmatławcu. Zależy mi na czymś naprawdę dużym, ważnym. Program w telewizji albo książka. A przynajmniej seria artykułów.

Annika zaczerpnęła bezgłośnie powietrza, znów sięgnęła po notes.

– Chciałabym się upewnić, że wszystko dobrze zrozumiałam. Jesteś zainteresowany zsynchronizowanym medialnym lansem, i to na dodatek w różnych mediach. W telewizji, w prasie, w mediach społecznościowych, w radiu. Wspomniałeś nawet o książce. Tak?

Zawahał się, ale w końcu przytaknął.

– Tak, dokładnie tak. Należy to zsynchronizować…

Spojrzała na niego: duży brzuch, włosy, które już prawie zdążyły wyschnąć.

– Dlaczego to zrobiłeś? – spytała.

Uśmiech na jego ustach zgasł.

– Co zrobiłem?

– Dlaczego się przyznałeś do tych wszystkich zbrodni?

Zacisnął wargi, skrzyżował ręce na piesi.

– Powiedziałeś Schymanowi, że policja cię zmanipulowała. Że sprawiła, że nagle poczułeś się ważny. Policja i lekarze, bo dawali ci prochy, poświęcali ci uwagę...

– Anders Schyman obiecał, że będę mógł przedtem przeczytać każde słowo.

– Powiedział, że będziesz miał kontrolę nad tym, co zacytujemy – poprawiła go.

Siedział i w milczeniu wpatrywał się obraz Johana Wahlströma. W poczekalni. Tak, do poczekalni się nadawał.

Annika wstała.

– Przekażę twoje żądania szefostwu – powiedziała. – Skoro nie chcesz ze mną rozmawiać, wyciągnę z tej rozmowy wnioski. Chcesz wiedzieć jakie?

Rozpromienił się. Jego egocentryzm rzeczywiście nie znał granic.

– A więc wnioskuję, że przyznałeś się do popełnienia szeregu zbrodni, których nie popełniłeś, żeby zwrócić na siebie uwagę, żeby się znaleźć w świetle reflektorów. Ale kiedy światła zgasły, okazało się, że wcale nie jest tak wesoło. Więc zapragnąłeś wrócić na scenę, w światła reflektorów. Tym razem twierdząc, że jesteś niewinny.

Schowała notes i ołówek, wcisnęła guzik w ścianie.

Holmerud przesunął się na krawędź łóżka, wstał i spojrzał na nią szeroko otwartymi oczami.

– Idziesz już?

– Skoro nie chcesz mi udzielić wywiadu, to prawdę mówiąc, mam inne obowiązki.

– Kiedy znów się do mnie odezwiecie? Co dalej?

Na korytarzu rozległy się kroki.

– Zdobywanie informacji jednak nie idzie ci najlepiej.

Albo kłamiesz – powiedziała Annika. – To prawda, Patrik Nilsson został skazany za bezprawne noszenie policyjnego munduru, ale nigdy nie przesłuchiwał świadków na miejscu zbrodni. Mundur był czymś w rodzaju żartu. Zrobił to, kiedy jeszcze jako wolny strzelec współpracował z pewnym magazynem dla mężczyzn. Dostał grzywnę, co go raczej nie kwalifikuje do Bunkra w Kumli.

Zza drzwi doszedł szczęk kluczy, drzwi się otworzyły.

Annika podała Holmerudowi rękę.

– Dopilnuję, żeby ktoś się do ciebie odezwał i przekazał ci, co zdecydowaliśmy. Dziękuję za rozmowę.

Wyszła, przeszła przez kontrolę bezpieczeństwa, przez poczekalnię, a potem nie oglądając się za siebie, ruszyła do samochodu.

Porażka uwierała ją gdzieś w żołądku jak ostry kamień. Wysłała do Schymana SMS-a: „Nie mam wywiadu, Holmerud się opiera. Ale może jeszcze coś z tego będzie, pogadamy później". Nie odpowiedział jej. Audycja Adama Alsinga się skończyła, nie włączyła radia.

Czy mogła się zachować inaczej? Chyba nie. Gustaf Holmerud mógł być szalony, ale nie był głupi. Udało mu się doprowadzić do tego, że skazano go za cztery zbrodnie, których nie popełnił. Na pewno wymagało to i logicznego myślenia, i zaangażowania. Jeśli chodzi o piąte morderstwo, to wiele wskazywało na to, że jednak je popełnił. Zamordował swoją partnerkę.

Była już w drodze do Sztokholmu, kiedy nagle odezwała się jej komórka. Spojrzała na wyświetlacz: numer nieznany. Odebrała.

– Dzień dobry – usłyszała smutny męski głos. – Nazywam się Johansson i dzwonię z Krajowej Policji Kryminalnej.

Bezwiednie wyprostowała się w fotelu. Zaczęła się zastanawiać, czy rozmawianie przez komórkę podczas jazdy nie jest czasem zabronione. Nie była pewna.

– Rozmawiam z Anniką Bengtzon?

Zwolniła.

– Koleżanka, Nina Hoffman, prosiła, żebym pani przekazał wyniki dochodzenia. Chodzi o połączenia z pewnej komórki.

– Tak, z komórki mojej siostry. Zniknęła.

– Otrzymaliśmy zgłoszenie. A nawet dwa: jedno wpłynęło w Sztokholmie, drugie w Malmö...

– Przepraszam – przerwała mu. – Ale dlaczego Nina nie zadzwoniła do mnie osobiście?

– Wykonuje zadanie służbowe. To dość nietypowe, że przekazujemy wiadomość w ten sposób, ale jak rozumiem, pani i Nina ściśle ze sobą współpracujecie...

Annika pomyślała, że pewnie tak by tego nie ujęła, ale nie zamierzała protestować.

– No więc sprawdziliśmy wszystkie połączenia z ostatniego miesiąca, od pierwszego maja. Mam pani przekazać wyniki teraz czy...

– Poproszę teraz – weszła mu w słowo.

– Przez pewien czas połączenia układają się według stałego wzoru, operator odnotował wiele sygnałów z Malmö, z centrum, z okolic Rosengårdu i z Värnhemstorget...

Annika słyszała szelest kartek.

– Siedemnastego maja coś się zmienia. W kontaktach robi się luka. Komórka została wyłączona. Włączono ją dopiero we wtorek, dziewiętnastego maja, czyli po dwóch dniach. Wysłano dwa SMS-y, do kobiety, Lindy Torstensson, i do niejakiego Stevena Anderssona. Zna ich pani?

Annika doskonale wiedziała, co Birgitta napisała do Lindy Torstensson. Okłamała ją, napisała, że dostała stałą pracę u konkurencji. Dlaczego? Była jej ulubienicą, dlaczego postanowiła spalić wszystkie mosty?

Bo chciała, żeby Linda się na nią obraziła, żeby do niej nie wydzwaniała. Chciała, żeby ją zostawiła w spokoju.

Ale co napisała do Stevena, wiedział tylko on.

– SMS-y zostały wysłane przez maszt w Södermanlandzie, w Hälleforsnäs.

Annika aż zahamowała, kierowca jadący za nią zaczął trąbić.

W poprzedni wtorek? Birgitta była w Hälleforsnäs w poprzedni wtorek?

– Widzi pan może, gdzie były komórki, które odebrały sygnał?

Johansson zakasłał.

– W Malmö. Obie wiadomości zostały odebrane w Malmö.

Uspokoiła się. Więc po wyjeździe Birgitty Steven został w Malmö. Przynajmniej nie kłamał.

– W kolejnym tygodniu komórka została włączona dwukrotnie, dwudziestego drugiego i dwudziestego piątego maja. Wysłano trzy SMS-y, dwa do Stevena Anderssona i jeden do Anniki Bengtzon, czyli do pani.

Annika, proszę, odezwij się, musisz mi pomóc! / birgitta

– Jest jeszcze jeden SMS, ostatni, wysłany w niedzielę o czwartej dwadzieścia dwie rano, z Lulei.

Annika, pomóż mi!

– Z Lulei?

Zobaczyła przed oczami miasto, śnieg na blaszanych fasadach, ciężki puls huty stali i błyszczące tory kolejowe w środku zimowej nocy. Była tam kilka razy, kiedy się zajmowała sprawą Benny'ego Eklanda i szukała Czerwonej Wilczycy. Boże drogi, dzieci były jeszcze takie małe, a Thomas właśnie wtedy zaczął kręcić na boku z Sophią Grenborg.

– Czy to się pani przyda? Czy pani siostra jest w jakiś sposób związana z tymi miejscami?

– Pochodzimy z Hällefornäs – powiedziała Annika.

Johansson odetchnął z wyraźną ulgą.

– Ach tak. Więc pewnie pojechała do domu w odwiedziny.

Annika podziękowała i zakończyła rozmowę. Na następnym zjeździe zjechała z autostrady, zawróciła, przejechała kilka kilometrów i skręciła w drogę prowadzącą do Hälleforsnäs.

Dirección General de la Policía w San Sebastian mieściła się przy wąskiej uliczce Calle de José María Salaberria. Po jednej stronie trwały roboty drogowe, po drugiej remont domu. Nina spojrzała na ceglaną fasadę, dom przypominał jej bloki na sztokholmskich przedmieściach.

Weszła do kwatery głównej policji, nieco niepewna i niewyspana. Samolot Ryanair do Biarritz wystartował z lotniska w Skavście wcześnie rano. W samolocie próbowała spać, ale fotel nie dał się rozłożyć nawet na milimetr i po półgodzinie zaczęły ją boleć kolana. W końcu się poddała i zamiast spać, zaczęła się zastanawiać, jak hiszpańskim kolegom przedstawić sprawę Ivara Berglunda.

Podróż taksówką z lotniska zajęła jej niecałą godzinę, po drodze minęła granicę Francji z Hiszpanią i nawet tego nie zauważyła.

W recepcji powiedziała, że przyjechała prywatnie, pokazała prawo jazdy i spytała o szefa, Axiera Elorzę. Formalnie jej wyjazd miał zostać zgłoszony dopiero za kilka godzin, nie chciała uprzedzać faktów. Ubiegała się o status obserwatora. To jej wystarczało.

Recepcjonistka poprosiła, żeby usiadła i zaczekała. Usiadła na twardej drewnianej ławce i zaczęła wyglądać przez okno.

Proces Berglunda miał się zakończyć następnego dnia. Istniało ryzyko, niewielkie, ale jednak, że natychmiast po rozprawie zostanie zwolniony. Nina wiedziała, że musi uzyskać dostęp do pełnej dokumentacji Hiszpanów w sprawie tamtego dochodzenia sprzed lat, z którego dostali próbkę DNA. I to natychmiast, najlepiej jeszcze przed południem, żeby mogła zdążyć z formalnościami i mieć pewność, że Berglund pozostanie w areszcie.

– Trzecie piętro – poinformowała ją recepcjonistka, wskazując na windę.

Nina wstała i pojechała na górę.

Szef policji urzędował w niewielkim pokoju z widokiem na roboty po drugiej stronie ulicy. Był niskim, szczupłym mężczyzną z opadającym wąsikiem. Miał na sobie cywilne ubranie. Niczym się nie różnił od mężczyzn, którzy karmili gołębie na rynku w Alisios, tam, gdzie dorastała. Ale wiedziała, że pozory mylą. Komisarz Elorza miał na swoim koncie więcej złapanych terrorystów ETA niż ktokolwiek inny.

– *Señorita* Hoffman – powitał ją. Oczy mu błyszczały. – To dla nas zaszczyt.

– To ja czuję się zaszczycona – odpowiedziała. – Bardzo dziękuję, że zgodził się pan mnie przyjąć tak szybko.

Była od niego wyższa o głowę.

– Proszę mi mówić na ty. Nalegam. I proszę wejść.

Najwyraźniej nie chciał nadawać jej wizycie rozgłosu, przynajmniej nie na tym etapie. Gabinet rzeczywiście był niewielki, usiadła po drugiej stronie jego biurka. Stały na nim dwie butelki wody gazowanej i dwie niewielkie szklaneczki. Poza tym biurko było puste.

– Proszę mi powiedzieć, *señorita*, dlaczego szwedzką policję tak interesuje próbka DNA pobrana po morderstwie sprzed lat – powiedział i zdjął palcami kapsel z jednej z butelek.

Nina siedziała wyprostowana na krześle. Zwracając się do niej, nie używał jej stopnia, co wskazywało na to, że traktuje ją jako osobę prywatną. A jednocześnie podkreślał jej płeć. W Hiszpanii kobiety nadal były w policji rzadkością. Obowiązywała kultura macho. Zdejmując ręką kapsel, zademonstrował swoją siłę. Nina była spragniona, ale nigdzie nie zauważyła otwieracza. Wiedziała, że nie uda jej się otworzyć butelki ręką, a nie chciała go prosić o pomoc.

– Przed sądem w Sztokholmie toczy się proces w sprawie o morderstwo – zaczęła, chociaż podejrzewała, że doskonale o tym wie. Wiedział też na pewno, po co przyjechała. – Oskarżony to niejaki Ivar Berglund. Obywatel Szwecji, samotny, przedsiębiorca z branży leśnej, wcześniej niekarany. Dowodem jest próbka DNA znaleziona pod paznokciem ofiary. Nie ma stuprocentowej zgodności z DNA domniemanego sprawcy. W innym przypadku zapewne zostałaby uznana, ale w tym problemem jest sposób popełnienia zbrodni. Morderstwo było niezwykle wyrafinowane, a domniemany sprawca cieszy się nieposzlakowaną opinią.

Komisarz wypił łyk wody, Nina zwilżyła wargi.

– Podejrzewamy, że ten sam człowiek brał udział w ciężkim pobiciu szwedzkiego polityka. Miało to miejsce kilka dni wcześniej, w tej samej części Sztokholmu.

– Został oskarżony o pobicie?

– Nie.

Komisarz zaczął ssać zęby, był wyraźnie niezadowolony.

– Jak to możliwe?

– Brakowało nam dowodów.

– Więc skąd przypuszczenie, że sprawca jest ten sam?

Nina widziała, że musi ważyć słowa.

– Jest wiele poszlak. Zamordowany zarządzał hiszpańską firmą, której właścicielką była żona tego człowieka. Na miejscu zbrodni znaleziono rysunek dziecka, który mógł zostać narysowany przez jedno z dzieci polityka.

Policjant zamrugał oczami.

– Ale to nie wszystko. Widzę, że jest pani pewna swego. Dlaczego? – spytał, kładąc ręce na kolanach.

– Obie ofiary zostały poddane wyszukanym torturom.

Policjant pochylił się do przodu, teraz już wyraźnie zainteresowany.

– Jakim?

Wyprostowała się i zaczęła opowiadać. Starała się uważnie dobierać słowa.

– *Fakala*. Uderzenie w pięty. *La Bañera*, duszenie foliową torbą. *Spread-eagle*, wiąże się ręce ofiary na plecach, a następnie wiesza za nadgarstki. *Cheera*, rozciąga się nogi ofiary na boki, aż pękną mięśnie. W drugim przypadku zastosowano jeszcze inną metodę: *La Barra*: dłonie ofiary przywiązano w nadgarstkach do kolan, a potem powieszono za kolana na gałęzi…

Komisarz wyglądał na niemal rozbawionego.

– Proszę mi powiedzieć, *señorita*, dlaczego to właśnie panią wybrano do przekazania mi tego?

Nina spojrzała na niego.

– Bo prowadzę obie sprawy.

A poza tym mówię po hiszpańsku, a czas nagli, pomyślała.

– Była pani na miejscu obu tych zbrodni?

– Oczywiście.

– Nie było to nieprzyjemne?

Spojrzała na niego zdziwiona.

– Na pewno, to były okrutne zbrodnie.

Jak miała mu wytłumaczyć, jakie cienie w sobie nosi? Cienie, które sprawiają, że widzi w ciemnościach. Bo w ciemnościach czuła się najlepiej, tam się urodziła.

– Zbrodniarze są przewidywalni – powiedziała. – Funkcjonują w taki sam sposób jak inni ludzie, mają takie same ambicje. Łączy ich poczucie bezsilności, są gotowi zrobić wszystko, żeby to zmienić. To, co my nazywamy złem, jest tak naprawdę tylko skutkiem wyboru narzędzi. Używają przemocy, żeby zdobyć władzę. Musimy zajrzeć głębiej, nie pozwolić, żeby narzędzie zasłaniało nam to, co naprawdę istotne…

Na twarzy komisarza pojawił się przelotny uśmiech. Nachylił się, sięgnął po drugą butelkę, otworzył ją i nalał musującej wody do drugiej szklanki.

– Co wiesz o ETA? – spytał.

Nina wypiła łyk wody.

– Niewiele – przyznała. – Separatystyczna grupa buntowników, której celem jest doprowadzenie do powstania samodzielnego państwa Basków…

– *Euskadi ta Askatusuna*, czyli Kraj Basków i wolność – powiedział komisarz. – W latach od tysiąc dziewięćset sześćdziesiątego ósmego do dwa tysiące trzeciego podczas różnych aktów terroru zabili osiemset dziewiętnaście osób. Wszystkie przypisano ETA. Ernesto Jaka, słyszałaś o nim?

Ernesto Jaka? Uznała, że to pytanie retoryczne, i nie odpowiedziała.

– Pewnie nie, bo niby skąd – odpowiedział komisarz sam sobie. – Ernesto Jaka był baskijskim biznesmenem, z Bilbao. Nie był drobnym kupcem, ale nie był też rekinem biznesu. Handlował surowcami, głównie ropą. Znaleziono go w kontenerze na śmieci, zadręczonego na śmierć. Kontener stał na terenie kontrolowanym przez ETA. Podejrzewamy, że nie zapłacił rewolucyjnego podatku idącego na ochronę organizacji.

Nina zacisnęła pięści.

– Myślałam, że ETA używa ładunków wybuchowych.

Komisarz pokiwał głową.

– To prawda, ale nie tylko. Akurat w tym przypadku posłużono się narzędziami, które są dostępne na każdej budowie: piły, młotki, wiertarki. Możesz sobie wyobrazić, przez co przeszła ofiara. Nie muszę chyba wchodzić w szczegóły...

Nie musiał. Była w stanie to sobie wyobrazić.

– Gdzie znaleziono próbkę DNA? – spytała.

– Na jednym z narzędzi. Chyba na pile, jeśli dobrze pamiętam. Przede wszystkim znaleźliśmy na niej ślady krwi ofiary, ale także próbkę DNA i odcisk palca, którego nigdy nie udało nam się zidentyfikować.

– Sprawca zaciął się w rękę albo w palec podczas piłowania – powiedziała Nina.

Komisarz z entuzjazmem pokiwał głową.

– Też tak sądzimy. Sprawdziliśmy wszystkich znanych nam członków ETA, ale nic nam to nie dało. Dopiero teraz, po osiemnastu latach...

Nina zaczęła się zastanawiać.

– Ernesto Jaka handlował ropą, tak? Rosyjską?

– Przede wszystkim, ale również nigeryjską.

Nina odprężyła się nieco i zaczęła opowiadać:

– Kiedy sytuacja w Związku Radzieckim się zmieniła, sprywatyzowano duże części branż surowcowych, między innymi lasy i złoża ropy. W latach dziewięćdziesiątych ubiegłego stulecia wielu oligarchów stało się najbogatszymi ludźmi na świecie. Najbardziej znana jest pewnie firma Yukos i jej właściciel Chodorkowski, ale on był tylko jednym z wielu. Inni może nie byli aż tak bogaci, ale wystarczająco. Walczyli ze sobą na noże. Ivar Berglund handlował głównie drewnem, miał kontakty i możliwości.

Komisarz westchnął zadowolony.

– Nie codziennie udaje nam się zmniejszyć liczbę ofiar ETA, ale dzisiaj tak. Więc zmniejszamy ją z ośmiuset dziewiętnastu od ośmiuset osiemnastu – powiedział, a potem wstał. – Przygotowaliśmy dokument w tej sprawie. Chodź ze mną, wszystko ci pokażę...

– Jeszcze jedno – przerwała mu Nina. Wstała z krzesła. – Mam jeszcze jedną sprawę, w której potrzebuję pomocy.

Komisarz zatrzymał się w drzwiach. Był zdziwiony.

– Chodzi o naszego podejrzanego, a dokładniej o jego brata bliźniaka. Zginął w wypadku samochodowym w Alpujarras jakieś dwadzieścia lat temu... Chciałabym się dowiedzieć czegoś więcej o tym zdarzeniu.

W oczach komisarza znów pojawił się przebłysk zainteresowania. Cofnął się do pokoju i zamknął za sobą drzwi.

– To może się okazać trudne. Zwykły wypadek... takie sprawy leżą gdzieś głęboko w archiwach, o ile w ogóle zachowały się jakieś dokumenty.

– Wiem, że sprawa nie jest prosta, ale to dla mnie bardzo ważne.

– Jak mogę ci pomóc?

– Komisarz Axier Elorza to postać znana w całej Hiszpanii, otwiera wiele drzwi – powiedziała.

Starszy pan się roześmiał.

THOMAS OBUDZIŁ SIĘ z wrażeniem, że gdzieś w głowie walą mu młoty. Spróbował otworzyć oczy i poczuł, jakby ktoś przeciągnął po nich nożem. Boże drogi, co się stało?

Leżał nieruchomo w zbawiennej ciemności za zamkniętymi powiekami i czuł, że oddycha, więc przynajmniej żył. Gdzieś z oddali doszły odgłosy ulicznego ruchu. W ustach miał smak pomyj.

Gdzie był?

Jęknął głośno i znów spróbował się rozejrzeć.

Biały pokój, duszny, przez okno w suficie zalewało go słońce. Sypialnia Sophii, która kiedyś była także jego sypialnią. Niech to szlag!

Odwrócił głowę, żeby sprawdzić, czy ktoś leży obok niego. I rzeczywiście, na białej poduszce zobaczył zmierzwione blond włosy. Czy to wszystko działo się naprawdę? Co się stało wieczorem? Dotknął lewej ręki. Wzdrygnął się. Gdzie jego hak?

Podparł się na łokciu i spróbował usiąść. Młoty w jego głowie waliły jeszcze mocniej. Jęknął, głośniej, niż zamierzał.

Sophia uniosła głowę i zamrugała sennie oczami.

– Dzień dobry – powiedziała schrypniętym głosem i uśmiechnęła się.

Miał wrażenie, że zaraz zwymiotuje.

– Dzień dobry.

Słowa cięły mu mózg jak laserowe noże. Sophia wyciągnęła rękę i zaczęła pieścić jego pierś.

– Cudownie, że jesteś – powiedziała.

Zwiesił lewą rękę, nie chciał, żeby zobaczyła kikut, i spróbował odwzajemnić uśmiech. Poczuł, że bolą go mięśnie twarzy. Co ma teraz zrobić? Nie da rady wymknąć się niespostrzeżenie. I gdzie jest hak? Jak go założy, żeby Sophia nie zauważyła? I gdzie są jego ubrania?

– Ale impreza – odezwał się niepewnie.

Sophia roześmiała się cicho.

– Byłeś w znakomitym nastroju. Chyba nigdy cię takim nie widziałam.

Takim? Czyli jakim? Co zrobił?

Sophia nachyliła się nad nim. Uderzył kikutem o podłogę, zacisnął usta, nie chciał, żeby poczuła jego oddech. Pocałowała go, jej usta smakowały pastą do zębów. Musiała się obudzić już wcześniej, pójść do łazienki, a potem wślizgnąć się z powrotem do łóżka i udawać, że śpi. Widział jej oczy tuż obok swoich, tak blisko, że niemal się zamazywały. Starał się nie wdychać jej miętowego zapachu.

– Gdybyś wiedział, jak bardzo za tym tęskniłam – wyszeptała. – Tak bardzo cię lubię.

Przełknął ślinę.

– Ja ciebie też.

Właściwie była to prawda. Kiedy to mówił, był o tym przekonany, w jakimś sensie na pewno. Nie miał nic przeciwko niej. Była drobna, zabawna, niepoważna, trochę bez wyrazu, ale lojalna i łatwowierna.

Przeciągnęła dłonią wzdłuż jego lewej ręki, zbliżyła się niebezpiecznie do kikuta. Poczuł, że zaczyna wpadać w panikę.

– Muszę iść do łazienki – oświadczył, podciągając się na prawej ręce. W głowie wybuchły mu fajerwerki, znów jęknął, ale w końcu udało mu się wstać. Poczuł pod nogami kawałek gumy, zrobiło mu się niedobrze. Nadepnął na hak. Gdzie jego ubranie?

– Zjesz śniadanie? – spytała Sophia.

– Za chwilę – odpowiedział. Schylił się i zaczął szukać protezy.

– Cieszę się, że zgodziłeś się zostać – usłyszał za plecami jej głos. – Doceniam to, że mi zaufałeś, że pozwoliłeś mi się do siebie zbliżyć. Wiem, jak trudno ci było po tym wypadku…

Wypadku?

Został okaleczony przez somalijskich terrorystów podczas wykonywania zadań, które mu zlecił rząd. To nie był wypadek. Wypadek jest wtedy, kiedy ktoś się poślizgnie na lodzie i złamie kość udową, jak jego mama zeszłej zimy. Albo kiedy zderzą się samochody. On nie ucierpiał w wypadku, to był akt międzynarodowego terroryzmu!

– Rozumiem, że jest ci trudno, ale twoja ręka wygląda bardzo naturalnie – ciągnęła Sophia. – Jeśli ktoś nie wie, nigdy by się nie domyślił, że…

Nie chciał tego słuchać. Sięgnął po protezę, schował ją za plecami i wstał. Nogi mu drżały, ale był w stanie iść. Gdzie jego koszula? Rozejrzał się zdesperowany, w ustach miał sucho. Znalazł koszulę, leżała przy drzwiach. Bokserki… gdzie były jego bokserki? Na szczęście leżały tuż obok.

Uciekł do łazienki, rzucił ubranie na podłogę, hak położył na umywalce i zamknął za sobą drzwi. Wykończony usiadł na sedesie, deska pod jego pośladkami była lodowata. Jego członek zwisał żałośnie między udami, mały, pomarszczony. Uprawiali seks? W nocy, on i Sophia? Nie przypominał sobie, ale wiedział, że zawsze mu staje, w zasadzie to zaleta, ale jednak nie do końca. Miał nadzieję, że tej nocy było inaczej. Schylił się i powąchał. Cholera, kochali się. Niech to szlag.

Westchnął. Usłyszał, że Sophia nuci w holu. Kiedy była w dobrym nastroju, zawsze nuciła coś pod nosem. Szykowała śniadanie. Czy będzie w stanie cokolwiek zjeść? Na samą myśl znów zrobiło mu się niedobrze. Przełknął ślinę i zamknął oczy. Zacisnął mocno powieki.

Pomyślał, że ma ubranie i hak, musi się ubrać, a potem jakoś sobie poradzi. Chciał jak najszybciej opuścić jej mieszkanie. Wstał, odkręcił zimną wodę, nalał sobie do różowego kubka Sophii i wypił duszkiem. Przypomniał sobie, że kiedy u niej mieszkał, obok jej różowego stał też niebieski, jego. Boże drogi! Spojrzał w lustro i zobaczył swoje oczy, podkrążone, przekrwione. Nadal dudniło mu w głowie, spojrzał na hak. Kosmetyczna dłoń, tak brzmiała oficjalna nazwa protezy. Z założenia miała się niemal nie różnić od prawdziwej dłoni. Problem w tym, że była niemal nieruchoma. Można było się na niej oprzeć, coś na niej zawiesić, ale to wszystko. Naciągało się na nią rękawiczkę z PCW, można ją było zmieniać i dopasowywać do koloru skóry. Nienawidził jej, ale jeszcze bardziej nienawidził swojej drugiej sztucznej dłoni, Terminatora. Tak ją ochrzcił. Leżała w dolnej szufladzie komody, miała metalowe palce i trzeba ją było mocować skórzanymi paskami do pleców i do ramienia. Miał jej używać, kiedy robił różne rzeczy w domu. Tak to określił lekarz.

Na początku próbował jeszcze innej protezy, mioelektrycznej, znacznie bardziej zaawansowanej technicznie, zasilanej impulsami elektrycznymi z kikuta. Albo zewnętrznie, z akumulatora, który trzeba było ładować. Była cholernie ciężka, nie mieściła się w szufladzie, więc szybko ją oddał.

Znów zrobiło mu się niedobrze. Chwycił deskę. Zdążył w ostatniej chwili. Zwrócił wszystko.

Kiedy się podniósł, był spocony. Spuścił wodę i opłukał sedes. Stał na czworakach i ciężko dyszał.

– Źle się czujesz? – usłyszał za drzwiami głos Sophii. Nawet wyrzygać się nie mógł w spokoju. Szlag.

– Wszystko w porządku – powiedział, zdziwiony, że jego głos brzmi jak zwykle. – Zaraz wyjdę.

– Zrobić ci jajecznicę?

Wstał ostrożnie.

– Wystarczy kawa. Muszę jechać do pracy.

Nie odpowiedziała. Nawet przez drzwi łazienki czuł jej milczący zawód.

– Okej – rzuciła i ruszyła do kuchni. Już nie nuciła.

Wypłukał usta, nadal czuł na nich jej pocałunek. Naciągnął bokserki na lepkiego członka i sięgnął po hak. Wprawnym ruchem przypiął go do ręki. Silikon pachniał przykro. Pocił się podczas upałów, zdarzało się, że się ślizgał.

Znów spojrzał w lustro.

Zobaczył mężczyznę wchodzącego w wiek średni, tak chyba powinien to określić. Hak, lekko mętne spojrzenie, zmierzwione włosy i niejasne widoki na przyszłość.

Miał ochotę się rozpłakać.

Odchrząknął, otworzył drzwi, wrócił do sypialni i znalazł resztę ubrań. Leżały porozrzucane na podłodze. Nieco niezdarnymi ruchami włożył spodnie, skarpety, buty i marynarkę. Krawat schował do kieszeni. Wyszedł z sypialni, przeszedł przez hol i wszedł do kuchni.

Sophia miała na sobie majtki i krótką koszulkę. Nagle wydała mu się niemal naga. Widział, że jest skrępowana.

– Kawa jest gotowa.

Rozejrzał się po kuchni, spojrzał na matowy drewniany blat, na już niemodne szafki.

– Widać ząb czasu – uśmiechnął się.

Odwzajemniła uśmiech, nieco niepewnie. Podała mu kubek z kawą i stanęła obok niego.

– Na pewno nie możesz zostać? Chociaż na chwilę? – wyszeptała, tuląc się do niego.

Wypił łyk kawy i pocałował ją lekko w usta.

– Chcieliśmy tu dużo rzeczy zmienić, ale widzę, że w końcu się nie zdecydowałaś.

Odsunęła się, spuściła wzrok.

– Kiedy zostałam sama, nie miałam siły się do tego zabrać.

Spojrzał na nią, wyglądała żałośnie. Starał się ukryć, że nią gardzi.

– Chwilę mogę zostać – powiedział w końcu.

NAD BUDYNKAMI DAWNEJ HUTY zbierały się chmury. Wiatr targał gałęziami brzóz, szumiały, jakby padał deszcz. Przed outletem stało kilka samochodów, ale miejsce nie było szczególnie oblegane, a przynajmniej nie w to czwartkowe popołudnie.

Annika minęła Wzgórze Cyganów, skręciła w prawo i zjechała w dół, do marketu, do Konsumu. Przejeżdżając obok ścieżki prowadzącej do kąpieliska Tallsjön, odwróciła głowę.

Na ławce na przystanku autobusowym siedziało kilka dziewczynek. Machały nogami i jadły lody. Tak samo jak ja kiedyś, pomyślała. Też siadywała na ławce na przystanku, machała nogami i jadła lody, a jednak ta scena różniła się od tamtej, sprzed trzydziestu lat. Wiele się zmieniło. Ona się zmieniła, ale i miasteczko, a przede wszystkim perspektywy jego mieszkańców. Wtedy miasteczko było całym ich światem, czymś oczywistym, wspólnotą, której ona też była częścią. Dzisiaj jest inaczej. Każdy żyje swoim życiem, to, że znalazł się akurat w tym czy w innym miejscu, w tym czy w innym czasie, to kwestia przypadku. Domy, ludzie, wszystko na moment łączy się w całość, przez chwilę stanowi jedność.

Od czego miała zacząć poszukiwania?

Zatrzymała się przed Konsumem. Mama pracowała tam dorywczo, na zastępstwo, chociaż już coraz rzadziej. Było wielu chętnych, a ona, mimo tylu lat pracy, nigdy nie dorobiła się stałego etatu. Z jakiegoś powodu Annice zrobiło się wstyd.

Jeśli Birgitta przyjechała tam w tajemnicy przed matką, ale i przed własnym mężem, to gdzie poszła? No i po co w ogóle przyjechała? Jaką tajemnicę ukrywała?

Annika zawróciła w stronę huty. Przejeżdżając obok jeziora, znów odwróciła głowę. Jechała powoli, przyglądając się szarym fabrycznym fasadom. Jej rodzina pracowała tam od pokoleń, pewnie od powstania huty w XVII wieku. Kiedy jej ojciec zaczynał pracę, huta zatrudniała ponad tysiąc osób, kiedy umarł, niespełna setkę. Wkrótce zostało zaledwie dziesięcioro pracowników, a potem zakład zlikwidowano. Dawne hale fabryczne zostały przejęte przez inne instytucje. Teraz był tam teatr, Kolhusteatern, muzeum, prowadzono kursy, zajęcia, a ostatnio zadomowił się tani dom towarowy. Dworek, który kiedyś należał do huty, tysiąc metrów kwadratowych pałacowych wnętrz, sprzedano niedawno za cenę trzypokojowego mieszkania na Söder.

Postawiła redakcyjne auto za starym volvo, wzięła torbę i weszła. Sklep nazywał się Magazyn 157. Wysokie pomieszczenia były skąpo oświetlone, na betonowych posadzkach stały sklepowe półki i stojaki na ubrania.

Wyjęła komórkę i znalazła zdjęcie Birgitty w ogródku przed kawiarnią: wiatr targał jej włosy, uśmiechała się do obiektywu. Z komórką w ręku ruszyła do kas, tylko w jednej z sześciu siedziała kasjerka. Była mniej więcej w jej wieku, miała ściągnięte do tyłu włosy, siedziała i czytała jakieś kobiece pismo.

– Dzień dobry – zaczęła Annika. – Przepraszam, że przeszkadzam, ale mam pytanie…

Kobieta podniosła głowę. Jej twarz wydała się Annice znajoma. Czyżby się znały? Przyglądała się jej niepewnie.

– Annika Bengtzon! – powiedziała kobieta, otwierając szeroko oczy.

Annika zaczerpnęła powietrza, na jej ustach pojawił się wymuszony uśmiech.

– Cześć – powiedziała zmieszana.

– Wróciłaś?

Kim ona jest? – zastanawiała się Annika gorączkowo. Na pewno nie koleżanką z klasy, może z klasy wyżej? Albo niżej?

– Przyjechałam tylko na jeden dzień – rzuciła szybko. – Mam pytanie…

– Słyszałam o tej historii z twoim mężem. Boże drogi, to straszne.

Nagle sobie przypomniała. Helene Bjurstrand. Odetchnęła z ulgą. Helene była z jej rocznika, z równoległej klasy. Zmieniła się, postarzała.

– Mam na myśli to porwanie, tych terrorystów. To straszne.

– To prawda – przytaknęła Annika.

– Człowiek myśli, że takie rzeczy nigdy nie przytrafiają się naprawdę. A już na pewno nie znajomym.

Czyżby Helene znała Thomasa?

– Pamiętasz moją siostrę? Birgittę? – przerwała jej.

Pokazała jej zdjęcie w komórce, ale Helene nawet na nie nie spojrzała.

– Jasne, że pamiętam. Jesienią przeniosła się do Malmö.

– Właśnie. Pamiętasz, kiedy ostatnio ją widziałaś? Może w zeszłym tygodniu?

Helene wzięła do ręki komórkę, spojrzała na zdjęcie.

– Nie – powiedziała po chwili. – Nie widziałam się z nią od czasu jej przeprowadzki. Jak im tam się wiedzie?

– Dobrze – odpowiedziała Annika. – Nie wiesz, czy może ktoś ją tu jednak ostatnio widział?

– Może Sara. Sara Pettersson.

– Nadal mieszka przy Tallvägen?

Helena westchnęła.

– I nadal kłócą się o spadek. Ten ich spór przeżyje nas wszystkich. Ale powiedz, co u ciebie. Ja wróciłam. Dziesięć lat mieszkałam w Huddinge, ale po rozwodzie uznałam, że lepiej będzie, jeśli wrócę do domu. Nadal mieszkasz w Sztokholmie?

Annika się uśmiechnęła, schowała komórkę do kieszeni.

– Miło było znów cię zobaczyć – rzuciła i poszła w stronę kafejki.

Obie kelnerki pewnie jeszcze się nie urodziły, kiedy wyjeżdżała z Hällefornäs, więc nie musiała się bać, że któraś ją rozpozna. Nie, żadna z nich nie widziała ostatnio Birgitty. Spojrzały na zdjęcie od niechcenia.

Annika kupiła cappuccino i ciabattę. Wzięła tacę i wyszła na taras. Natychmiast rozpoznała miejsce. To tam zostało zrobione zdjęcie, to, które przed chwilą pokazywała kelnerkom.

Usiadła przy stoliku w rogu, może przy tym samym, przy którym kiedyś siedziała jej roześmiana siostra. Niebo zachmurzyło się jeszcze bardziej, wiatr przybrał na sile, mieszał duszne powietrze. Poczuła zapach siarki. Ugryzła ciabattę, była gruba, smaczna.

– To miejsce jest wolne?

Podniosła głowę i zobaczyła twarz, którą rozpoznałaby nawet przez sen: Roland Larsson, jej dawny kolega z klasy, kuzyn Jimmy'ego.

– Jasne. Siadaj, proszę. Fajnie cię widzieć.

Kiedy wiele lat wcześniej pierwszy raz umówiła się z Jimmym na obiad, rozmawiali właśnie o Rolandzie.

W letnie wieczory leżeliśmy w stodole na sianie u babci w Vingåker, a Rolle godzinami opowiadał o tobie. Miał jakiś stary wycinek z gazety ze zdjęciem, na którym byłaś ty i jeszcze kilka innych osób, ale złożył je tak, że było widać tylko ciebie. Nosił je w portfelu....

Roland Larsson usiadł, krzesło zaszurało. Zauważyła, że zmężniał, miał spory brzuch. Przyciągnęła do siebie tacę, żeby zrobić mu miejsce na stoliku.

– Co cię sprowadza w te strony? – spytał.

– Byłam w pobliżu służbowo i pomyślałam, że wpadnę na chwilę. Nie widziałeś przypadkiem Birgitty? Jakoś niedawno...

Roland ugryzł kawałek ciasta marchwiowego i zaczął mówić z ustami pełnymi okruchów.

– Co u Jimmy'ego? Wieki się nie słyszeliśmy. Nadal haruje jak niewolnik dla rządu?

– Tak...

Roland wypił łyk kawy.

– Odwiedźcie nas latem! Sylvia na pewno się ucieszy.

Sylvia Hagtorn była jej koleżanką z klasy i odwieczną rywalką. Nienawidziła jej od pierwszego dnia szkoły, a potem przez całe liceum.

Roland poprawił krawat.

– We wrześniu spodziewamy się drugiego dziecka – zwierzył się jej.

– No proszę. Gratuluję...

Roland się roześmiał.

– No cóż, trochę się tu dzieje. Po wyborach, jeśli wszystko pójdzie dobrze, a jestem pewien, że tak, zostanę przewodniczącym zarządu gminy.

– Socjaldemokraci z Flen nie mają się czego obawiać – powiedziała Annika.

– Robimy kawał dobrej roboty. I ludzie to doceniają. Troszczymy się o wszystkich.

Włożył do ust kolejny kawałek ciasta, na wąsach zostało mu trochę polewy.

– Weźmy na przykład hutę. Dziesięć lat temu wyglądało tu jak w Polsce w latach pięćdziesiątych. A teraz? Widziałaś, ile się zmieniło? Mamy outlet, muzeum i caffè latte.

Annika musiała mu przyznać rację.

– Sylvia prowadzi Mellösa Podradio, a Hälleforsnäs Allehanda ma zacząć wydawać tygodnik. A jest o czym pisać. Ostatnio mieliśmy falę włamań do letnich domków w okolicznych lasach. Redakcja szuka dziennikarza. Współpraca jako wolny strzelec. Jesteś zainteresowana?

Annika zaczęła kasłać.

– Wiesz, jak tu się dobrze żyje? – ciągnął Roland. – Wszyscy się znają, pomagamy sobie. Każdego stać na wygodny dom, blisko przyrody. A jeśli ktoś zatęskni za operą czy teatrem, to do Sztokholmu jest zaledwie godzina drogi...

– Nie widziałeś tu ostatnio Birgitty? – przerwała mu.

Roland spojrzał na nią i się uśmiechnął.

– A żebyś wiedziała. Widziałem ją przed Konsumem w Malmköping, ale nie rozmawiałem z nią.

Annika zesztywniała.

– Tak? Pamiętasz, kiedy to było? Co tam robiła?

Roland żuł ciasto, był zamyślony.

– Pewnie w ostatni piątek. Szliśmy z Sylvią na imprezę i zatrzymałem się, żeby kupić butelkę czerwonego wina, to znaczy Sylvia oczywiście nie pije, ale…

– Dlaczego z nią nie rozmawiałeś?

Spojrzał na nią zdziwiony.

– Siedziała w samochodzie, spała. Miałem nawet zapukać w szybę, ale spała tak głęboko, że postanowiłem jej nie budzić.

– O której to było?

– Po południu, koło piątej, wpół do szóstej? Coś się stało?

– Nie, nie – zapewniła go Annika szybko. – Tak się tylko zastanawiałam. Co to był za samochód?

Roland wyraźnie się zaniepokoił. Annika się uśmiechnęła, jakby chciała go uspokoić.

– Jaki to był samochód? Może ford? Albo nissan? Nie bardzo się na tym znam…

A więc Birgitta tu była, była w Hälleforsnäs. Roland na pewno by się nie pomylił. Annika przypuszczała, że jednak zapukał w szybę, ale Birgitta nie zareagowała.

– Przekaż jej, żeby następnym razem wpadła do Mellösy, Sylvia bardzo się ucieszy…

Jasne.

– Rozumiem, że nadal mieszkasz na Söder? Z Jimmym?

Annika przytaknęła. Jadła ciabattę. Roland odsunął talerzyk po cieście, westchnął i wytarł wąsy serwetką.

– Czasem się zastanawiam, jak by się ułożyło moje życie, gdybym stąd wyjechał. Może by mi się powiodło? Pracowałbym dla rządu, mieszkał na Söder...

Mrugnął do niej porozumiewawczo.

Annika wzięła do ust ostatni kawałek ciabatty, dopiła kawę.

– Cieszę się, że się spotkaliśmy – powiedziała i wstała.

– Już jedziesz?

Uśmiechnęła się, wyjęła z kieszeni spodni kluczyki.

– Muszę wracać do pracy. Trzymaj się.

– Pozdrów Jimmy'ego! – zawołał za nią. – Zajrzyjcie do nas latem, mamy kawałek własnej plaży.

– Jasne, powiem Jimmy'emu.

Ruszyła przed siebie, czuła na karku wzrok Rolanda.

Dom Sary Pettersson okazał się parterową willą z piwnicą na niewielkiej działce z nędznym trawnikiem, przy jednej z uliczek odchodzących od Flensvägen. Dom wchodził w skład masy spadkowej po Ollem Sjögrenie, ale rodzina nie mogła dojść do porozumienia: nie mogli zdecydować, czy go sprzedać, czy najpierw wyremontować. Adwokaci wymieniali się pismami, a ich wynagrodzenia powoli zjadały spadek. W końcu wynajęto dom Sarze.

Annika zaparkowała na ulicy i ruszyła w stronę sieni. Przy wejściu nie było dzwonka, zapukała do drzwi. Okazały się otwarte, uchyliła je.

– Halo? – zawołała.

Gdzieś w głębi zaczął szczekać pies.

– Nie wypuść go! – rozległo się wołanie z głębi domu.

Annika szybko zamknęła drzwi, pies zaczął ujadać.

– Charlie, leżeć!

Pies warknął niezadowolony, ale po chwili zamilkł. Drzwi się otworzyły.

Sara Pettersson utyła. Miała długie włosy w różnych odcieniach czerwieni i fioletu. Trzymała psa za obrożę i przyglądała się Annice zdziwiona.

– Annika? Boże drogi, to ty? Co ty tu robisz?

Annika stała nieruchomo.

– Nie przeszkadzam?

Sara sięgnęła po komórkę, spojrzała na ekran.

– Wejdź, proszę. O pierwszej mam klientkę...

Cofnęła się, zabrała psa do kuchni. Szarpał się, chciał się uwolnić, jęzor zwisał mu z pyska. Duży mieszaniec, chyba owczarka niemieckiego z labradorem. Annika stanęła na progu i rozejrzała się po kuchni: lata siedemdziesiąte, brązowe szafki, pomarańczowe kafelki w kwiecisty wzór. Na stole stały liczne buteleczki z lakierem do paznokci, leżały waciki, kawałki folii, obok piętrzyła się sterta białych ręczników frotté. W powietrzu unosił się silny zapach acetonu.

– Przywitaj się z nim, inaczej nie da ci spokoju – powiedziała Sara.

Annika wyciągnęła do psa rękę. Natychmiast podbiegł i zaczął się ocierać o jej udo.

– Charlie, przestań!

Sara zaprowadziła psa do sąsiedniego pokoju, niezadowolony znów zaczął wyć i głośno szczekać.

– Od naszego ostatniego spotkania minęło trochę czasu. Mogę ci w czymś pomóc? Może manikiur?

Annika spojrzała na nią. Znały się trzydzieści lat, od czasu kiedy Sara i jej matka wprowadziły się do mieszkania na Wzgórzu Cyganów. Sara i Birgitta przyjaźniły się od samego początku, od pierwszej klasy podstawówki, a potem przez całe liceum. Nigdy nie dopuszczały Anniki do swoich zabaw, a ona nigdy specjalnie nie nalegała. Bawiły się we fryzjerki, modelki, wizażystki. Ona wolała bardziej fizyczne zabawy: walkę na śnieżki, jazdę na nartach. Sara, tak jak Birgitta, skończyła trzydzieści siedem lat, ale wyglądała na starszą.

– Prowadzisz salon piękności? – spytała Annika, wskazując głową na stojące na stole kosmetyki.

– Diamond Nails – powiedziała Sara.

Podeszła do lodówki i wyjęła puszkę napoju. Zaproponowała Annice, ale Annika grzecznie odmówiła.

– Lacline, *hard as diamond*. Nakłada się go i utwardza promieniami UV. Wytrzymuje nawet kilka tygodni. Dasz się skusić?

– Prawdę mówiąc, przyszłam spytać, czy nie widziałaś tu ostatnio Birgitty.

– Wszystko kupuję przez internet. Fantastyczny wynalazek, nie uważasz? Nieważne, gdzie człowiek jest, wszędzie ma dostęp do wszystkiego.

Sara nalała musującego napoju do szklanki, wypiła łyk, podeszła do Anniki i złapała ją za rękę.

– Ojej. Kiedy ostatnio robiłaś manikiur?

Annika przypomniała sobie, że kiedyś zimą Ellen pomalowała jej paznokcie, ale pomyślała, że to się pewnie nie liczy.

– Jakiś czas temu – powiedziała głośno.

– Masz mocne paznokcie, podobnie jak Birgitta – stwierdziła Sara. Poklepała ją po dłoni i wskazała głową na drewniane krzesło przy stole.

– Napijesz się czegoś? Kawy, może kieliszek wina?

Na szafce obok zlewu stał napoczęty karton z południowoafrykańskim merlot.

– Nie, dziękuję.

– Jaki kolor chcesz?

Annika usiadła na krześle, przyglądała się buteleczkom lakieru.

– Kiedy ostatnio miałaś jakieś wieści od Birgitty?

– O to samo pytała mnie niedawno twoja matka. Coś się stało?

– Wiedziałaś, że była tu w zeszłym tygodniu?

Sara otworzyła szeroko oczy.

– Niemożliwe. Gdyby tu była, na pewno by do mnie wpadła. Zrobić ci manikiur czy…

– Poproszę. – Annika spróbowała się odprężyć.

– Zrobię ci nowoczesny manikiur – powiedziała Sara. Złapała ją za lewą dłoń i zaczęła smarować paznokcie żółtym kremem. – Dlaczego sądzisz, że tu była?

– Roland Larsson widział ją przed Konsumem w Malmköping, w ostatni piątek.

Sara usłyszała nazwisko i zacisnęła wargi. Przez jakiś czas się z nim spotykała, zanim on i Sylvia zamieszkali w Mellösie.

Zajęła się paznokciami Anniki. Pracowała szybkimi, wprawnymi ruchami, posmarowała jej paznokcie tłustym żółtym kremem, aż zaczęły lśnić, a potem sięgnęła po pilniczek i zaczęła im nadawać kształt.

– Nie widziałam się z Birgittą od czasu ich przeprowadzki. Czasem rozmawiamy ze sobą na Skypie. Wiem, że była tu w Wigilię, ale nie spotkałyśmy się. Spędzałam święta z matką i jej facetem w Bälgviken. Możesz nie napinać tak ręki? Dziękuję.

Annika nawet nie zauważyła, jak bardzo jest spięta. Pozwoliła Sarze pracować.

– Mówiła ci coś, kiedy ostatnio rozmawiałyście na Skypie?

Sara podniosła głowę, zastanawiała się chwilę i wróciła do pracy. Nasączyła wacik jakimś płynem – zapach wskazywał na spirytus – i zaczęła energicznie usuwać krem z paznokci. Za drzwiami znów zaczął wyć pies.

– Zamknij się, Charlie!

Ucichł.

– Rozmawiałyśmy o wakacjach. Chciała je spędzić tutaj. Ale nie chciała mieszkać u matki, a u mnie nie bardzo mogła. Nie chodziło o nią, był jeszcze Steven i dziecko. Miała porozmawiać z Margaretą Svanlund. Ma na działce niewielki domek.

Annika zauważyła grymas na twarzy Sary: najwyraźniej nie przepadała za rodziną Birgitty.

– Wiesz, dlaczego Birgitta i Steven przenieśli się do Malmö? – spytała.

Sara zacisnęła usta. Ruchy jej rąk nagle stały się bardziej gwałtowne, ostre.

– A ty nie wiesz?

– Rzadko się kontaktujemy – powiedziała Annika.

– Nie przyjechałaś nawet na jej ślub.

Ten temat ciągle wracał.

Jej siostra wyszła za mąż dwudziestego stycznia, dokładnie tego dnia, kiedy nowo wybrany prezydent Stanów Zjednoczonych przejmował urząd. Annika była wtedy korespondentką w Stanach i uroczystość zaprzysiężenia była jej pierwszym służbowym zadaniem. Nie mogła odmówić i pojechać do Szwecji na ślub. To by było zawodowe samobójstwo. Ale później żałowała. Przepraszała wiele razy, ale to już nie miało znaczenia.

– Włóż tam rękę – powiedziała Sara.

Annika spojrzała zdziwiona na pudełko, które Sara przesunęła w jej stronę. Wyglądało jak plastikowy piekarnik. Z pewnym wahaniem włożyła do niego dłoń. Sara wcisnęła czerwony guzik i piekarnik rozbłysnął błękitnym neonowym światłem.

– Wiem, że Steven uważał, że Birgitta za dużo pije – powiedziała.

Sara się żachnęła i zaczęła nakładać podkład na paznokcie drugiej ręki Anniki.

– Szwecja jest strasznie purytańska – powiedziała. – Wystarczy spojrzeć na Hiszpanię. Tam ludzie codziennie piją do obiadu wino i żyją równie długo jak my. Uważam, że powinniśmy podchodzić do tych kwestii trochę bardziej na luzie.

Annika pomyślała, że Sara pewnie nie wie, że Birgitta zatruła się alkoholem i była w szpitalu.

Światło w pudełku zgasło i świat stał się nieco bardziej szary. Za drzwiami Charlie skamlał żałośnie.

– Druga ręka – powiedziała Sara i znów wcisnęła czerwony guzik.

Podkład na paznokciach prawej ręki się utwardzał. Sara zajęła się lewą ręką. Zaczęła malować paznokcie, każdy innym kolorem. Kciuk niebieskim, palec wskazujący pomarańczowym, wszystkie kolory tęczy.

– Nie wiesz, czy Steven kiedykolwiek zdradzał skłonności do przemocy? – spytała Annika.

– Tylko raz.

Annika poczuła, że kręci jej się w głowie. Plastikowy piekarnik zgasł.

– Co się stało? – spytała.

– Poszli na imprezę i pokłócili się w drodze do domu. Uderzył Birgittę w usta, pękła jej warga. Teraz położę jeszcze właściwy lakier i gotowe – oświadczyła.

Annika znów zmieniła rękę.

– I co się stało? Birgitta zgłosiła to na policję?

– Nie, ale rozmawiała z Camillą z opieki społecznej. Steven dostał ultimatum. Albo się zgodzi pójść na terapię, albo Camilla zawiadomi policję. Wybrał terapię. Całe pół roku chodził na spotkania. I jak? Podoba ci się?

Annika rozcapierzyła palce, podziwiała dzieło Sary. W kilku miejscach lakier wydawał się nierówny, ale w sumie paznokcie wyglądały ładnie.

– Bardzo ładnie – powiedziała.

– Wyjazd do Malmö był pomysłem Stevena. Nie rozumiem, dlaczego mu uległa, ja jestem inna. Ale ona najwyraźniej wolała się bawić w życie rodzinne niż żyć po swojemu.

– Może chciała uciec z Hälleforsnäs – powiedziała Annika, nie mogąc oderwać wzroku od paznokci.

Sara parsknęła.

– Może nie jest to najlepsze miejsce pod słońcem, ale mnie jest tu dobrze. I Birgitcie też było. Pięćset koron.

Annika zamarła. Sara zauważyła, że jest zdziwiona.

– To i tak dużo taniej niż na Stureplanie – powiedziała z wyrzutem. – Poza tym to legalna działalność, płacę podatki i wszystkie składki. Jeśli chcesz, mogę ci dać rachunek.

Rozległo się pukanie do drzwi, Sara się wzdrygnęła. W pokoju obok Charlie znów zaczął wyć.

– Jest pierwsza – powiedziała Sara przepraszającym tonem i zniknęła w holu.

Annika położyła banknot pięćsetkoronowy obok kartonu z winem, skinęła głową nowej klientce, podziękowała Sarze i wyszła.

Margareta Svanlund, nauczycielka rysunku Birgitty, mieszkała przy Karlavägen, jednej z małych uliczek zaraz za sklepem, w najstarszej części miasteczka. Matka nie lubiła tych okolic, wolała duże domy, nowoczesne wille, najlepiej obłożone piaskowcem.

Annika jechała popękanym asfaltem i przyglądała się domom. Okolica przypominała jej sztokholmską Brommę albo Mälarhöjden, ale te domy były warte jedną dziesiątą tych w Sztokholmie. Ceny domów są odzwierciedleniem statusu i marzeń, pomyślała. A nikt nie marzy o tym, żeby się przenieść do Hälleforsnäs.

Zaparkowała na podjeździe, zauważyła ruch za firanką. Niewielki dom z lat dwudziestych, jasnożółta fasada, łamany dach i białe okiennice. Na działce był też drugi dom, mniejszy, tuż przy granicy z lasem. Przed domem były rabatki, ale wszystkie pokryte korą. Tej wiosny nikt nie posadził tam kwiatów.

Annika wysiadła i zamknęła drzwi.

W gimnazjum Margareta Svanlund była wychowawczynią Birgitty. Po śmierci ojca bardzo ją wspierała. Matka już wcześniej lubiła czasem wypić kilka kieliszków wina, ale kiedy została wdową, zaczęła pić bez ograniczeń. Annika przypomniała sobie, że przez jakiś czas leżała nawet w szpitalu. Zupełnie o tym zapomniała. Na oddziale psychiatrycznym, a potem na odwyku? Może. Nie pamiętała dokładnie. Pamiętała natomiast, że przez jakiś czas, przez miesiąc, może dwa, nocowała wtedy u Svena, a Birgitta u swojej nauczycielki rysunku, w niewielkim pokoiku na poddaszu.

– Co za niespodzianka! – powitała ją Margareta.

Annika podała jej rękę i przywitała się. Margareta uściskała ją mocno i ciepło. Zestarzała się, miała siwe włosy, garbiła się, tylko oczy miała takie jak dawniej: niebieskie i przenikliwe.

– Przepraszam za to najście. Przeszkadzam?

– Ależ skąd. Teraz już nie mam żadnych zajęć. Wejdź, proszę, zaparzyłam kawę.

Annika dopiero teraz zauważyła, że Margareta utyka. Powłóczyła lewą nogą; idąc korytarzem, opierała się ręką o ścianę.

– Co się stało? – spytała. – Ma pani problemy z chodzeniem?

– Miałam wylew. Jak twoja babcia. Tylko mnie się udało. Usiądź.

Tutaj wszyscy wiedzą wszystko o wszystkich, pomyślała Annika. Wszyscy wiedzieli, że to ona znalazła babcię na podłodze w jej domku w Lyckebo. Zapewne opowiadano sobie tę historię wiele razy, chociaż nie tak często jak tę o śmierci Svena.

Wysunęła drewniane krzesło i usiadła. Kuchnia wyglądała tak, jak ją zapamiętała, może tylko trochę się zmniejszyła.

Oparła dłonie o blat, błyszczący, zniszczony. Kiedy była dzieckiem, pewnych rzeczy nie dostrzegała. Nie potrafiła docenić pracy włożonej w renowację starej kuchni. Ktoś zadbał o to, żeby wszystko zostało jak dawniej. Spojrzała na surową sosnową podłogę, taką samą od dziesiątek lat.

– Miło, że wpadłaś – powiedziała Margareta. – Powiedz, jak ci się wiedzie. Nadal pracujesz w redakcji?

Postawiła na stole dwa kubki. Annika rozpoznała je, pochodziły z Höganäs. Berit miała takie same.

– Na razie jeszcze pracuję – powiedziała.

Margareta nalała kawy.

– Z mlekiem czy z cukrem?

– Poproszę czarną.

Margareta opadła ciężko na krzesło.

– I mieszkasz z Haleniusem?

– I z jego dziećmi, i ze swoimi dziećmi – odpowiedziała, po czym postanowiła przejść do rzeczy: – Przyjechałam spytać panią o Birgittę. Kontaktowała się z panią ostatnio?

– Jesteś drugą sobą, która mnie o to pyta. Pierwszą była twoja mama. Coś się stało?

– Słyszałam, że chciała wynająć pani domek pod lasem na lato. To prawda?

Starsza pani patrzyła na nią swoim bystrym wzrokiem.

– W zeszłym roku zamarzła woda, nie zdążyłam naprawić instalacji. Trzeba rozkopać cały trawnik. Powiedziałam jej, że zawsze jest u mnie mile widziana. Może zamieszkać w domku, tyle że nie ma w nim wody. Powiedziała, że jeszcze się zastanowi...

– To było dawno?

– Na początku maja, jakiś miesiąc temu.

– A w zeszłym tygodniu nie widziała się pani z nią?

– Byłam w odwiedzinach u siostry w Örebro. – Jej oczy zrobiły się wąskie jak szparki. – Dlaczego nie powiesz wprost, co się stało?

Annika poprawiła się na krześle.

– Prawdę mówiąc, sama tego nie wiem. Nikt nie wie, gdzie jest Birgitta. Steven twierdzi, że w niedzielę rano poszła jak zwykle do pracy, a wieczorem nie wróciła do domu. Kłamie. Birgitta rzuciła pracę już dwa tygodnie temu. Okłamała szefową. Wiem, że w zeszłym tygodniu była w Hälleforsnäs. Domyśla się pani, gdzie może być?

Margareta przyglądała się jej chwilę, wstała i przyniosła miseczkę z migdałowymi ciasteczkami. Annika wzięła jedno, ugryzła kawałek. Poczuła w ustach gorzki smak migdałów.

– Dlaczego twierdzisz, że tu była? – spytała Margareta.

– Roland Larsson widział ją w Malmköping, w ubiegły piątek. Poza tym wiem, że wysłała stąd SMS-a.

– Zgłosiliście zaginięcie?

Annika skinęła głową i ugryzła ciasteczko.

– Nie martwmy się na zapas – powiedziała Margareta. – Kiedy z nią rozmawiałam, mówiła, że przyjedzie tu poszukać jakiegoś miejsca na lato. Pewnie uznała, że dom bez bieżącej wody nie nadaje się dla rodziny z małym dzieckiem.

– Mówiła, kiedy się tu wybiera?

Margareta pokręciła głową.

– Rozmawiałyśmy o różnych domkach, które mogłyby wchodzić w grę. Pytała też o Lyckebo, o dawny domek twojej babci. Miała zadzwonić do Harpsundu i wszystkiego się dowiedzieć. Wiesz może, czy nadal stoi pusty?

Annika poczuła ukłucie złości i zazdrości. Birgitta nie miała żadnego prawa do Lyckebo! Nigdy nie lubiła tego miejsca. Lyckebo należało do niej!

– Myślę, że tak – odpowiedziała lekko zduszonym głosem.

– Kilka lat temu Steven i Birgitta wynajęli na lato dom starego Gustava, ale został już sprzedany. Kupiła go jakaś rodzina z dziećmi ze Sztokholmu.

Annika dopiła kawę. Nikt nie miał prawa wynajmować Lyckebo.

– Jaka się pani wydawała, kiedy ostatnio rozmawiałyście? – spytała.

– Była zadowolona. Powiedziała, że znów zaczęła rysować. Mam wrażenie, że przeprowadzka do Malmö dobrze jej zrobiła.

Margareta wypiła łyk kawy. Z holu wszedł do kuchni czarny kot, wskoczył jej na kolana. Kiedy zaczęła go delikatnie gładzić, zamruczał zadowolony.

– Birgitta mogła zostać malarką. Jest zdolna, ma wyjątkowe wyczucie koloru i formy. Jest uzdolniona technicznie, maluje akwarelą, w oleju, ale… – Zamilkła, rozejrzała się po kuchni.

– Ale… – podjęła Annika.

Margareta poprawiła się na krześle, kot zeskoczył na podłogę i zniknął.

– Birgitta zawsze wybierała to, co łatwe i przyjemne. Unikała ciemności, rzeczy nieprzyjemnych. Miała talent, ale żeby się rozwijać, musiałaby się zająć także tą drugą stroną życia, tą ciemną, ponurą. A tego nigdy nie chciała. Była zadowolona z tego, co robiła. A to za mało, żeby móc iść dalej.

– A zawsze trzeba iść dalej?

Margareta uśmiechnęła się.

– Tak. Przynajmniej ja tak uważam. Jeśli się zostało obdarzonym talentem, to należy go rozwijać. To nasza odpowiedzialność. Dar zobowiązuje.

Annika spojrzała na zegarek, pomyślała, że powinna już iść.

Margareta odsunęła kubek i talerzyk z niedojedzonym ciasteczkiem. Poruszała się z trudem, ale nie chciała, żeby Annika jej pomogła.

– Odprowadzę cię – powiedziała.

Wyszły do holu, Annika zaczęła wkładać sandałki. Zerkała w stronę salonu. Drzwi były uchylone, przez pozbawione firanek okna wpadał snop światła. Podłoga była pokryta papierem pakowym, na środku stały sztalugi z niedokończonym obrazem. Pod ścianami stały inne obrazy.

– Po wylewie nie mogę już robić na drutach – powiedziała Margareta. – Do robótek potrzebne są dwie sprawne ręce, ale żeby trzymać pędzel, wystarczy jedna.

– Mogę spojrzeć? – spytała Annika.

Margareta wzruszyła ramionami, jakby przepraszała.

Annika weszła do pokoju, poczuła zapach oleju i terpentyny. Spojrzała zdziwiona na obrazy. Nie znała się na sztuce, ale ostre kolory modernistycznych portretów zrobiły na niej wrażenie. Zatrzymała się przed namalowanym ostrymi pastelami abstrakcyjnym portretem łysego mężczyzny. Oczy miał niezwykle wyraziste, patrzyły na nią krytyczne, z wyraźną pogardą i poczuciem wyższości.

– To Georg Baselitz – powiedziała Margareta. – Niemiecki artysta, który kiedyś stwierdził, że kobiety nie potrafią malować. Ponieważ sam często używa pasteli, namalowałam go właśnie tak…

– Fantastyczny obraz – powiedziała Annika. – Jest na sprzedaż?

Margareta się roześmiała.

– Nie sprzedaję swoich obrazów. Nie jestem artystką…

– Mówię poważnie – weszła jej w słowo Annika. – Malarz, który twierdzi, że kobiety nie potrafią malować, namalowany przez kobietę, i to w taki sposób… Chętnie bym go kupiła.

Margareta pokręciła głową.

– Nie sprzedam ci go, ale mogę ci go dać.

– Nie to miałam na myśli – powiedziała Annika. Była zmieszana.

Margareta się uśmiechnęła.

– Wiem, ale i tak chcę ci go dać. Proszę, weź go.

Razem owinęły płótno papierem, Annika wyniosła pakunek do samochodu i postawiła na tylnym siedzeniu.

Kiedy ruszyła, widziała w lusterku, jak Margareta do niej macha.

Czy Birgitta rzeczywiście próbowała wynająć Lyckebo?

Czarne chmury goniły się po niebie. Annika wyjechała z Hälleforsnäs, minęła drogę na Tallsjö, nawet na nią nie zerkając, i już po chwili zbliżała się do Granhedu.

Ani mama, ani Birgitta nigdy nie przepadały za domkiem babci. Mama narzekała, że trzeba długo iść przez las, zanim się dotrze na miejsce, i na komary, które się lęgły na bagnie, tam, gdzie strumyk wpływał do jeziora.

Annika zastanawiała się, czy Birgitta rzeczywiście zadzwoniła do Harpsundu i rozmawiała o wynajmie domku.

Po lewej stronie zauważyła wąską szosę prowadzącą do Lyckebo, zwolniła i skręciła na trawę przed szlabanem. Postanowiła dowiedzieć się czegoś więcej. Skoro Birgitta mogła, to ona też może. To nic nie kosztuje.

Zaciągnęła hamulec i wyłączyła silnik. Szybkim krokiem ruszyła przez las.

Na trawie były jeszcze ślady jej stóp. Szła tamtędy kilka dni wcześniej. Sosny szumiały, powietrze było naelektryzowane. Nie sądziła, żeby czynsz za domek bez dojazdu, bez bieżącej wody i elektryczności mógł być wysoki. Jeśli straci pracę w redakcji, założy własną firmę albo będzie pracować jako wolny strzelec, jak wielu jej kolegów. Będzie pisać dla gazet, prowadzić strony internetowe i będzie mogła odpisywać sobie koszty od dochodów.

Weszła na podwórze, spojrzała na zaniedbany dom. Na tle ciemnego nieba wydawał się jeszcze mniejszy. Podeszła do kuchennego okna, spróbowała zajrzeć do środka. Kuchnia była pusta, sprawiała wrażenie opuszczonej. Pomyślała, że jeśli kiedykolwiek uda jej się kupić Lyckebo, pierwsze, co zrobi, to położy na stole ceratę i przykryje słomianym dywanikiem klapę w podłodze. A na ścianie powiesi obrazek z aniołem chroniącym dzieci stojące nad krawędzią wąwozu przed upadkiem.

Oparła się o ścianę i wyjęła z kieszeni komórkę. Czekając na połączenie z biurem numerów, przyglądała się szarej tafli jeziora.

Połączyła się i poprosiła o numer do Harpsundu. Zadzwoniła i znów musiała chwilę zaczekać. W końcu usłyszała po drugiej stronie kobiecy głos.

– Dzień dobry, nazywam się Annika Bengtzon – przedstawiła się grzecznie, niemal przymilnie. – Chciałam się dowiedzieć, czy jest możliwość wynajęcia należącego do was domku w Lyckebo.

– Chwileczkę – odpowiedziała kobieta po drugiej stronie. – Połączę panią z Perem.

Per przejął słuchawkę.

Annika się przedstawiła, tym samym przymilnym tonem. Wytłumaczyła, w jakiej sprawie dzwoni. Chciałaby wynająć domek w Lyckebo, w którym przez wiele lat mieszkała jej babcia. Tak, babcia była gospodynią w Harpsundzie. Może ją pamięta? Nie?

– Lyckebo? – powtórzył Per. – Tak, rzeczywiście jest do wynajęcia. Informacja jest na stronie. Prawdę mówiąc, kilka tygodni temu ktoś o niego pytał.

– Birgitta Bengtzon? To moja siostra.

– Tak, zgadza się. Birgitta Bengtzon. Uznała, że koszty są za duże. Wynajmujemy na cały rok, nie na sezon.

A więc próbowała! Zadzwoniła do Harpsundu, zanim ona zdążyła to zrobić.

– Jak wysokie są koszty? – spytała głośno.

Wstrzymała oddech, słyszała, jak Per przewraca papiery.

– Kuchnia na parterze i pokój na piętrze – Mówił tak, jakby czytał. – Jest też dobudówka z pokojem gościnnym, kominek, spiżarnia, drewutnia i wychodek na zewnątrz. Nie ma elektryczności ani bieżącej wody, ale na działce jest źródło. Umowa jest na rok, od pierwszego kwietnia do trzydziestego pierwszego marca, czynsz za kwartał wynosi trzy tysiące osiemset pięćdziesiąt koron.

Prawie tysiąc trzysta za miesiąc. Stać ją na to?

– Chciałaby pani go obejrzeć? – spytał Per.

– Dziękuję, ale nie ma takiej potrzeby – powiedziała Annika. – Dorastałam tam, więc dobrze go znam.

– Może pani i pani siostra podzielicie się kosztami? Wtedy obie będziecie mogły się nim cieszyć. Jest przepięknie położony.

– Zastanowię się – odpowiedziała.

Tysiąc trzysta koron miesięcznie.

Jeśli będzie wolnym strzelcem, trudno jej będzie wliczyć ten wydatek do kosztów. Jak wytłumaczy księgowemu, że domek nad jeziorem w Södermanlandzie jest jej niezbędny do pracy?

Przyszło jej do głowy, że w najgorszym razie przyjmie jakieś zlecenia od Hälleforsnäs Allehanda.

Podeszła do domku i usiadła na schodkach.

Czy Birgitta tam była w zeszłym tygodniu? Czy zaglądała przez okno do kuchni, czy zauważyła, że na stole nie ma ceraty, że brakuje słomianego dywanika i obrazka z aniołem?

Dlaczego Steven kłamał? Dlaczego jej nie powiedział, kiedy Birgitta naprawdę zniknęła?

Znów sięgnęła po komórkę.

Steven odebrał po pierwszym sygnale.

– Masz jakieś wieści?

– W pewnym sensie tak – powiedziała Annika. Spojrzała na starą oborę. Zapach, który z niej dochodził, zaniepokoił ją. – Policji udało się namierzyć komórkę Birgitty. W zeszłym tygodniu nie była w Malmö. Była w Hälleforsnäs. Wiedziałeś o tym?

Na linii zapanowała cisza. Pomyślała, że może połączenie zostało przerwane.

– Steven?

– Co ona tam robiła? – usłyszała jego głos. – Jest tam teraz?

– Steven, proszę, powiedz mi, co się naprawdę stało. Dlaczego Birgitta zniknęła?

Steven zakasłał. Gdzieś w tle słychać było program dla dzieci.

– Znów zaczęła pić – odezwał się po chwili. – W weekend, dwa tygodnie temu.

Annika spojrzała na niebo, chmury płynęły jakby strumieniem, woda w jeziorze była stalowoszara.

– Po pracy poszła do baru – usłyszała głos Stevena. – Kiedy wróciła, strasznie się pokłóciliśmy. Bałem się, że znów straci nad sobą kontrolę. Zaczęła krzyczeć. Zarzucała mi, że ją kontroluję, szpieguję…

– To było w nocy z soboty na niedzielę?

– Zadzwoniła we wtorek. Powiedziała, że jest jej wstyd. Potem mnie przepraszała jeszcze kilka razy. Tłumaczyła, że potrzebuje spokoju.

Annika oddychała bezgłośnie, przez otwarte usta. Starała się zapanować nad złością.

– Rozmawiałeś z nią?

– Diny, możesz trochę ściszyć? Rozmawiam przez komórkę. Co powiedziałaś?

– Spytałam, czy z nią rozmawiałeś.

Głosy ucichły.

– Nie, wysłała mi SMS-a.

To się zgadzało z tym, czego się dowiedziała od policji.

– Dlaczego czekałeś dwa tygodnie, zanim wszcząłeś alarm?

Słyszała swój surowy, oschły ton, słyszała też, jak Steven głośno przełyka ślinę.

– Prosiła, żebym nic nikomu nie mówił. Chciała wszystko spokojnie przemyśleć. I skontaktować się z tobą.

– Ze mną? Po co?

– Nie wiem.

– Tatusiu, Pingu się skończył – usłyszała głos dziecka po drugiej stronie.

I głos Stevena:

– Możesz chwilę zaczekać?

– Jasne.

Odłożył komórkę, usłyszała trzask. Steven najwyraźniej poszedł włączyć córeczce kolejny film. Czy Diny całymi dniami ogląda telewizję?

Po chwili Steven wrócił.

– Rozumiem, że opis, który mi podałeś, też się nie zgadza. Chodzi mi o to, co miała na sobie.

Znów zaczął kasłać.

– Poszła do baru zaraz po pracy. Miała na sobie firmową koszulę i brązową kurtkę…

Annika zaczęła się zastanawiać.

– Kiedy powiedziałeś p r o s i ł a… rozumiem, że miałeś na myśli jej SMS-a. Czy może jednak z nią rozmawiałeś?

– Próbowałem do niej dzwonić. Powiedziała, że mam jej dać chwilę oddechu.

– Powiedziała czy wysłała ci SMS-a? Chwilę oddechu?

– Tatusiu…

– Zaczekaj, Diny, zaraz do ciebie przyjdę…

Annika poczuła we włosach podmuch wiatru.

– Dlaczego postanowiłeś zacząć działać właśnie w poniedziałek?

– Z powodu Towarzystwa Sztuki – powiedział Thomas. – Birgitta malowała całą wiosnę, żeby się zakwalifikować na wystawę. W niedzielę przyszło dwóch facetów z Towarzystwa, żeby obejrzeć jej prace.

– I co powiedzieli?

– Prawdę mówiąc, dobrze, że jej przy tym nie było. Gadali jakieś bzdury, stwierdzili, że jej obrazy są płytkie, że brakuje im głębi. Nie zakwalifikowali jej. Birgitcie bardzo zależało na tej wystawie. Sama się z nimi umówiła. Wiem, że zrobiłaby wszystko, żeby być w domu. Dlatego uznałem, że coś musiało się stać. Coś poważnego.

– Dzwoniłeś do niej do pracy?

– Powiedzieli mi, że nie łączą z kasami.

– Nie poszedłeś tam?

W tle znów rozległ się głos dziewczynki. Steven odłożył słuchawkę.

– Wiesz, po co przyjechała do Hälleforsnäs? – spytał, kiedy wrócił.

– Siedziała w samochodzie i spała. To był ford albo nissan. Stał przed Konsumem w Malmköping, w zeszły piątek.

– Spała?

– Pewnie była z kimś. Domyślasz się, kto to mógł być?

Steven milczał. Cisza była przejmująca, odbijała się echem. Annika spojrzała na wody jeziora, słyszała szum sosen.

Po dłuższej chwili Steven westchnął.

– Jadę tam. Wynajmę samochód i ruszam w drogę.

– Ale jej już tu nie ma – weszła mu w słowo Annika. – Ostatni namiar mają z Lulei.

– Z Lulei?

Steven był autentycznie zdziwiony.

– Po co tam pojechała?

– Nie wiem.

– Tak czy inaczej, przyjeżdżam.

– Może i dobrze – stwierdziła Annika. – Skoro w Malmö też jej nie ma… – Wzięła głęboki oddech. – Jest jeszcze jedna rzecz. Wiem, że ją uderzyłeś. Dlaczego mnie okłamałeś?

Milczenie. I jego głos po chwili:

– Porozmawiamy o tym później. Kiedy już będę na miejscu.

Rozłączył się. Annika schowała komórkę do kieszeni spodni.

Jeśli Birgitta spała w czyimś samochodzie, to musiała znać kierowcę. Z kim wyruszyła w podróż?

Znów spojrzała na jezioro. Brzozy szumiały, wzburzone fale miały srebrne czuby. Sięgnęła po komórkę i weszła na stronę matextra malmö, poszukała informacji o właścicielach marketu. Dyrektorem był niejaki Anders Svensson. Zadzwoniła do biura numerów i poprosiła o połączenie z marketem MatExtra w Malmö. Odebrała telefonistka z centrali.

– Chciałabym rozmawiać z Lindą, kierowniczką sklepu.

Linda podeszła niemal natychmiast.

– Nazywam się Annika Bengtzon, jestem siostrą Birgitty, która jeszcze niedawno u was pracowała.

– Tak…

– Zastanawiam się, co się stało w sobotę, szesnastego maja.

– Nie bardzo rozumiem…

– Coś się musiało stać. Birgitta czymś się zdenerwowała. Zastanawiam się, co to było.

Po drugiej stronie zapadła cisza.

– Albo mi pani powie, albo pójdę do Andersa Svenssona i powiem, jak fatalnie wywiązuje się pani ze swoich obowiązków.

Kobieta oddychała głośno.

– O czym pani mówi? I kim pani jest? Proszę powtórzyć nazwisko.

– Jestem starszą siostrą Birgitty. I chcę wiedzieć, co się stało. Jeśli pani mi powie, nie będę pani więcej nękać.

Gdzieś w tle ktoś zamknął drzwi.

– Nic takiego się nie stało – zaczęła Linda. – Powiedziałam Birgitcie, że nie dostanie etatu, o którym wcześniej rozmawiałyśmy. Byli tacy, którzy czekali na niego dłużej, musiałam to wziąć pod uwagę...

– Więc złamała pani obietnicę, tak?

– Obietnicę jak obietnicę, rozmawiałyśmy o tym...

– Dziękuję. – Annika się rozłączyła.

Elin, a może inna kasjerka, poskarżyła się szefowi i Linda zmieniła zdanie. Birgitta najwyraźniej bardzo to przeżyła i zamiast wrócić do domu, poszła po pracy do baru i zaczęła pić.

Ale dlaczego potem zniknęła? Dlaczego okłamała koleżankę? Dlaczego powiedziała, że dostała inną pracę?

Wiatr rozwiewał jej włosy, odgarnęła je swoimi świeżo polakierowanymi paznokciami. Jej wzrok padł na drzwi domku i nagle zamarła.

Obok zamka jaśniało surowe drewno. Listwa przy drzwiach była lekko przekrzywiona.

Wstała, podeszła bliżej.

Ktoś próbował się włamać. Ślady były ledwie widoczne, ale jednak.

Przypomniała sobie, co mówił Roland o niedawnej fali włamań w okolicy.

Chwyciła za klamkę. Drzwi się otworzyły, zawiasy zaskrzypiały. Poczuła, jak jej tętno przyspiesza, bicie serca odbijało się echem w jej głowie.

Weszła do sieni.

– Birgitta?

W domku pachniało wilgocią i stęchlizną. Podłogę pokrywała gruba warstwa kurzu. Powiew wiatru sprawił, że drobinki kurzu zaczęły wirować w powietrzu.

Nikogo nie było, na zakurzonej podłodze nie było żadnych śladów.

Nagle drzwi zamknęły się z hukiem. Wzdrygnęła się, krzyknęła. Słyszała zawodzenie wiatru w szparach. Rzuciła się do drzwi, otworzyły się, wybiegła na podwórze. Było puste, jak chwilę wcześniej.

Odetchnęła z ulgą, zaczekała, aż jej serce się uspokoi.

Wróciła do domku, dokładnie zamknęła za sobą drzwi i spojrzała na zegarek.

Musiała wracać. Miała pracę, wzywały ją obowiązki.

Westchnęła ciężko, odgarnęła włosy z twarzy. Pomyślała o Gustafie Holmerudzie i ruszyła do samochodu.

USŁYSZAŁ JĄ, jeszcze zanim ją zobaczył.

Szła przez las niczym czołg, przedzierała się przez chaszcze, miażdżąc stopami trawę. Szła szybko – i szła w jego stronę.

Przeszedł bezszelestnie przez podwórze, wycofał się na skraj lasu. Niewielkim patykiem wyprostował trawę, którą zgniótł. Nie chciał zostawiać żadnych śladów.

Schował się za choinką. Stał nieruchomo i patrzył, jak wchodzi na podwórze i zatrzymuje się.

To była ona, natychmiast ją rozpoznał.

Była lekko zdyszana. Stała i próbowała uspokoić oddech, patrzyła w stronę domu. Może zwykła tam przychodzić? To by mu ułatwiło sprawę.

Przyglądał się jej, jej ruchom. Widział, jak podchodzi do domku i zagląda przez okno do kuchni. Była szczupła, ale sprawiała wrażenie silnej, i na pewno była szybka. Właściwie stała pod oknem nieco za długo. Zaczął się niepokoić, że coś spostrzegła, że popełnił jakiś błąd. Ale może po prostu się zamyśliła? Nagle wyjęła z kieszeni spodni komórkę i wybrała jakiś numer. Oparła się o ścianę, rozmawiała z kimś, patrząc na jezioro. Nie słyszał, o czym rozmawia, ale to nie miało znaczenia.

Zakończyła rozmowę, oparła głowę o ścianę. Stała chwilę pogrążona w myślach. Potem podeszła do schodków, znów wybrała numer i znów zaczęła rozmawiać. Potem chyba czytała coś na wyświetlaczu, a potem znów chwilę rozmawiała.

A potem coś się stało, wytężył wzrok.

Patrzyła na drzwi, zauważyła coś, co ją zaniepokoiło. Domyśliła się, że ktoś próbował się włamać.

No cóż, to też nie miało większego znaczenia. Patrzył, jak uważnie bada zamek, a potem łapie za klamkę, usłyszał zawodzenie zawiasów. Weszła do sieni, powiedziała coś. Nie usłyszał co. Może: halo, jest tam ktoś? Coś w tym stylu. Na szczęście słuch miał lepszy niż jego brat. Jego brat, jego lustrzane odbicie, na początku był nieco za bardzo zafascynowany bronią. To było jeszcze, zanim zrozumieli, że nie ma sensu targać ostrej broni, skoro wystarczyła niewielka skrzynka z narzędziami. Ale wtedy było już za późno, szkody okazały się nieodwracalne. Jego brat już nigdy dobrze nie słyszał, ale nie narzekał. Pogodził się z tym, nauczył się akceptować swój stan.

Wiedział, że jego brat, siedząc w więzieniu, na pewno dużo o nim myśli. Sam też próbował, chciał podtrzymać więzy, które ich łączyły, ale nie udawało mu się.

To były straszne lata. *Annus horriblis*, jak się kiedyś wyraziła brytyjska królowa. Żył w cieniu, jak zwykle kiedy obaj byli w Szwecji i jeden mieszkał w willi w Täby albo kiedy obaj byli w Hiszpanii i drugi mieszkał w szeregówce. Wynajmowali wtedy mieszkanie w którejś z gorszych dzielnic, pod innym nazwiskiem. Wtedy był Cieniem, tym, którego tak naprawdę nie było. Teraz przestał się ukrywać. Mimo że gazety wielokrotnie publikowały zdjęcie jego brata, nikt nie zwracał na niego uwagi. W tłoku człowiek mniej rzuca się w oczy. To zawsze była ich dewiza. W jego bloku, w sąsiedniej klatce, trzy lata leżały w mieszkaniu zwłoki kobiety. Nikt jej nie szukał. Jego też nikt nie będzie szukać.

Przez las przeszedł wiatr, podmuch szarpnął drzwiami domku, zamknął je z hukiem. Usłyszał, jak kobieta krzyknęła, przestraszyła się.

Wybiegła na podwórze, rozejrzała się przestraszona. Tak, miał rację, była szybka. Spojrzała na drzwi, przez moment miał nawet wrażenie, że patrzy na niego, ale go nie zauważyła. Był tego pewien. Stała tak dobrą minutę, potem odwróciła się, zamknęła za sobą drzwi i ruszyła z powrotem ścieżką przez las.

Stał nieruchomo, ukryty za sosną. Siedem minut. Obliczył, że tyle czasu będzie potrzebować kobieta, żeby dotrzeć do drogi numer sześćset osiemdziesiąt sześć. I rzeczywiście po siedmiu minutach usłyszał warkot silnika.

Ale przecież mu się nie spieszyło.

Dopiero po półgodzinie wyszedł z kryjówki i wrócił do przerwanej pracy.

NAKAZ ARESZTOWANIA wysłany przez hiszpańską prokuraturę wpłynął do sztokholmskiego sądu późnym popołudniem. Hiszpanie zażądali wydania Ivara Berglunda, podejrzanego o zamordowanie hiszpańskiego biznesmena Ernesta Jaki. Zbrodnię popełniono przed osiemnastu laty w San Sebastián.

Wiadomość dotarła do Niny, kiedy siedziała w ogródku restauracji La Concha. Dostała SMS-a od Johanssona, wysłał go zaledwie kilka minut po zarejestrowaniu wniosku w sztokholmskim sądzie. Przeczytała wiadomość dwa razy. W końcu schowała komórkę, podniosła głowę i spojrzała na Zatokę Biskajską. Poczuła w żołądku falę ciepła. Teraz miała już pewność. Jeśli Berglund nie zostanie skazany w Szwecji, zostanie przekazany Hiszpanii. Stanie przed sądem i usłyszy wyrok. Hiszpanie nie byli skorzy do wypuszczania morderców na wolność. Kara za morderstwo wynosiła dwadzieścia lat, maksymalna nawet czterdzieści.

Zawołała *el caballero*, poprosiła o rachunek. Zapłaciła i ruszyła z powrotem do komendy głównej policji.

San Sebastián, po baskijsku Donostia, rozczarowało ją. Nie żeby miała jakieś zastrzeżenia do samego miasta, jego architektury albo położenia. Przeciwnie, stara część miasta wiła się malowniczo wzdłuż zatoki, ale to nie była jej Hiszpania. To nie był jej kraj, to nie były jej ulice, to nie był jej język. Wszędzie dookoła słyszała baskijski, który nawet nie przypominał jej języka, *castellano*. A piękne budynki mogły równie dobrze stać we Francji albo w Szwajcarii. Szare kamienne fasady, bogato zdobione, solidne, drogie. Po dziedzictwie Maurów, białych, zalanych słońcem domkach i tarasowych oliwnych gajach, które w czasach kiedy była dzieckiem, tworzyły krajobraz, nie zostało już nawet śladu.

Wróciła do komendy już jako obserwator z ramienia Szwecji. Po południu Interpol oficjalnie to potwierdził.

Komisarz Elorza czekał na nią w swoim ciasnym gabinecie.

– Słyszałem, że nasze żądanie wydania *señora* Berglunda zostało zarejestrowane przez szwedzkie władze. Szybko. Macie sprawnie działającą administrację.

– Szwecja ma wiele zalet – przyznała Nina, siadając na krześle. – Sprawna biurokracja to jedna z nich. Druga to humanitarne traktowanie kryminalistów.

– A wady?

Musiała się chwilę zastanowić.

– Tyrania dobrobytu – powiedziała w końcu. – Ciągła potrzeba, żeby dawać z siebie więcej. Wszelkie zmiany budzą niezadowolenie. No i przekonanie, że jest się najlepszym na świecie, we wszystkim…

Komisarz się roześmiał.

– Odbyłem długą rozmowę z Javierem Lopezem, moim kolegą z Albuñol – powiedział.

Nina czekała w milczeniu.

– Dziwne, jak niektóre rzeczy zostają nam w pamięci. Lopez nadal pamięta tamten wypadek. Samochód Szweda zleciał w przepaść. A przecież minęło już ponad dwadzieścia lat. To były pierwsze lata jego służby, może dlatego wywarło to na nim takie wrażenie.

Nina zaciskała mocno pięści, nadzieja ciążyła jej niczym kamień.

– Sięgnął po akta z tamtych lat. Okazało się, że wszystko dobrze pamiętał. – Zaczął przekładać papiery. – To był luty, środa, właściwie już noc. Cały wieczór padało, a wtedy drogi w górach robią się śliskie. Jeśli się ma kiepskie opony, łatwo o poślizg. Samochód prowadzony przez *señora* Berglunda zjechał z drogi prosto w przepaść, tuż za Albondón. Uderzył o skały i stanął w płomieniach. Cały spłonął. Nie było czego identyfikować.

Nina próbowała sobie wyobrazić tę scenę.

– Nie było czego? Mimo deszczu i mokrego podłoża?

– Tak mi to przedstawiono.

– Skąd wiadomo, że to był samochód Arnego Berglunda? I że to on prowadził?

– Odczytano tablicę rejestracyjną. Samochód, volvo 164, był zarejestrowany na Arnego Berglunda. Z samochodu wyleciała walizka, był w niej jego portfel. Ciało, które znaleziono przypięte pasami do fotela kierowcy, było ciałem mężczyzny wzrostu Berglunda. I w jego wieku. Na ciele znaleziono spalony zegarek i łańcuszek. Należały do Arnego Berglunda…

– Kto to stwierdził?

Komisarz zerknął do notatek.

– Brat ofiary, Ivar Berglund.

Nina jeszcze mocniej zacisnęła pięści.

– Arne Berglund był zameldowany w Marbelli – ciągnął komisarz. – Miał tam niewielki domek szeregowy. Prowadził firmę, działał w branży drzewnej.

– Co się stało z domem i z firmą?

Komisarz spojrzał na Ninę, zmrużył oczy.

– Byłem pewien, że o to spytasz. I domek, i firmę odziedziczył brat. Przejął interesy Arnego, prowadził firmę ze Szwecji, ale już na mniejszą skalę. Szeregówka nadal jest jego własnością.

Nina poczuła przypływ adrenaliny.

– Może to wcale nie jego brat zidentyfikował zwłoki, tylko on sam. Bo to nie on zginął w tym wypadku, tylko ktoś inny. Nie wiem, jak to wszystko przebiegało, ale to nie Arne Berglund spłonął we wraku tamtego samochodu.

– Trudno będzie to udowodnić.

Nina miała ochotę wstać, ale zmusiła się do zachowania spokoju.

– Nie skupiajmy się teraz na ofierze wypadku, tylko na człowieku, który żyje.

Wyprostowała się.

– Nie jestem pewna, ale mam wrażenie, że jest jedna okoliczność, którą powinniśmy zbadać. Bracia są swoimi wiernymi kopiami. Po wypadku nadal żyli jak dawniej, w Szwecji i w Hiszpanii, udając, że są jedną osobą. Dopóki nikt ich nie zobaczy razem, są bezpieczni.

Komisarz pokiwał głową. Wydawał się lekko ubawiony.

– Dzisiaj jeden z braci przebywa w szwedzkim więzieniu, oskarżony o morderstwo. Który? I jak sądzisz, gdzie jest ten drugi?

– Nie wiem, który jest który – powiedziała Nina. – Poza tym to chyba nie ma znaczenia, bo winni są obaj. Ten, który w tej chwili przebywa na wolności, musiał się przez rok ukrywać. Zapewne ma dostęp do mieszkań albo domów innych niż te, o których wiemy.

– Tutaj albo w Szwecji, albo gdziekolwiek.

Nina wzięła głęboki oddech.

– Jeszcze jedno pytanie: ma pan może adres tej szeregówki w Marbelli?

Komisarz się uśmiechnął.

ANDERS SCHYMAN był zawiedziony. Piekło go w gardle. I nie był to objaw niestrawności po służbowym lunchu z członkami zarządu. Dał przewodniczącemu do zrozumienia, że szykuje się duży temat. Wznowienie postępowania sądowego. Na horyzoncie pojawiło się światełko. Ale kiedy dostał krótkiego SMS-a od Anniki Bengtzon po spotkaniu w Bunkrze – „Nie będzie wywiadu, Holmerud się opiera. Może jeszcze się uda, szczegóły później" – wyciągnął fałszywe wnioski. Sądził, że wywiad ma zostać przeprowadzony dopiero następnego dnia albo jeszcze później, że coś się jeszcze uzgodni. Tego się nie spodziewał.

Albert Wennergren odłożył notatkę Anniki na biurko.

– No proszę – powiedział.

Schyman udał, że nie słyszy sarkazmu w jego głosie.

– Jesteś zdziwiony? – spytał tylko.

Przewodniczący zarządu poprawił się na krześle. Uśmiechnął się.

– Raczej mile zaskoczony. Najpierw zrobiliście z niego seryjnego mordercę, a teraz walczycie o jego rehabilitację. To nazywam ofensywnym dziennikarstwem.

Schyman spojrzał na zadowolonego z siebie prezesa. Był typowym przedstawicielem klasy wyższej: arogancja, sposób bycia i ubierania się – drogi zegarek, markowy sweter, robione na miarę skórzane buty. To właśnie to – jak to określił – ofensywne dziennikarstwo zapłaciło za to wszystko. A teraz siedział i dworował sobie z ich pracy.

– Musimy wysondować teren, sprawdzić, czy inne media są zainteresowane. Powinniśmy zsynchronizować publikacje, to może potrwać.

Albert Wennergren pokiwał głową. Zamyślił się.

– Zastanawiam się, jak długo inni zamierzają trwać przy wydaniach papierowych – powiedział. – Przyszło nam żyć w ciekawych czasach – skwitował.

W tej kwestii Schyman nie miał nic do dodania, więc milczał. Wennergren znów sięgnął po notatkę.

– Chciałbym z nią porozmawiać. Jestem ciekaw, co Holmerud jej powiedział. Dokładnie.

Schyman powiódł wzrokiem po redakcji. Annika właśnie zamykała laptopa. Obok biurka, które dzieliła z Berit, stał obraz przedstawiający kolorowego faceta. Zaczął się zastanawiać, co tam robi.

– Musisz się pospieszyć. Właśnie się zbiera do domu.

Prezes zerwał się na nogi, rozsunął szklane drzwi i wyszedł. Powiedział coś do Anniki, spojrzała na niego zdziwiona. Po chwili razem ruszyli w stronę szklanej klatki.

– Powiedział dokładnie to, co napisałam w notatce – oświadczyła Annika, wchodząc do gabinetu.

Wennergren zamknął za nimi drzwi.

– Znudziło mu się więzienie i chce wyjść na wolność. Pamiętajcie, że mordercy kobiet nie mają za kratkami łatwo. Może koledzy dokuczają mu w stołówce.

– To bardzo ciekawe – odezwał się Wennergren, machając notatką Anniki. – Jestem w zarządzie zarówno stacji telewizyjnej, jak i naszego rodzinnego wydawnictwa. Mógłbym się skontaktować z kilkoma osobami i moglibyśmy coś razem przedsięwziąć. Mogłaby powstać seria artykułów, dokument telewizyjny, a nawet książka. Wszystko jednego autora. Dobra koordynacja to czysty zysk…

– Świetny pomysł – weszła mu w słowo Annika. – Tylko po co się ograniczać do Holmeruda? Jeśli skoordynujemy wszystko, to jeszcze trochę i wystarczy nam jeden dziennikarz na cały kraj.

Schyman poczuł, że serce mu zamiera, ale Wennergren zaczął się śmiać.

– Siadaj, proszę – zwrócił się do Anniki, podsuwając jej krzesło.

Annika usiadła. Miała podkrążone oczy, wyglądała na zmęczoną, wręcz wyczerpaną. Jej paznokcie świeciły wszelkimi możliwymi kolorami, wyglądało to groteskowo.

– Jak się czujesz? – spytał Schyman.

– Tak sobie. Moja siostra zaginęła.

Schyman uniósł brwi.

– Coś dla nas? – zaciekawił się.

– Mam nadzieję, że nie – powiedziała, spoglądając na swoje paznokcie.

– Jakie wrażenie zrobił na tobie Gustaf Holmerud? – spytał Wennergren. Zaginione siostry najwyraźniej nie robiły na nim żadnego wrażenia.

– Chętnie przejmuje inicjatywę i lubi manipulować – odpowiedziała Annika. – Zebrał dużo informacji o dziennikarzach, którzy pisali o jego sprawie. Zna wiele szczegółów z mojego życia, i Berit, i Patrika Nilssona, i Bossego z „Konkurrenten". Nie wierzę, że popełnił wszystkie te zbrodnie, z wyjątkiem pierwszej. Sporo o niej czytałam i sądzę, że w tym przypadku jest winny.

– Więc nie powinniśmy się zgadzać na jego warunki? – spytał Schyman.

Annika zagryzła wargi.

– Uważam, że powinniśmy. Z jednego powodu: żeby oddać sprawiedliwość ofiarom. W tej chwili po świecie chodzi czterech morderców, ponieważ Holmerud wziął na siebie ich winy. Dlatego uważam, że nie powinniśmy go skreślać. Jeszcze nie.

– Ale ty nie chcesz z nim rozmawiać? – spytał Schyman.

– Na mnie się nie zgodzi. Chce, żeby to był ktoś poważny, z pozycją.

Wennergren pokiwał głową.

– Zależy mu na zrobieniu wrażenia. Dlatego ma to być ktoś, kogo ludzie słuchają, kto się cieszy szacunkiem – ciągnęła Annika.

– Ale ty znasz sprawę – nie ustępował Schyman. – Mogłabyś zebrać trochę informacji, porozmawiać z ludźmi, zastanowić się, jak to wszystko zsynchronizować…

– A potem ktoś z pozycją zgarnie nagrodę? – Annika oparła dłonie o podłokietniki i wstała. – Mam nadzieję, że mi wybaczycie, ale mam jeszcze sporo do zrobienia.

– Co to za obraz? – spytał Schyman, kiwając głową w stronę jej biurka.

– Ma przedstawiać niemieckiego malarza, który twierdzi, że kobiety nie potrafią malować – powiedziała i wyszła z pokoju. Zamknęła za sobą drzwi.

Wennergren patrzył zamyślony, jak idzie w stronę portierni ze swoją okropną torbą na ramieniu.

– Masz rację – zwrócił się do Schymana. – Byłoby dobrze, gdyby sąd zdecydował się wznowić proces. Do końca na posterunku. Myślisz, że zdążymy?

– To zależy od was, od tego, kiedy nas zlikwidujecie.

– Będziemy musieli wziąć to pod uwagę – rzucił Wennergren i zaczął zbierać swoje rzeczy.

DZIECI ZASNĘŁY PÓŹNO, jasność za oknem działała na nie pobudzająco. Poza tym były podniecone: następnego dnia czekało je zakończenie roku szkolnego.

Annika krążyła po mieszkaniu w półmroku. Nasłuchiwała odgłosów windy, czekała na Jimmy'ego. Samolot z Brukseli był opóźniony z powodu burzy.

Przed oczami miała Birgittę. To były sprzeczne obrazy. Była uzdolniona, ale nie zawsze dobrze traktowana, była kochana, ale wpadła w alkoholizm...

Annika poszła do garderoby i zaczęła szukać kartonu ze starymi listami i wycinkami z gazet. Przy okazji znalazła pudełko ze zdjęciami z dzieciństwa.

Usiadła w salonie z pudełkiem na kolanach. Mama od zawsze zamierzała uporządkować zdjęcia i zrobić z nich album, ale nigdy się nie zmobilizowała.

W gasnącym świetle padającym z okna zaczęła przeglądać zdjęcia: niekończące się letnie wieczory, Wigilie, urodziny. Birgitta, zawsze uśmiechnięta, i ona, zawsze odwracająca głowę. Zdjęcie z plaży nad Tallsjön, lody i niebieski koc, ręczniki kąpielowe, i znów: ona z profilu, Birgitta uśmiechająca się do obiektywu. Nagle przyszło jej do głowy, że siostra jej kogoś przypomina. Kogoś, kogo niedawno widziała...

Destiny, oczywiście.

Pozwoliła, żeby zdjęcia opadły jej na kolana, rozpłakała się.

A jeśli Birgitta nie wróci, jeśli naprawdę coś jej się przydarzyło? Co się wtedy stanie z jej córeczką?

Usłyszała, jak klucz obraca się w zamku, otarła łzy.

– Cześć – powitał ją Jimmy, stawiając na podłodze walizkę i teczkę. – Siedzisz tu tak w ciemnościach?

Uśmiechnęła się do niego, chociaż nie mógł tego widzieć.

– Dobrze, że już jesteś.

Wszedł do pokoju, usiadł obok niej na kanapie i ostrożnie ją pocałował.

– Dzieciaki śpią?

– Niedawno zasnęły. Są podniecone zakończeniem roku.

– Pójdę z nimi. Jeśli dobrze pamiętam, masz rano spotkanie z psycholożką.

Annika wyprostowała się, przytuliła się do niego i mocno go pocałowała. Pomyślała, że jej usta smakują łzami.

– Jak się czujesz? – wyszeptał.

Skuliła się.

– Tak sobie.

Przytulił ją mocniej i zaczął lekko kołysać. Przestała płakać. Jego ręce były twarde jak kamienie, miał ciepłą skórę.

– A jak tobie poszło? – spytała Annika.

Jimmy westchnął, zwolnił uścisk.

– W Brukseli dobrze, ale mam problem z Thomasem.

Annika podniosła głowę.

– Nie wiem, co się z nim dzieje – powiedział Jimmy. – Nie wywiązuje się z obowiązków. Upiera się przy rozwiązaniu, które raz na zawsze zapewni anonimowość wszystkim internetowym kretynom. Chciał przedłożyć projekt dzisiaj na posiedzeniu rządu. Musiałem go powstrzymać.

– Rozumiem, że nie był zadowolony.

– Niestety. Patrzył na mnie, jakbym mu właśnie odrąbał drugą dłoń. Ale trudno. Powiedz lepiej, czy masz jakieś wieści o siostrze.

Annika przełknęła ślinę.

– Okazuje się, że zniknęła już dwa tygodnie temu. Kierowniczka sklepu, w którym pracowała, nie zgodziła się zatrudnić jej na etat, chociaż jej to obiecała, więc Birgitta zamiast po pracy wrócić do domu, poszła się upić. Potem pokłóciła się ze Stevenem i uciekła. Wyjechała. Od tamtej pory z nią nie rozmawiał, ale wymieniali SMS-y. Podobno jest jej wstyd i potrzebuje trochę czasu dla siebie. Próbowała też skontaktować się ze mną.

Jimmy zagwizdał.

– W zeszłym tygodniu była w Hälleforsnäs. Rozmawiałam z Rollem. Widział ją w samochodzie w Malmköping. Wiem też, że szukała domku na lato. Rozmawiała ze swoją dawną nauczycielką rysunku, chciała wynająć od niej domek. Może zamierza wrócić… – Przełknęła ślinę. – Dzwoniła też do Harpsundu, pytała, czy mogłaby wynająć Lyckebo.

Jimmy dmuchnął jej we włosy.

– Gdzie spotkałaś Rollego?

– W kawiarni w outlecie.

– Zamówił coś, co podnosi ciśnienie?

Annika zarzuciła mu ręce na szyję. Przed oczami stanęła jej okrągła twarz Rollego i jego wesołe oczy.

– Sprawiał wrażenie zadowolonego z życia. Prosił, żebyśmy odwiedzili jego i Sylwię w Mellösie.

Jimmy pocałował ją w szyję.

– Wiesz, że kiedy byliśmy buzującymi od hormonów nastolatkami, byłaś dziewczyną naszych marzeń?

– A Birgitta? Była ładniejsza ode mnie.

– Ty miałaś w sobie więcej seksu – wyszeptał Jimmy.

Znów się pocałowali, jeszcze mocniej, ich oddechy zlały się w jeden.

Piątek, 5 czerwca

– TAK WŁAŚNIE SIĘ PANI CZUJE? Kiedy ma pani atak?

Annika skrzyżowała ręce i nogi.

– Chyba tak.

– Może pani opisać jego przebieg?

Po co? Przecież psycholożka właśnie była jego świadkiem.

– Cierpi pani na zespół lęku napadowego. Nie pani jedna. To nie jest nic niezwykłego.

Jakby to ją miało pocieszyć.

– Nie rozumiem, dlaczego nie można im zapobiec. Czuję, kiedy atak się zbliża, i nie jestem w stanie nic zrobić.

Psycholożka wyglądała, jakby chciała ją o coś spytać, ale chyba zmieniła zdanie.

– Ma pani skłonność do unikania nieprzyjemnych sytuacji. Walczy pani, wypiera swoje uczucia. To też część pani problemu. Nie można powstrzymać ataku siłą woli. Ale jeśli znajdzie pani w sobie dość determinacji, może pani spróbować się skonfrontować ze swoimi traumami. Poddać się panice i zaczekać, aż minie.

Annika się skuliła, zamieniła się w małego podejrzliwego trolla. Łatwo babie mówić. Siedziała w swoim fotelu i przewracała kartki w notesie. Pewnie też miała swoje problemy, jak wszyscy. Ale żeby się dostać na psychologię, trzeba mieć bardzo wysoką średnią, podobnie jak na medycynę albo do Wyższej Szkoły Handlowej. Więc pewnie nie tylko była inteligentna, ale też dorastała w bezpiecznej, stabilnej rodzinie. Klasa średnia, spokojne przedmieście albo piękne duże mieszkanie w centrum Sztokholmu. Na palcu lewej ręki błyszczały dwie złote obrączki, więc była zamężna. Lekkie krągłości w talii mogły świadczyć o przynajmniej jednej ciąży. Co ona mogła wiedzieć o lęku napadowym? Tak naprawdę.

– Tuż przed atakiem rozmawiałyśmy o pani chłopaku, o Svenie, o tym, jak…

– Nie chcę do tego wracać – przerwała jej Annika.

Psycholożka zamknęła notes i spojrzała na nią.

– Rozumiem, ale jeśli chce pani poradzić sobie z napadami, to niestety musi pani stawić temu czoło.

– Nie jestem w stanie – broniła się Annika.

Psycholożka się uśmiechnęła.

– Jest pani w stanie znieść więcej, niż się pani zdaje. Emocje, o których pani opowiada, są jak najbardziej normalne. Tylko reakcja organizmu jest przesadzona. Chociaż nie stanowi zagrożenia. Spróbuję pani pomóc.

Annika poczuła, że się odpręża.

– Jak?

– Złapię panią, jeśli będzie wyglądało na to, że pani upadnie.

Przeszył ją dreszcz, odezwała się ciekawość. No właśnie, jedno z uczuć podstawowych! Przełknęła ślinę.

– Nie wiem, co miałabym zrobić.

– Proponuję zacząć od tego, jak pani poznała Svena.

Ściany nagle pociemniały, zaczęły na nią napierać.

– Co pani teraz czuje? Co się z panią dzieje?

Annika odchrząknęła.

– Mam wrażenie, że robi się ciemno. Tu, w pokoju. Trudniej mi oddychać.

– Proszę określić swoje samopoczucie w skali od jednego do dziesięciu.

Annika zaczęła się zastanawiać, próbowała odczytać własne emocje.

– Nie czuję się źle. Oceniłabym je na dwa.

– Ma pani siłę kontynuować?

– Oczywiście.

Poczuła się raźniej, wytarła dłonie o dżinsy.

– Był najprzystojniejszym chłopakiem w szkole. Wszystkie dziewczyny się w nim kochały. A on wybrał mnie. – Odprężyła się. – To było jak wygrana na loterii. A przecież ja nawet nie kupiłam losu. Nie pojmowałam, co on we mnie widzi. Ja, która…

Poczuła, że coś ją ściska za gardło.

– Która co? Jaka pani była? – dopytywała się psycholożka.

– Byłam nikim – powiedziała Annika. Nagle poczuła, że ma łzy w oczach, nie była w stanie ich powstrzymać.

– Co pani teraz czuje? Dyskomfort? Smutek?

Annika pokiwała głową, sięgnęła po chusteczkę i starła tusz. No tak, chusteczki się jednak przydały.

– Wiem, że jest pani trudno. Jak by pani określiła swój stan w naszej skali?

– Może trójka?

Psycholożka czekała cierpliwie. Annika wytarła nos.

– Teraz zadam pani pytanie, które zapewne wyzwoli reakcję pani organizmu. Proszę spróbować wsłuchać się w swoje ciało, zaobserwować, co się z nim dzieje. Czy robi się pani gorąco, czy zimno. Dobrze?

Annika znów skinęła głową. Psycholożka zmrużyła oczy. Przyglądała się jej.

– Poprzednim razem opowiadała pani o tym, jak Sven panią gonił, i o tym, że często pani groził, bił.

Annika czuła, jak rośnie jej ciśnienie, pole widzenia przesłoniła ciemność.

– Może pani opisać taką sytuację?

– Było ich wiele.

– Proszę wybrać jedną.

Telewizor, wyłączony dźwięk, mecz piłki nożnej, w rękach ciepły karton po pizzy, zapach ciasta i oregano, i cios, który trafia ją w lewą skroń, znienacka, bez żadnego ostrzeżenia, ser na ręce, ty kurwo, widziałem cię, o czym gadałaś z Rollem, pieprzyłaś się z nim?

Pokój zniknął, została tylko ciężka ciemnoszara ciemność, nie mogła oddychać.

– Co pani teraz czuje? Może pani to opisać?

Głos psycholożki ciął ciemność, w mroku pojawiła się jasna szczelina.

– Padam. Szarość mnie pochłania.

– Jak pani ocenia stopień dyskomfortu?

Annika próbowała ocenić swoje emocje. Czy rzeczywiście było całkiem ciemno?

– Pięć, może…

– Jest pani w stanie pójść dalej?

Oddychała z otwartymi ustami, czuła, jak powietrze przechodzi jej przez przełyk. Więc jednak oddychała.

Ona na nim, on głęboko w niej, i policzek, bez ostrzeżenia, robię to dla ciebie! Bose stopy na śniegu, krew z macicy...

– Siedem – powiedziała. – Brakuje mi powietrza.

– Może pani kontynuować?

Ciemności. Huta zamyka się wokół niej. Rdza i popiół. Jego oddech odbija się echem od betonowych ścian, to koniec, wie o tym, tym razem mu nie umknie, nie możesz mnie zostawić, co ja bez ciebie zrobię? Annika, do cholery, przecież ja cię kocham!

– Dziesięć – wydusiła.

– Świetnie sobie pani radzi – usłyszała gdzieś wśród cieni głos psycholożki. – Ma pani prawo tak się czuć, niech pani z tym nie walczy.

– Nie chcę – jęknęła Annika.

– Gdzie pani jest? Co pani widzi?

Whiskas, śliczny, słodki koteczku, nie, nie, nie!

– Kotka – powiedziała. A może tylko pomyślała?

Nóż w powietrzu, śmiertelny krzyk kotka, NIE, NIE, NIE, pręt, chropowata rdza na dłoni. I cios, w powietrzu, drżące niebo, świat zabarwił się na czerwono, stała z martwym kotkiem na ręku, pozwoliła wybrzmieć ciemności.

Cisza.

Ciemność jej nie pochłonęła.

Pokój wrócił. Powietrze było lekkie, jasne, czuła je w nosie, w przełyku, odrobina kurzu i słonecznych promieni. Okulary psycholożki błyszczały w słońcu.

– Nie dostałam ataku – powiedziała Annika zdziwiona, niemal zawiedziona.

– Będzie pani musiała nad tym popracować, czeka panią wiele trudnych sytuacji, ale jestem przekonana, że uda się pani powstrzymać ataki – powiedziała psycholożka.

– To naprawdę takie proste?

Nie bardzo w to wierzyła.

Spojrzała w okno.

– Zabił mojego kotka – powiedziała.

Psycholożka patrzyła na nią. Czekała.

– To nie był wypadek. Chciałam, żeby umarł. Zabiłam go. – Pokiwała głową. – Nie za to, co mi zrobił. Za to, co zrobił mojemu kotkowi.

ANDERS SCHYMAN słyszał odgłosy zbliżającej się burzy, jeszcze zanim wsiadł do samochodu. Goniony przez błyskawice jechał wężykiem w korkach, czuł naładowane elektrycznością powietrze, zapach prochu wisiał w powietrzu. Niemal przebiegł przez redakcję, czując w żołądku zbliżającą się katastrofę. Ludzie tłoczyli się wokół niego. Jak zwierzęta ofiarne prowadzone na rzeź, pomyślał, nieprzeczuwające tego, co je czeka. Miał wrażenie, że powietrze nie mieści mu się w płucach, zdyszany dotarł na miejsce. Zebranie mogło się rozpocząć.

Patrik Nilsson rozdawał zebranym kopie z propozycją kolejnego wydania. Był wyraźnie podekscytowany. Byli tam wszyscy: redaktorzy odpowiedzialni i współpracownicy. Sam ich wychował, wyszkolił, ostrzegał ich i droczył się z nimi. *Nie obawiajcie się odpowiedzialności, przesuwajcie granice, uwzględniajcie wszystkie aspekty sprawy.* Zasiadł przy stole konferencyjnym i zamknął oczy. Czekał, aż głosy zamilkną i zebranie będzie się mogło rozpocząć.

– Proces Ivara Berglunda został odroczony, policja ma skoordynować dochodzenie z policją hiszpańską – powiedział Patrik, opadając na krzesło. – Mamy zdjęcia tego hiszpańskiego biznesmena? Podobno miał pięcioro dzieci. Mamy ich zdjęcia?

– Dobiegają pięćdziesiątki – powiedział szef działu zdjęciowego, nie podnosząc głowy.

– OFIARA DRWALA – zaanonsował Patrik. Miał już gotowy tytuł.

– Jeszcze nie został skazany – wtrącił któryś z dziennikarzy.

Schyman nie zauważył kto.

– Damy nagłówek: Policja podejrzewa – perorował dalej Patrik. – Porozmawiamy z przestraszonymi turystami z San Sebastián. Przeżyli wstrząs.

– Pochodził z Bilbao.

Patrik coś zanotował.

– Damy artykuł o morderstwie w Nacce, o nim, o jego międzynarodowych powiązaniach. Coś jeszcze?

– Może ktoś porozmawia z profesorem ze Szkoły Policyjnej? Poprosi o komentarz – zaproponowała Carina z działu rozrywki.

– A co facet może wiedzieć? – Sjölander miał wątpliwości.

– To nie ma znaczenia – stwierdził Patrik. – Poproście Berit, żeby zadzwoniła do profesora. Co mamy w dziale społecznym?

– Rano przyszły wyniki nowego badania opinii publicznej. Rząd będzie musiał podać się do dymisji.

– Jakieś statystycznie istotne zmiany w porównaniu z poprzednim badaniem?

– Raczej nie – przyznał Sjölander.

– Więc co dajemy?

– Możemy spytać profesora. Może rzuci kilka kąśliwych uwag pod adresem jakiegoś ministra, skoro i tak będzie się wypowiadać?

– Dobry pomysł. Sport?

– Zlatan opowiada o sobie w roli ojca. Dobre. I mocne. Wszyscy notowali.

– Rozrywka?

– Jutro mamy święto narodowe. Księżniczka Madeleine nie wsiadła jeszcze do samolotu. Mamy w Newark ludzi, trzymają rękę na pulsie. Może przyleci SAS-em, dzisiaj po południu.

– Jej nieobecność może kogoś zbulwersować?

– Może Hermana Lindqvista? – zaproponowała Carina z działu rozrywki.

– Nie, rozmawialiśmy już z nim na ten temat. Proponuję dotrzeć do któregoś z uczestników zeszłorocznego *Big Brothera*. Są skłonni powiedzieć wszystko, byle tylko zaistnieć…

Carina zanotowała. Schyman założył ręce na brzuchu, najchętniej zacząłby się bić pięściami w głowę.

– Co jeszcze? Proponuję tytuł: Mamy jej to za złe.

– Rosa chce wystartować w Festiwalu Piosenki – powiedziała Carina. – Przygotowała kilka piosenek…

Nagle Schyman wstał, wszyscy spojrzeli na niego. Widział ich jakby z oddali, twarze wirowały mu przed oczami, jakby zaraz miały wylądować w gigantycznej kloace. Czuł, że się poci.

– Mówcie dalej, ja tylko…

Wyszedł z pokoju i niemal po omacku dotarł do biurka sekretarki.

– Zwołaj konferencję prasową na jedenastą. Mają przyjść wszyscy pracownicy. I zadzwoń do Wennergrena. Natychmiast.

WYBRZEŻE SŁOŃCA drżało w przedpołudniowym świetle. Na horyzoncie widać było Afrykę. Nina pociła się w swoich długich spodniach i ciemnej marynarce. Pomyślała, że w ciągu dnia temperatura na pewno jeszcze wzrośnie. Ale nie przejmowała się tym, chłonęła prażące promienie słońca i zapach gorącej ziemi. To była jej Hiszpania: kolory, architektura, wysokie niebo, spalone góry śpiewające o jej dzieciństwie.

Szła w swoich butach na twardych podeszwach po popękanym chodniku. Dzielnica mieszkaniowa była anonimowa, nieciekawa. Kilka podobnych do siebie białych piętrowych szeregówek wciśniętych w wąskie uliczki. Wjazdy zdobiły zmęczone krzewy hibiskusa, wiatr roznosił kwiaty bugenwilli. Zimowa wilgoć nie oszczędziła ścian, wszystkie domy wymagały odmalowania. Miały swoje lata, nie powstały ani podczas ostatniego boomu budowlanego, ani podczas poprzedniego.

Domek szeregowy z numerem sto trzydzieści siedem należał do Arnego Berglunda. Stał w szeregu trzydziestu dwóch domów, do złudzenia do siebie podobnych. Pomalowane na biało blaszane żaluzje były spuszczone. Wszystkie domki wyglądały na zaniedbane i opuszczone. Przy drzwiach zalegały sterty gnijących liści.

Inspektor policji José Rodríguez z Policía Nacional z Marbelli stanął obok niej. Przyglądał się fasadzie.

– To ma być rezydencja międzynarodowego przestępcy.

I jego lustrzanego odbicia, pomyślała Nina.

Inspektor Rodríguez skinął głową administratorowi osiedla, który podszedł do nich z pękiem kluczy w ręku.

– Co będziemy mogli z a o b s e r w o w a ć w środku? – zwrócił się do Niny.

Inspektor przestrzegał zasad. Przy każdej okazji podkreślał, że Nina jest tylko obserwatorem, od pierwszej chwili, jak tylko weszła do komendy w Marbelli tego dnia o ósmej rano. Wstawanie o tak wczesnej porze było dla niego torturą równą tym najgorszym, niemal jak *fakala*.

Nina spędziła noc w dwóch pociągach: najpierw jechała osobowym z San Sebastián do Madrytu, a potem dalej, pospiesznym do Malagi, nad Morze Śródziemne.

Gospodarz osiedla, młody mężczyzna, niemal jeszcze nastolatek, potrząsnął kluczami. Szybko znalazł właściwy klucz, włożył go do zamka i przekręcił. Drzwi spuchły, musiał pchnąć z całej siły, żeby je otworzyć. Kiedy w końcu mu się udało, usłyszeli wycie alarmu. Inspektor westchnął. Zdenerwowany administrator sięgnął do kieszeni spodni, wyjął zmiętą kartkę i drżącymi palcami zaczął wstukiwać kod na umieszczonym na ścianie wyświetlaczu. Alarm przestał wyć. Zastąpiła go cisza, dzwoniła w uszach.

– Za panią, *observatora* – powiedział inspektor Rodríguez, przytrzymując Ninie drzwi.

Zerknęła na niego, sięgnęła do kieszeni marynarki, wyjęła lateksowe rękawiczki i włożyła je. Zdążyła się już zorientować, że inspektor nie należy do najambitniejszych funkcjonariuszy. Nie podejrzewała, żeby osobiście chciał uczestniczyć w oględzinach domu. Miała tylko nadzieję, że się w swojej zasadniczości nie posunie się do tego, żeby ją ograniczać.

Opuszczone żaluzje sprawiały, że w środku panował półmrok. Nina wcisnęła włącznik. I nic.

– Prąd wyłączono już pół roku temu – wyjaśnił administrator. – Tak to jest, jak się nie płaci rachunków.

Nina rozejrzała się w mroku. Anonimowe wnętrze, bez charakteru, jak mężczyźni, którzy tam mieszkali. Ale ludzie zostawiają ślady. Coś musiało tam być, nawet jeśli bardzo się starali nic po sobie nie zostawić. Brak śladów też coś znaczy, trzeba tylko umieć to odczytać.

Otworzyła drzwi do niewielkiej łazienki. Przykry zapach sprawił, że na moment przestała oddychać. Wyjęła komórkę i włączyła latarkę.

– O dom trzeba dbać, od czasu do czasu trzeba przepłukać rury – stwierdził administrator. – Wszystkim to powtarzam, i co z tego. Ten dom stoi pusty już od dłuższego czasu. Nie przypominam sobie, żebym kiedykolwiek widział jego właściciela, a pracuję tu już dwa lata. Nigdy też nie był wynajmowany, nie mogę odpowiadać za ludzi, którzy...

– *Señor* – przerwał mu inspektor Rodríguez zniecierpliwiony. – Proszę na nas zaczekać na zewnątrz.

Administrator wyszedł.

Nina postawiła komórkę na umywalce, tak, żeby oświetlała wucet. Podniosła pokrywę zbiornika na wodę i zajrzała do środka: był pusty, suchy, woda dawno wyparowała. Odłożyła pokrywę na miejsce, wzięła komórkę i poświeciła do sedesu. Zniecierpliwiony inspektor krążył po domu.

Wcześniej rozmawiał z komisarzem Elorzą, wiedział o zabójstwach dokonanych w Sztokholmie i w San Sebastián.

– Prawdę mówiąc, trochę trudno mi uwierzyć, żeby ten człowiek miał jakiekolwiek międzynarodowe powiązania – odezwał się z salonu.

Nina, świecąc komórką, poszła do kuchni. Była urządzona nader skromnie, proste szafki z pomalowanych na żółto płyt wiórowych. Cuchnęło ze zlewu, ale nie tak mocno jak w łazience. Otworzyła lodówkę, uderzył ją zapach pleśni.

– Co roku popełnia się w Hiszpanii od trzystu pięćdziesięciu do czterystu morderstw. Połowa zostaje wyjaśniona. Ile z tych niewyjaśnionych popełnił *señor* Berglund?

– Przynajmniej jedno. Zabił Ernesta Jakę.

Inspektor westchnął.

Nina pomyślała, że nie wszystkie morderstwa popełnione przez braci Berglund zostały zakwalifikowane jako morderstwa. Niektóre osoby uznano po prostu za zaginione, między innymi Violę Söderland i Norę Lerberg. Zaczęła się zastanawiać, co bracia zrobili z ciałami.

Lodówka była pusta. Zamknęła ją. Inspektor Rodríguez wszedł do kuchni i oparł się o framugę. Stał i przyglądał się jej. Nina otwierała po kolei wszystkie szafki: stały w nich zakurzone naczynia, przyrządy kuchenne, szklanki, kubki, kilka puszek oliwek i krojonych pomidorów, których termin przydatności do spożycia upłynął pół roku wcześniej.

Co roku popełnia się w Europie dwadzieścia dwa tysiące morderstw, z tego dwie trzecie w Rosji i na Ukrainie. Tam nikt nie potrzebuje usług braci Berglund. Rosyjska mafia ma swoich ludzi od mokrej roboty. Nina podejrzewała, że bracia wykonywali raczej zlecenia ludzi z ich środowiska, a więc działali przede wszystkim w Skandynawii, ale może również w innych krajach Europy Zachodniej, gdzie łatwo im było wtopić się w tłum, gdzie ich skrzynka z narzędziami nie zwracała uwagi.

– Ciało z San Sebastián zostało pocięte na kawałki – ciągnął inspektor. – Powiedziałbym, że chodziło raczej o osobistą zemstę. Po co dodatkowo gmatwać sprawę?

Nina sprawdzała półkę po półce, świeciła za paczki makaronu, za słoiczki z ziołami.

Nie zgadzała się z inspektorem. Brutalne morderstwa tego typu mogą co prawda mieć charakter osobisty, ale niekoniecznie: mogą też być popełniane na zlecenie, brutalnie, z zimną krwią. Zwykłe narzędzia z łatwością mogą się zamienić w narzędzia tortur. Widziała, czego bracia są w stanie dokonać, używając zwykłej piły, obcęgów, młotka, gwoździ i sznura.

– Tu, na wybrzeżu, mamy przedstawicieli wszystkich organizacji przestępczych na świecie – powiedział inspektor Rodríguez. – Jest ich czterysta trzydzieści.

Nina wyciągała kolejne szuflady: sztućce, foliowe torebki, folia aluminiowa. Wrzuciła wszystko do zlewu, wyjęła szuflady, ustawiła je na podłodze.

– Która z tych organizacji zatrudnia *señora* Berglunda? – dopytywał się inspektor.

Nina się schyliła i poświeciła komórką w puste miejsce po ostatniej szufladzie. Znalazła mrówki i kilka martwych karaluchów. Wyprostowała się.

– Pewnie któraś z rosyjskich – powiedziała.

Taka, której się udało zapewnić sobie wpływy po upadku komunizmu i pieniądze, które pozwalały jej działać na skalę międzynarodową. Wiele na to wskazywało. Viola Söderland zniknęła w Rosji, Ernesto Jaka handlował rosyjską ropą. Firma Ivara Berglunda, ta oficjalna, handlowała rosyjskim drewnem.

Nina wyszła z kuchni i poszła do niewielkiego salonu. Poświeciła na zniszczoną kanapę. Naprzeciwko niej stał telewizor, wielki jak pralka. Inspektor miał rację, kiedy podkreślał, że dom jest skromnie wyposażony. Zaczęła się zastanawiać, co bracia robili z pieniędzmi, które im przynosił ich proceder. Wystrój domu na pewno nie należał do ich priorytetów.

Podała komórkę inspektorowi, wziął ją bez słowa. Zdjęła z kanapy poduszki. Pod spodem były kawałki chipsów i chyba larwy motyli. Wzięła od inspektora komórkę i poświeciła pod kanapą, za telewizorem i za firankami. Nic nie znalazła.

– Mówiła pani, że właściciel siedzi w Szwecji w areszcie? Od roku?

Nina wyszła do holu i wąskimi marmurowymi schodami ruszyła na górę.

– Dobrze zrozumiałem? – upewniał się inspektor, ruszając za nią. – Kogo tak naprawdę szukamy? Człowieka, który nie żyje od dwudziestu lat?

Wyglądało na to, że ani rzekomo zmarły mężczyzna, ani jego brat nie byli w tym domu w ciągu ostatniego roku. Nina rozejrzała się po piętrze: dwie sypialnie połączone łazienką. W mniejszej stało wąskie, pojedyncze łóżko, w drugiej szersze, podwójne. Zaczęła od większej. Łóżko było posłane, zwróciła uwagę na żółte prześcieradła. Pomacała materiał, sztuczne włókno, na pewno nie bawełna. Zdjęła pościel, odwróciła materac, poświeciła komórką. Potem poszła do garderoby. Wisiały w niej ubrania: spodnie, marynarki, trzy koszule. Przeszukała szybko kieszenie, pomacała podszewkę. Nadal nic. W łazience odór nie był tak silny jak na dole, ale zapach nie był przyjemny. Pusto.

– Zaczekam na zewnątrz – oświadczył inspektor i ruszył na dół.

Nina została sama w ciszy. Trzymała w ręku komórkę, skierowała światło na podłogę.

A może to naprawdę były OLBRZYMY, Nino, tylko przebrane za wiatraki. Dojdź do prawdy!

Przeszukała oba mieszkania braci, to w Täby i to w Marbelli. Czego nie była w stanie dostrzec? Musiało tam coś być, gdzieś za kulisami, ukryte, ale widoczne. Dla jej rodziny przestępczość była skrótem do wymarzonego szczęścia i sukcesu. Jak dla większości ludzi, ale nie dla braci Berglund. Oni działali z innych pobudek.

Wpadające przez uchylone drzwi promienie słońca pełzały po ścianie holu. Nagle coś sobie uświadomiła: początkowo sama nie była tego pewna, wszystko wydało jej się mętne, niepewne, ale potem nagle nie miała już żadnych wątpliwości.

Bracia robili to, co robili, nie po to, żeby zdobyć pieniądze. Pewnie nie interesowały ich też skutki przemocy, fascynowała ich przemoc jako taka.

Zobaczyła przed sobą Ingelę Berglund. Co się tak naprawdę stało z łapami psa Arnego i Ivara?

Czyżby się myliła, przedkładając sprawę komisarzowi Elorzy? Bo może zło jednak istnieje? Może nie zawsze jest jedynie skutkiem bezradności?

Pomyślała, że jeśli tak, to przypomina tę właśnie sypialnię, brudnożółtą, duszną, zakurzoną i samotną.

Wzdrygnęła się, mimo upału było jej zimno.

Powoli weszła do drugiej, mniejszej sypialni. Podobna pościel z poliestru. Odwróciła materac, pod spodem był tylko kurz.

W garderobie wisiał jedynie roboczy kombinezon: jasnozielony, z wieloma kieszeniami. Przejrzała je: znalazła miarkę, śrubokręt i robocze rękawice. I klucz, na samym dnie.

Poświeciła na niego, metal błyszczał w jej ręce w lateksowej rękawiczce. Kopia. Luzem, bez kółeczka, bez kartki z adresem, bez niczego.

Bracia prowadzili firmy, handlowali drewnem zarówno w Szwecji, jak i w Hiszpanii, przedstawiali sprawozdania, prowadzili księgowość, tyle że w ich przypadku była to część scenicznej dekoracji.

– *Inspector* Rodríguez?! – zawołała.

W holu pokazała się głowa policjanta.

– Czy hiszpańska firma *señora* Berglunda ma jakiś warsztat?

ANNIKA POŁOŻYŁA papierowe wydanie gazety na biurku Berit. Na pierwszej stronie było zdjęcie i podpis: cztery słowa. Zdjęcie przedstawiało Ivara Berglunda, wyglądał jak wykuty w kamieniu posąg. Tekst pod zdjęciem głosił: PODEJRZANY O KOLEJNE MORDERSTWO.

– Wiesz, kiedy proces zostanie wznowiony? – spytała.

Berit nie odpowiedziała, siedziała ze wzrokiem wbitym w dział wiadomości, gdzie właśnie zaczęto ustawiać kamery. Kilku dziennikarzy z innych gazet rozmawiało z Patrikiem Nilssonem. Był też Bosse z „Konkurrenten". Jego Annika szczególnie nie lubiła.

– Co się dzieje? – spytała.

– Schyman zwołał konferencję prasową. Wiesz może, o co chodzi?

Annika poczuła, jak uginają się pod nią nogi. Wysunęła krzesło, usiadła.

A więc nadeszła pora. To koniec. W pewnym sensie nawet poczuła ulgę. Nareszcie wszyscy się dowiedzą.

– Idzie! – Głos Berit przerwał jej rozmyślania.

Anders Schyman podszedł do działu wiadomości, przywitał się reporterami z telewizji państwowej, pewnie dawnymi znajomymi z czasów, kiedy sam tam pracował. Zamienił

kilka słów z Patrikiem, położył mu rękę na ramieniu, po
czym pełen energii wszedł na biurko.

– Mogę prosić o chwilę uwagi? – powiedział swoim
grzmiącym głosem.

Wszelkie rozmowy, które kładły się grubą warstwą nad
redakcją, tłumiąc inne dźwięki, ucichły. Ludzie zaczęli podchodzić bliżej. Operatorzy wpatrywali się w kamery, foto-
grafowie pstrykali pierwsze zdjęcia.

– Dziękuję, że zebraliście się tak szybko – zaczął Schyman.

Ludzie wstrzymali oddech. Zrobiło się cicho jak ma-
kiem zasiał. Berit wstała, żeby lepiej widzieć, Annika poszła
za jej przykładem.

– Chciałbym się z wami podzielić ważną wiadomością
– ciągnął Schyman. – W ubiegły piątek, dwudziestego dzie-
wiątego maja, zarząd z przewodniczącym Albertem Wennergrenem na czele podjął decyzję o likwidacji papierowego
wydania „Kvällspressen".

Przez redakcję przeszedł jęk zdumienia. Annika przyglądała się ludziom. Pomyślała, że kilka dni temu, kiedy
Schyman przekazał jej nowinę, na jej twarzy malowały się
dokładnie te same uczucia: niedowierzanie, wzburzenie,
szok.

– Dokładnej daty nie jestem jeszcze w stanie podać –
oświadczył Schyman. Mówił powoli, wyraźnie, stał w roz-
kroku na redakcyjnym blacie.

Patrzył na ludzkie morze, ale nie kierował tych słów do
nikogo w szczególności. Annika miała wrażenie, że mówiąc,
myśli o przyszłości, o podręcznikach historii. Ogłaszał koniec pewnej epoki.

– Zarząd powierzył mi zlikwidowanie papierowego wydania „Kvällspressen". Poproszono mnie o dokonanie pewnych wyliczeń, mniej lub bardziej zaawansowanych...

– To jakieś szaleństwo – wyszeptała Berit. Przyglądała się bacznie Annice. – Wiedziałaś o tym? – spytała.

Annika pokręciła głową, nie zamierzała zostać współwinną.

– Nie, ale nie jestem zdziwiona – odpowiedziała cicho. – Wcześniej czy później musiało do tego dojść...

– Jak będzie wyglądała ta instytucja po likwidacji wydania papierowego... na ten temat dzisiaj nie chcę się wypowiadać – powiedział Schyman stanowczo. – Nie mam natomiast wątpliwości, że podjęta decyzja oznacza koniec takiego dziennikarstwa, jakiemu poświęciłem swoje zawodowe życie. Na pewno na to miejsce przyjdzie coś nowego, ale nie mnie oceniać, czy lepszego.

– Dlaczego musimy być pierwsi? – spytała Berit teatralnym szeptem. – Nie można było zaczekać?

Annika skinęła głową i wzruszyła ramionami.

– Rozumiem, że pewne rzeczy są nieuniknione, nie uciekniemy od nich – powiedział Schyman, a Annika znów miała wrażenie, że mówi nie do zebranych ludzi, tylko z myślą o historii. Wiedział, że jego wystąpienie trafi na YouTube, że tworzy historię. Mówił dalej, myśląc o cyfrowej wieczności.

– Szanuję decyzję zarządu, ale nie zamierzam jej wprowadzać w życie. To będzie musiał zrobić ktoś inny. – Schyman spojrzał na morze ludzi, uniósł wysoko głowę. Wszyscy wstrzymali oddech. – Nie będę tym, który wbije ostatni gwóźdź do trumny. Nie zamierzam zostać likwidatorem szwedzkiego dziennikarstwa. Nie byłoby to w zgodzie z tym, co reprezentuję, na co pracowałem całe życie, czego uczyłem współpracowników. Dlatego pół godziny temu poinformowałem przewodniczącego zarządu Alberta Wennergrena, że odchodzę ze stanowiska redaktora naczelnego i wydawcy „Kvällspressen" ze skutkiem natychmiastowym. Od dzisiaj jestem niezależnym publicystą. Życzę zarządowi powodzenia w szukaniu mojego następcy. Dziękuję.

Rzucił ostatnie spojrzenie na tłum i zszedł z biurka. Redakcja eksplodowała gwarem. Wszyscy do niego podbiegli, Annika musiała się przytrzymać biurka, żeby się nie przewrócić. Jakiś młody reporter potknął się i oblał kawą Berit.

– Mam dosyć, pójdę się przejechać – oświadczyła Annika i nie czekając, aż Berit odpowie, ruszyła na portiernię, pokwitować odbiór redakcyjnego samochodu.

THOMAS ZALOGOWAŁ SIĘ do komputera, palce drżały mu ze strachu i podniecenia.

Strona się ładowała, poczuł, że kręci mu się w głowie.

Jego wpis trochę spadł, inni użytkownicy najwyraźniej też zapragnęli skorzystać ze swoich demokratycznych praw.

Po chwili go znalazł:

GREGORIUS (wpis z 3 czerwca, szesnasta pięćdziesiąt trzy)
Według mnie równość jest wtedy, kiedy się zgwałci seksistowską feministyczną kurwę, wkładając jej nóż do pochwy. Trzeba wyjść na ulicę z kijem baseballowym i wybić te seksistowskie szmaty.

Komentarze:
Król seksu: Cholerne babsko, mam nadzieję, że dostanie za swoje.
FührerForever: Wkrótce zacznie się tu zjeżdżać pedalstwo z całego świata.
Królhansa: Przeklęci gówniarze, wszystkich was zatłukę. Jesteście obrzydliwi, niech was szlag.
Suka: Wyjmijcie szczotki! Trzeba się pozbyć brudów.

Komentarze były z poprzedniego dnia, nie przybyło nic nowego.

Poczuł głęboki zawód.

Nie był zadowolony z tego, co przeczytał. Ostatnie dwa w ogóle nie były na temat, były jedynie wyrazem zwykłego wulgarnego rasizmu.

Ale pewnie powinien być wyrozumiały. Komentarzy było dużo, trzeba cierpliwości, żeby odróżnić ziarna od plew. Poza tym nie wszyscy czytają wszystko. Wyrobienie sobie nazwiska wymaga czasu i wytrwałości.

Wylogował się, odsunął od siebie laptopa. Rano zadzwonił do ministerstwa i powiedział, że jest chory, a teraz siedział tam, w swoim ponurym pokoju, z kubkiem kawy rozpuszczalnej w ręku i patrzył, jak burzowe chmury przesuwają się po niebie.

Wszystkie badania opinii publicznej wskazywały, że po jesiennych wyborach rząd będzie musiał odejść. Dla niego oznaczało to, że będzie miał nowych szefów, ale zadania pozostaną te same, przynajmniej na początku. Musi się postarać przeciągnąć pracę nad sprawozdaniem do czasu po wyborach. Jeśli prawica mianuje na stanowisko ministra sprawiedliwości starą fryzjerkę, to jego pozycja się wzmocni. Wtedy będzie mógł przeforsować zmiany, które zamierzał zaproponować, dokładnie w takiej formie, w jakiej chciał.

Wstał, żeby sobie dolać kawy, kiedy nagle usłyszał dzwonek do drzwi. Zastygł. Kto to mógł być? Mimowolnie spojrzał na hak, sprawdził, czy jest na swoim miejscu. Oczywiście był. To było pierwsze, co robił rano: zakładał hak. Zdejmował go dopiero wieczorem, kiedy już zgasił światło. Jego lekarka, potężnie zbudowana, przechodząca klimakterium kobieta, tłumaczyła mu, że to ważne, żeby nosił protezę. Tłumaczyła mu, że w ten sposób zapobiegnie ewentualnym zniekształceniom kręgosłupa, rąk, ramion. Jakby to miało jakieś znaczenie. Był jednorękim kaleką. Jakie znaczenie miała prawidłowa postawa? To tak, jakby ktoś, kto ma raka mózgu, przejmował się grzybicą paznokci.

Podszedł po cichu do drzwi i wyjrzał przez wizjer, który kiedyś zainstalowała Annika. Może to ona tam stała? Może zrozumiała, że popełniła błąd, i chciała wrócić, jeśli oczywiście będzie w stanie jej przebaczyć. Wcale nie był tego pewien. Zawiodła go, zraniła. Będzie musiała się bardzo starać.

Wstrzymał oddech i spojrzał przez wizjer. Za drzwiami stała Sophia. Serce zaczęło mu szybciej bić. Nie zamierzał otwierać.

Znów rozległ się dzwonek.

Otworzył.

– Sophia – powiedział, próbując wykrzesać z siebie radosne zaskoczenie. – Wejdź, proszę.

Sophia miała zaróżowione policzki, może była zawstydzona.

Poczuł się zażenowany. Cofnął się, żeby ją wpuścić. Weszła ze spuszczoną głową, zdjęła buty.

– Przeszkadzam ci? – spytała łagodnie.

– Nie, skądże.

– Dzwoniłam do ciebie do pracy. Powiedziano mi, że jesteś chory…

Zadzwoniła do niego do pracy? Co ona sobie myśli?

Zmusił się do uśmiechu.

– W ministerstwie rozumieją, że czasem potrzebuję trochę czasu dla siebie – powiedział.

Skinęła głową, też doskonale to rozumiała. Podeszła do niego, objęła go w pasie, przyłożyła policzek do jego szyi.

– Tak bardzo za tobą tęskniłam – wyszeptała. – I tak się cieszę, że zostałeś u mnie na noc.

Nie bardzo wiedział, jak się zachować. Chciał położyć rękę na jej plecach, ale co miał zrobić z hakiem? Miał ułożyć rękę tak, żeby hak zwisał, czy położyć go na jej plecach, jak kawałek gumy?

Pocałowała go. Ku własnemu zdziwieniu odwzajemnił pocałunek.

Sophia się uśmiechnęła.

– Mnie też zrobisz kawę?

Zrobił krok do tyłu. Najwyraźniej wyczuła, że przed chwilą pił kawę. Pomyślał, że to krępujące.

– Oczywiście – powiedział. – Idź do salonu, zaraz ci przyniosę...

Zagotował wodę w czajniku, wsypał do kubka dwie czubate łyżeczki neski, dolał wody i mleka i zamieszał.

– Pamiętałeś, jaką lubię.

Uśmiechnął się i usiadł obok niej. Zauważył, że nadal ma czerwone policzki.

– Spędziliśmy wczoraj razem bardzo miły dzień – powiedziała. Oczy jej błyszczały. – Cudownie było pójść razem na spacer, a potem siedzieć obok siebie na kanapie i...

Był tak skacowany, że pozwolił, żeby go przeciągnęła po całym Östermalmie, żeby trochę doszedł do siebie.

– Jakbyśmy się nigdy nie rozstali – ciągnęła Sophia. – Zastanawiam się, czy może moglibyśmy... – Zamilkła, jakby nagle zabrakło jej słów. – Pewnie uznasz, że jestem nachalna – powiedziała w końcu, odstawiając kubek. – Ale przyszło mi do głowy, że może chciałbyś się ze mną przenieść na wieś. Do naszego majątku, do Säter. – Zerknęła na niego, spuściła wzrok. – Mówiłam ci, że ojciec nie daje już rady zajmować się wszystkim. To w końcu tysiąc sto hektarów lasu i pięćset hektarów ziemi uprawnej, dom wymaga remontu... – Zaczerpnęła powietrza, podniosła głowę, ich spojrzenia się spotkały. – Moglibyśmy sobie tam świetnie żyć. Jesienią bralibyśmy udział w polowaniach, a wiosnę spędzali na Riwierze. Na Boże Narodzenie wytapialibyśmy wosk, robili świece. Ellen mogłaby mieć swojego konia, dla Kallego zbudowalibyśmy tor dla gokartów...

– Mam pracę.

Przełknęła ślinę i pokiwała głową.

– Wiem i bardzo cię za to szanuję. Robisz dla naszego kraju ważne rzeczy. Oczywiście zatrzymalibyśmy mieszkanie na Östermalmie, mógłbyś tam nocować. Chciałabym, żebyś pracował tak długo, jak będziesz chciał. Zarządzaniem majątkiem zajmę się sama, ale chciałabym dzielić to z tobą...

Spojrzał na nią, starał się ukryć pogardę.

Naprawdę sądziła, że uda jej się kupić go za obietnicę beztroskiej przyszłości? Za kogo go miała?

Za męską dziwkę?

WIATR ZELŻAŁ, zostawiając po sobie duszną próżnię. Drzewa się prostowały, próbowały sięgnąć nieba. Przypominały wykutych w kamieniu satyrów. Nad dachami domów wisiały ciężkie czarne chmury, wymazywały wszelkie kontrasty.

Annika wjechała do miasteczka od strony Granhedu, przejeżdżając obok zjazdu na Tallsjön, jak zwykle odwróciła głowę.

Unikasz trudnych sytuacji.

Zaparkowała przed outletem i wysiadła. Nogi miała jak z ołowiu. Nie czuła się dobrze, na skali zaproponowanej przez psycholożkę pewnie zaznaczyłaby dwójkę.

Wiatr zabrał ze sobą wszystkie dźwięki. Przewiesiła torbę przez ramię i zamknęła samochód; w ciszy rozległ się charakterystyczny elektroniczny dźwięk.

Steven czekał na nią sam w pogrążonym w półmroku ogródku przed kawiarnią. Przy barze siedziała kobieta z dwojgiem dzieci, wpatrywała się w komórkę. Innych gości nie było. Annika zamówiła cappuccino i ciabattę, jak poprzedniego dnia, wyszła na zewnątrz, na lepkie powietrze, i usiadła naprzeciwko Stevena, przed którym stała do połowy pusta filiżanka kawy. Położył dłoń na stole, drżała lekko.

– Dobrze ci się jechało? – spytała.

Nie wiedziała, czy choroba Parkinsona utrudnia prowadzenie samochodu. Może nie tyle choroba, ile leki, pomyślała.

Steven przełknął ślinę, widziała, jak się poruszyło jego jabłko Adama.

– W porządku.

– Gdzie jest Destiny? U mamy?

Skinął głową, spuścił wzrok.

– Próbowałem jej wytłumaczyć, że Birgitta była w Hällefornäs, że gdzieś tu namierzono jej komórkę, ale ona chyba tego nie rozumie. Zresztą ja też nie wiem do końca, na czym to polega… Spróbujesz jej to wytłumaczyć?

Annika wypiła łyk cappuccino, przełknęła go z trudem.

– Jasne – powiedziała.

Milczenie uwierało, powietrze kleiło się coraz bardziej. Annika zaczerpnęła bezgłośnie powietrza, *unikasz trudnych sytuacji.*

– Może mi opowiesz, jak to się stało, że ją pobiłeś?

Steven spojrzał w stronę parkingu. Trzymał filiżankę w swoich potężnych dłoniach. Zastanawiał się dłuższą chwilę, w końcu na nią spojrzał i westchnął.

– Chodziłem na terapię, w Eskilstunie. ATV. Słyszałaś o czymś takim?

Wiedziała mniej więcej, na czym polega terapia: trzeba się przyznać do swoich skłonności, wziąć za nie odpowiedzialność i ponieść konsekwencje. Ale chciała, żeby sam jej to powiedział, więc pokręciła głową.

Steven zakasłał, mocno, głęboko.

– Było mi cholernie trudno. Zrozumieć, co jej zrobiłem. Ale potem już nigdy jej nie uderzyłem.

Annika czekała w milczeniu, ale Steven już nic nie powiedział. Dzieci zaczęły się kłócić, matka je skarciła.

– Jak się poznaliście? – spytała Annika.

– Pewnie się zastanawiasz, jak to możliwe, że wybrała kogoś takiego jak ja.

Tym razem to ona spuściła wzrok.

– Trochę to trwało, ale się nie poddawałem. Przychodziła do mnie, kiedy czuła się samotna, i w końcu została. Wie, że nigdy jej nie zostawię.

Może rzeczywiście wiedziała. Aż za dobrze, pomyślała Annika. Może dlatego zdecydowała się uciec?

– Masz SMS-a, którego ci wysłała?

Steven wyjął komórkę, wcisnął kilka razy jakiś klawisz i podał jej.

Trzy ostatnie wiadomości wysłała Birgitta: dziewiętnastego, dwudziestego drugiego i dwudziestego piątego maja. Wszystkie trzy daty zgadzały się z raportem policji.

W pierwszej pisała:

Cześć Steven
Przepraszam. Wszystko jest w porządku ale potrzebuję trochę spokoju. Nie mów nikomu że wyjechałam. Są pewne sprawy które muszę załatwić z siostrą.

Annika wpatrywała się w SMS-a. Dlaczego Birgitta nagle poczuła potrzebę „załatwienia" jakichś spraw? Jakich? Czy to miało coś wspólnego z jej piciem? Może chciała, żeby Annika wzięła udział w jakiejś terapii? Miałaby siedzieć w kręgu z innymi ludźmi i wysłuchiwać jej oskarżeń, jak w amerykańskich filmach?

– A co napisała do ciebie? – dopytywał się Steven.

Sięgnęła po torbę, wyjęła swoją starą komórkę, znalazła SMS-a od siostry i pokazała Stevenowi. Sama zaczęła czytać jej drugiego SMS-a do męża. Wysłała go dwudziestego drugiego maja.

Cześć Steven

wszystko jest w porządku. Muszę przemyśleć kilka rzeczy. Przepraszam za to co ci zrobiłam. Nie dzwoń więcej do mnie muszę złapać oddech. Jestem w trakcie czegoś ważnego i nie mogę tego przerwać.

Ostatniego SMS-a napisała dwudziestego piątego maja.

Cześć Steven

Czuję się dobrze ale muszę się skontaktować z siostrą. Poproś żeby do mnie zadzwoniła. Musi mi pomóc.

– Wiesz, co robiła? I dlaczego nie mogła tego przerwać? – spytała Annika. – I niby w czym miałabym jej pomóc?

Steven położył komórkę na stoliku.

– Nie mam pojęcia.

– Nic ci nie mówiła, kiedy wychodziła z domu?

Pokręcił głową.

– Skąd wiadomo, że wysłała te SMS-y z Hälleforsnäs?

– Zostały przekazane przez pobliski maszt. Wszystkie z wyjątkiem ostatniego. Ostatni został nadany w Lulei. – Odsunęła talerzyk z ciabattą. Nie była w stanie jeść. – Chyba masz rację, coś jest nie tak – powiedziała. – Czy ona zwykle tak się wyraża?

– To znaczy jak?

Zawahała się.

– Tak formalnie. Pisze, że ma jakieś sprawy do załatwienia, że potrzebuje oddechu.

– Nie pomyślałem o tym.

Annika spojrzała na zegarek i westchnęła.

– Jedziemy?

Kiedy weszli do mieszkania na Cygańskim Wzgórzu, uderzył ich zapach smażeniny. Z dużego pokoju dochodziły odgłosy kreskówki. Zdjęli buty, Annika postawiła sandały na półce na buty. Zawsze je tam stawiała.

Steven wszedł do pokoju.

– Cześć, Diny. Co oglądasz?

Annika nie zrozumiała, co dziewczynka odpowiedziała. Stała w holu i zerkała w stronę kuchni. Smażona kiełbasa, ulubione danie mamy. Zanim poznała Thomasa, też kilka razy w tygodniu jadła na obiad kiełbasę. Potem to się zmieniło. Thomas kategorycznie odmówił jedzenia kiełbasy. Jadał tylko prawdziwe mięso, tak to określił.

Ruszyła do kuchni. Szła po słomianej macie, która zawsze się zwijała, ale jej stopy same znajdowały drogę, pamiętała nawet, w którym miejscu podłoga trzeszczy.

Matka stała w oknie i paliła papierosa. Zestarzała się. Kiedy to się stało? Zawsze była blondynką, jak Birgitta, teraz jej włosy były srebrzystobiałe.

– Cześć, mamo.

– Witaj – powiedziała matka, wydmuchując dym przez uchylone okno. Podążyła wzrokiem za smużką dymu, po czym odwróciła się do Anniki.

– Masz jakieś wieści? – spytała.

Annika usiadła na swoim miejscu przy stole. Dawno tam nie była, ale jej ciało pamiętało. Powiodła palcami po sękach w sosnowym blacie.

– Nie – powiedziała. – A ty?

Matka znów zaciągnęła się papierosem, sięgnęła po niemal pusty kieliszek.

– Skoro wżeniłaś się w rząd, to może byś użyła swoich kontaktów? Ze względu na nas. Ten jeden jedyny raz.

Annika poczuła, jak narasta w niej złość. Z trudem łapała powietrze. *To nic groźnego, nie daj się, najwyżej...*

– Wiem tylko, że w zeszłym tygodniu Birgitta była w Hälleforsnäs.

– Tak, Steven mi mówił. Gdzie była?

– Tego nie da się dokładnie stwierdzić, wiadomo tylko, że nadała SMS-a przez pobliski maszt...

Matka zaciągnęła się papierosem.

– To nieprawda. Czytałam w gazecie, że policja może podać, gdzie ktoś jest, z dokładnością do dziesięciu metrów.

Annika zacisnęła pięści. Kolorowe paznokcie wbiły jej się w dłonie.

– Jeśli komórka jest włączona, operator może ją zlokalizować w czasie rzeczywistym. To się nazywa triangulacja. Dokonuje się pomiaru sygnałów z trzech stacji bazowych. W ten sposób można z dużym prawdopodobieństwem stwierdzić, gdzie w danym momencie znajduje się komórka. Ale tylko wtedy.

Matka znów zaciągnęła się papierosem.

– Nie wierzę, że tu była. Na pewno by do mnie zajrzała.

Piła wino, widać było, że już zdążyło jej uderzyć do głowy.

– Myślisz, że powinnaś teraz pić? – spytała Annika. W jej głosie była złość i pogarda.

Matka z hukiem odstawiła kieliszek, jej niebieskie oczy nagle zrobiły się czarne. Spojrzała na Annikę.

– Będziesz mi prawić kazania? Właśnie ty?

Annika zamknęła oczy.

– Mamo, nie zaczynaj, proszę.

– Nie masz pojęcia, jak ja się czuję. Jak wyglądało moje życie.

Zgasiła papierosa w popielniczce.

– Mamo…

– Wiesz, co przeżywałam? Przez te wszystkie lata? Te plotki, to gadanie. A ty uciekłaś i zostawiłaś mnie z tym wszystkim.

Mówiła cicho, ale w jej głosie był upór. Annika zacisnęła pięści, skupiła się na oddechu. Z pokoju dobiegały histeryczne głosy postaci z kreskówki.

– Zabiłaś młodego chłopaka i nie poniosłaś za to żadnej kary. Takich rzeczy się nie zapomina. Maj-Lis już nigdy potem nie robiła zakupów w Konsumie. Wiedziałaś o tym? Jeździła z Birgerem do Iki do Flen. Do samej śmierci. Nie chcieli mnie oglądać. Rozumiesz, co czułam?

Złość ustąpiła ciemności, Annika poczuła, że wszystko wokół niej wiruje. *Nic ci nie grozi, nie ma żadnego niebezpieczeństwa.*

– Mamo – zaczęła. – Bardzo mi przykro, że do tego doszło…

– Naprawdę?

Matka zapaliła kolejnego papierosa.

– Nigdy mnie nie przeprosiłaś.

Annika pozwoliła, żeby ją pochłonęła ciemność. Czuła ją w całym ciele, w nozdrzach, w gardle, oddychała ciemnością, ciemność napełniła jej płuca. Była zdziwiona, że jest w stanie mówić.

– Jesteś pewna, że to ja powinnam cię przeprosić?

– Tak. Nigdy się nie zdobyłaś na to, żeby porozmawiać z rodzicami Svena. Nawet tyle nie zrobiłaś.

Annika zamknęła oczy, ciemność zwyciężyła.

To była prawda. Nigdy nie przeprosiła Maj-Lis i Birgera. Nawet o tym nie pomyślała. Bała się. Stchórzyła, uciekła, w swoje cienie i w pracę. Zawsze tak robiła.

Usłyszała, że Steven wchodzi do kuchni.

– Diny już jadła?

Otworzyła oczy. Okazało się, że nadal oddycha. Zobaczyła w drzwiach Stevena z córeczką na ręku.

– Smażoną kiełbasę z makaronem – powiedziała matka.

Wzięła kieliszek, podeszła do lodówki i nalała sobie wina z trzylitrowego kartonu.

Annika wstała.

– Muszę już jechać.

– Jasne, twoja praca jest ważniejsza niż wszystko inne – rzuciła matka.

Annika poczuła się niewypowiedzianie zmęczona.

– Redakcja ma zostać zlikwidowana. Dzisiaj to oficjalnie ogłoszono. Za kilka miesięcy zostanę bez pracy.

Matka wypiła łyk wina, spojrzała na nią nieco łagodniej.

– Życie cię dogoni, jak wszystkich.

Annika przeszła obok Stevena. Chciała uciec, jak najszybciej, jak najdalej. Zatrzymała się przy półce na buty.

Włożyła sandały i wróciła do kuchni. Spojrzała na matkę, na jej smutne oczy i zmęczone dłonie.

– Nieważne, ile razy będę cię przepraszać, nigdy ci nie wynagrodzę tego, co ci zrobiłam. Ale mogę spróbować.

Matka spojrzała na nią, w jej oczach była niepewność.

– Przepraszam, że się urodziłam – powiedziała Annika.

– Nie miałam takiego zamiaru – dodała.

Odwróciła się i ruszyła przez hol, potknęła się o słomianą matę, wybiegła z mieszkania.

W samochodzie się rozpłakała.

Mogła oczywiście zagryźć zęby, jak zawsze. Zamknąć drzwi i odjechać. Zostawić wszystko za sobą.

Ale została, nie podjęła walki.

Siedziała w dusznym samochodzie i dawała upust bólowi. Szyby zaparowały, nie wytarła ich, nie miała siły. Poczuła się bezradna.

A co będzie, jeśli matka umrze?

Myśląc o niej, zawsze czuła smutek. Czy to się zmieni?

Nie potrafiła powiedzieć.

Na południowym zachodzie pokazały się pierwsze błyskawice. Grzmotów nie było jeszcze słychać, ale wiedziała, że to kwestia czasu. Burza wisiała w powietrzu, napięcie musiało się rozładować.

Włączyła silnik, opuściła szybę i zaczęła zjeżdżać ze wzgórza. Na skrzyżowaniu się zawahała, skręciła w lewo.

Ruszyła powoli w stronę kąpieliska nad jeziorem, nad Tallsjön. Nie była tam od dwudziestu lat.

Zatrzymała się tuż przed wjazdem, dwoma kołami na poboczu. Wyłączyła silnik i zaczęła się wsłuchiwać w bicie własnego serca. Stała i patrzyła na miejsce, gdzie umarł jej ojciec.

Żwir nie pokrywał całej szosy, pobocze było postrzępione, piaszczyste. Po obu stronach drogi rosły chaszcze. W niezwykłym świetle przed burzą liście drzew wydawały się ciemne, niemal czarne. Nic nie zdradzało, co się tam kiedyś wydarzyło. Po prostu kawałek drogi, zjazd na plażę, jakich tysiące, a jednak serce waliło jej jak młotem.

Powiedzieli jej, że nie cierpiał.

Zamarznięcie to łagodna śmierć.

Próbował wejść do gospody, która o tej porze była jeszcze otwarta, ale go nie wpuszczono. Był zbyt pijany.

Właściwie to nie pił dużo. Zaczął dopiero po pierwszych dużych zwolnieniach. Hasse Bengtzon był związkowym ombudsmanem. Negocjował zwolnienia z właścicielami huty. Walczył o kolegów, udzielał wywiadów miejscowej prasie i telewizji, mówił o skąpstwie właścicieli. Chcieli wszystko zamknąć, sprzedać maszyny do Wietnamu, wycisnąć, co się da, za cenę własnej przyzwoitości.

Zdjął palto i buty. Znalazł go kierowca pługu śnieżnego. Siedział w zaspie z pustą flaszką w ręku.

Annika nie wierzyła, że śmierć może być łagodna.

Zaczerpnęła powietrza, ból palił ją w piersi.

O dziwo nie płakała. Może jej żałoba nareszcie dobiegła końca, a ona nawet tego nie zauważyła?

Grzmoty były coraz bliżej, słyszała je coraz wyraźniej.

Włączyła silnik. Zawróciła z piskiem opon i ruszyła w stronę torów kolejowych.

Birger Matsson nadal mieszkał przy Källstigen, w domu, w którym dorastali Sven i jego starszy brat Albin. Dom miał ponad sto lat, w latach sześćdziesiątych przeszedł gruntowny remont i zmienił się nie do poznania. Wstawiono duże okna, położono nowy dach. Postawiono wielki garaż z metalowymi drzwiami. Sam dom stał w głębi, na niewielkim wzniesieniu już niemal na skraju lasu.

Annika zatrzymała się przed drzwiami do garażu, zaciągnęła hamulec ręczny. Nie wiedziała, czy Birger jest w domu, ale jeśli był, na pewno ją już zauważył.

Powoli wysiadła z samochodu, torbę zarzuciła na ramię.

Przypomniała sobie, jak przechodziła tamtędy w najciaśniejszych dżinsach, w nadziei, że Sven ją zauważy. I zauważył. Była nastolatką, kiedy zaczęli ze sobą chodzić. A potem byli razem aż do jego śmierci.

Zbliżała się do domu, jakby szła na własny pogrzeb. Oddychała z trudem, coś jej ściskało żołądek, ręce jej drżały. *Czwórka, co najmniej.*

Drżącym palcem wcisnęła dzwonek.

Birger otworzył od razu. Widział, jak podjeżdżała. Górował nad nią, wysoki, szczupły, z białą czupryną.

– Annika, to ty?

Wydawał się zdziwiony, może nawet zmieszany.

– Przepraszam, że tak nachodzę…

Zaczął się szarpać za włosy. Pamiętała ten gest, chociaż wtedy jego włosy były jedynie przyprószone siwizną.

– Ależ nic nie szkodzi.

Annika starała się oddychać spokojnie.

– Chciałam… Chciałam porozmawiać – powiedziała.

Cofnął się, nie bardzo wiedząc, jak ma się zachować.

– Tak, oczywiście. Wejdź, proszę.

– Dziękuję.

Odwrócił się i wszedł do salonu, poły swetra fruwały wokół jego chudego ciała. Telewizor był nastawiony na jakiś niemiecki program, komentator rozprawiał o czymś z entuzjazmem. Annika weszła do holu, zdjęła sandały, położyła torbę na podłodze i poszła za nim.

Zauważyła w salonie nową kanapę. Ektorp, z Ikei.

Birger usiadł w jednym z nowych foteli, sięgnął po pilota, który leżał na niewielkim stoliku obok, i wyłączył telewizor. Annika zdążyła zauważyć, że oglądał mecz tenisowy. Zawsze interesował się sportem, działał w klubie bandy, brał udział w biegach na orientację. Synowie odziedziczyli po nim zainteresowania. Sven był gwiazdą drużyny bandy, Albin, jak ostatnio słyszała, pomocnikiem trenera drużyny hokejowej w szwedzkiej lidze hokeja. W Modo, a może we Frölundzie?

Kiedy głos komentatora ucichł, w salonie zrobiło się bardzo cicho. Birger siedział w fotelu z pilotem w ręku i przyglądał się jej. Zdążył się już pozbierać, patrzył na nią wyczekująco.

– Usiądź, proszę.

Usiadła w fotelu po drugiej stronie niskiego stolika, poczuła, że ma sucho w ustach.

– Nie mam pojęcia, jak to się stało, że wykupiłem abonament na niemiecki kanał. Na szczęście w gimnazjum uczyłem się niemieckiego. Podpisałem umowę na dwa lata.

Annika próbowała się uśmiechnąć.

Birger odłożył pilota.

– Zrozumiem, jeśli będzie pan chciał, żebym sobie poszła – zaczęła Annika. Coś huczało jej w głowie, ledwie słyszała własny głos.

Starszy pan przyglądał się jej. Starała się nie odwracać wzroku, chciała się skonfrontować z tym, co kiedyś zrobiła.

– Ależ nie, zostań.

Oddychała przez otwarte usta.

– Przyjechałam, żeby porozmawiać o... o tym, co się stało.

Birger położył dłonie na kolanach.

– Dowiedzieć się, jak to przeżyliście...

Płacz ściskał jej gardło.

Kiedy była ze Svenem, rzadko rozmawiała z Birgerem. To Maj-Lis zajmowała się rodziną, Birger zawsze był na jakimś spotkaniu klubu albo na treningu. Któregoś roku był trzeci w biegu weteranów. Zapamiętała go jako człowieka cichego i niedostępnego.

– Często o tobie myślałem przez te wszystkie lata – powiedział.

Opanowała się. Nie wolno jej robić uników, nie wolno niczego upiększać. Jeśli oczywiście chce ruszyć dalej, a nie zostać w ciemności.

– A ja o panu nigdy, no może prawie nigdy. Jak tylko zaczynałam, natychmiast zmuszałam się do myślenia o czymś innym.

Birger siedział i wyglądał przez okno. Po chwili pokiwał głową.

– Zależało nam na kontakcie z tobą, ale tłumaczyliśmy sobie, że pewnie nie będziesz tego chciała. Stchórzyliśmy, a powinniśmy cię spytać.

W głowie Anniki coś wyło, zacisnęła mocniej pięści. Wysłuchała go, a potem sama zaczęła mówić:

– Ja też robiłam uniki. Kiedy tu jechałam, zatrzymałam się przy zjeździe nad jezioro, nad Tallsjön. Nie byłam tam od… od śmierci ojca.

– To była prawdziwa tragedia – wszedł jej w słowo Birger. – To, co się przydarzyło Hassemu. Nie żebyśmy się przyjaźnili, ale przecież pracowaliśmy razem.

Annika nabrała do płuc powietrza i spuściła wzrok. Birger miał maturę, był kierownikiem w hucie. Pracował tam do końca, do chwili kiedy przeszedł na emeryturę.

– Hasse był świetnym fachowcem, jednym z najlepszych. Do tej pory żałuję, że nigdy się nie zgodził zostać brygadzistą.

Annika otworzyła szeroko oczy, patrzyła na niego zdziwiona.

– Brygadzistą? Tata?

– Nie chciał, ale przyznaję, że świetnie się sprawdzał jako związkowiec. Był znakomitym negocjatorem, dobrze mówił, potrafił walczyć. W innych okolicznościach mógłby daleko zajść…

– Naprawdę proponowano mu stanowisko brygadzisty?

– Tak, odmówił. Powiedział, że to nie dla niego. Był robotnikiem, tak się postrzegał…

– Więc mógł nadal pracować w hucie? Po tych wszystkich cięciach?

– Jak najbardziej. Potrzebowaliśmy takich ludzi. Ale musiałem uszanować jego wybór. On zawsze chciał być częścią kolektywu. Taki był.

Annika poczuła, że zaczyna jej brakować powietrza. Ojciec mógł nadal pracować, nie musiał odchodzić, może nie zacząłby pić…

Pokój rozjaśniła błyskawica, gdzieś z oddali słychać było grzmoty.

– Mogę ci w czymś pomóc? – spytał Birger.

Annika nerwowym ruchem założyła włosy za uszy.

– Przyjechałam, żeby przeprosić – powiedziała drżącym głosem.

Teraz Birger spuścił wzrok.

– Doceniam to, ale naprawdę nie ma takiej potrzeby.

Starała się oddychać spokojnie, wdech, wydech, nic jej nie grozi.

– Bardzo mi przykro z powodu tego, co zrobiłam. Wiem, jak bardzo was skrzywdziłam. Sama mam synka. Gdyby ktoś skrzywdził Kallego, nigdy bym mu nie wybaczyła.

Birger przeciągnął dłonią po twarzy, widać było, że jest zmęczony.

– Mam wrażenie, że źle mnie zrozumiałaś. Nie byliśmy na procesie nie dlatego, że nie chcieliśmy się z tobą spotkać…

Urwał, czekała cierpliwie. Widziała, że myślami jest gdzieś daleko. Po dłuższej chwili znów zaczął mówić:

– Uznaliśmy, że nasza obecność na procesie mogłaby zostać odebrana jako próba usprawiedliwienia Svena. A tego nie chcieliśmy. To by było… niewłaściwe. To była nasza porażka, może to my powinniśmy zasiąść na ławie oskarżonych.

Rzucił jej szybkie spojrzenie, jakby chciał się upewnić, że go słucha.

– Jeśli dziecko wyrasta na potwora, to jaka w tym wina rodziców? Co zrobiliśmy nie tak? Było nam z tym bardzo ciężko. Sven umarł dla nas dwa razy: raz, kiedy się okazało, że nie jest taki, jak sądziliśmy, a drugi, kiedy naprawdę odszedł... – Urwał, pokręcił głową. – Dopiero znacznie później zrozumieliśmy, że zostało to odczytane opacznie. Ludzie uznali, że jesteśmy ci niechętni, że straciliśmy wiarę w wymiar sprawiedliwości. A to nieprawda.

– Wiedzieliście... że on taki jest? – spytała Annika.

Birger znów pokręcił głową.

– Nie do końca. Oczywiście miałem jakieś podejrzenia, widziałem przecież siniaki. Ale nie chciałem w to wierzyć. Dlatego nic nie zrobiłem. Teraz mi wstyd, ale będę musiał z tym żyć.

Annika wytarła nos.

– A może ty wiesz? Może wiesz, dlaczego się taki stał? – zapytał Birger.

Pokręciła głową.

– Dopiero kiedy przeczytaliśmy wyrok, zrozumieliśmy, przez co przeszłaś. Dlaczego nic nie mówiłaś?

Piątka, może szóstka.

– Byłam przekonana, że to moja wina.

– Nie. To on okropnie cię traktował.

– Ale to moja wina, że umarł.

– Nie, nie powiedziałbym tego.

– Nie musiałam uderzyć tak mocno.

– To był wypadek.

Annika podniosła wzrok, zmusiła się, żeby spojrzeć mu w oczy.

– A jeśli nie? A jeśli chciałam, żeby umarł?

Usta Birgera zbielały, znów wyjrzał przez okno, na drogę.

– Życzyć komuś śmierci to jedno, ale to jeszcze nie czyni nikogo mordercą.

– A jeśli naprawdę uderzyłam go tak, żeby już nie wstał?

Zapadła cisza. Annika miała wrażenie, że wysysa z powietrza cały tlen. Birger przetarł oczy.

Oddychała z trudem. *Siódemka, może nawet więcej.*

– Będziesz musiała z tym żyć – powiedział w końcu Birger.

Ósemka. Brakuje mi powietrza.

Z holu dobiegł dzwonek komórki, kolejne odbijały się od ścian.

– Nie odbierzesz? – Birger wskazał głową na hol.

– Zaraz przestanie.

Cisza, która po chwili nastała, wydała jej się jeszcze gęstsza. Birger odchrząknął.

– Czytam wszystko, co piszesz. Doświadczasz strasznych rzeczy. – Wskazał głową na regał. – Maj-Lis zbierała wszystkie wycinki, są gdzieś tam, w którejś szufladzie. Po jej śmierci zamierzałem to kontynuować, ale jakoś nigdy się nie zebrałem.

Znów na nią spojrzał, oczy miał czerwone, zmęczone. Annika nie wiedziała, co zrobić z rękami, miała wrażenie, że nagle urosły.

– Maj-Lis bardzo się o ciebie martwiła. Zawsze uważała, że za bardzo ryzykujesz, że za mało o siebie dbasz. Bardzo się denerwowała, kiedy zostałaś uwięziona w tunelu pod stadionem olimpijskim i kiedy o mało nie zamarzłaś na śmierć w tej szopie na północy, w Norrbotten. Nie mówiąc już o tym… kiedy spłonął twój dom…

– Nigdy o tym nie pomyślałam – przyznała Annika.

– Ciągle się narażasz na niebezpieczeństwo. Maj-Lis podejrzewała, że to może być wina Svena, że w jakiś sposób cię naznaczył…

Odwróciła głowę, spojrzała w stronę holu i schodów. Na piętrze były sypialnie. Sven i Albin... każdy miał swoją. To właśnie tam straciła dziewictwo, pewnego niedzielnego popołudnia, kiedy reszta rodziny Matssonów wybrała się na mecz ćwierćfinałowy podczas mistrzostw Szwecji w bandy, w których zresztą Hälleforsnäs przegrało.

– Jeśli rzeczywiście coś jest ze mną nie tak, to nie jest to tylko wina Svena – powiedziała.

Birger znów wyjrzał przez okno, niebo rozdarła kolejna błyskawica.

– Jesienią miną cztery lata od śmierci Maj-Lis. Czasem dokucza mi samotność. Zastanawiam się, jak długo jeszcze przyjdzie mi żyć bez niej.

Siedzieli w milczeniu. Annika miała nogi jak z ołowiu, zastanawiała się, czy w ogóle da radę wstać.

– Mieszkamy tu i pracujemy od lat, od wielu pokoleń – powiedział Birger. – I twoja rodzina, i nasza. Ukształtowała nas ciężka praca, dlatego jesteśmy tacy szorstcy.

Pierwsze ciężkie krople deszczu uderzyły o szyby. Birger podniósł głowę, spojrzał na Annikę.

– Mamy żelazo we krwi. I to się nie zmieni, niezależnie od tego, czy tu zostaniemy, czy wyjedziemy.

Nagle poczuła się trochę lepiej, ciemność zaczęła ustępować.

Spojrzała na niego. Został sam w swoim brzydkim domu w zapomnianym przez Boga i ludzi niewielkim miasteczku. Umarli mu syn i żona, teraz jedynie niemiecki kanał sportowy dotrzymywał mu towarzystwa.

Siedział, samotny, i kiwał głową.

– Wszystko się zmienia – powiedziała. – Weźmy hutę...
widział pan, co się tam teraz mieści? Outlet i kawiarnia.

Potężne wyładowanie sprawiło, że dom zadrżał. Oboje
spojrzeli na sufit.

– Dziękuję – powiedziała Annika. – Dziękuję, że zgodził
się pan ze mną spotkać.

Birger wstał, nogi lekko mu drżały. Podszedł do niej
i podał jej rękę. Jego dłoń była sucha i miękka.

Po chwili wyszła.

Kiedy wyszła na schody, rozszalała się ulewa. Zaczęła biec
w stronę garażu, wpadła do samochodu. Dom na skraju lasu
utonął w deszczu.

Sięgnęła do torby po komórkę: jedno nieodebrane połączenie. Numer wydał jej się znajomy: Policja Krajowa. Poczuła ciarki na plecach. Szukali jej, a ona nie odebrała, była
zajęta porządkowaniem własnych spraw.

Drżącymi palcami wcisnęła oddzwoń.

Odebrał mężczyzna, Johansson. Przedstawiła się i powiedziała, w jakiej sprawie dzwoni.

– Chodzi o numer, który obserwujemy – powiedział Johansson. – Odezwał się operator. Pół godziny temu komórka została włączona.

Annika zamarła, zamarły też wszelkie dźwięki wokół
niej. Oślepiła ją kolejna błyskawica.

– Została włączona? Na pewno?

– Operator twierdzi, że sygnał pochodzi z Söderman-
landu, z okolicznych lasów, jakiś kilometr od drogi numer
sześćset osiemdziesiąt sześć. To gmina Katrineholm. Naj-
bliższy punkt odniesienia to jezioro. Hosjön.

Annika wzięła głęboki wdech.

– Birgitta tam jest? Nad Hosjön? Teraz?

– Na pewno jest tam jej komórka. Od pół godziny, a dokładnie od trzydziestu pięciu minut.

– Dziękuję. Jeszcze raz dziękuję.

– Na ma za co – odpowiedział Johansson. Annika miała wrażenie, że westchnął.

Rozłączyła się. I wybrała numer Birgitty. Dźwięki wróciły. Potężne wyładowanie wprawiło samochód w drżenie.

Słyszała, jak wybrzmiewają kolejne sygnały: jeden, drugi, trzeci, czwarty...

Ktoś odebrał.

– Halo? Birgitta?

Burza szalała. Zatkała drugie ucho palcem, żeby w ogóle coś słyszeć.

– Birgitta? Jesteś w Lyckebo?

Trzaski, jakieś szumy. Miała wrażenie, że ktoś próbuje coś powiedzieć.

Kolejna błyskawica oświetliła niebo, skąpała miasteczko w jasnym świetle. Połączenie zostało przerwane, na linii zapadła cisza. Spojrzała na komórkę: brak zasięgu. Burza musiała uszkodzić maszt.

Znów spróbowała połączyć się z Birgittą, bez skutku. Wybrała numer Stevena, też nie uzyskała połączenia. Wysłała mu SMS-a, w nadziei, że może jednak dojdzie, jeśli nie od razu, to za chwilę:

Birgitta jest w Lyckebo. Jadę tam.

TERENY PRZEMYSŁOWE ciągnęły się w nieskończoność. Niekończące się rzędy blaszanych warsztatów na obrzeżach Algeciras, jakąś godzinę drogi od Marbelli.

– Wynajmuje cały ten szereg – powiedział inspektor Rodríguez, wskazując palcem na dwa lokale, jeden po prawej, drugi po lewej stronie numeru siedemset trzydzieści osiem.

Nie próbowali się skontaktować z dozorcą. Nina uznała, że klucz, który znalazła w ponurej szeregówce, będzie pasował. Dla pewności – gdyby *la observatora* jednak się myliła – inspektor Rodríguez włożył do bagażnika łom.

Z zewnątrz warsztat niczym się nie wyróżniał. Nigdzie nie było żadnej tabliczki, która by informowała, czym się w nim zajmują. Był tylko numer baraku na wyblakłym kawałku blachy, który kiedyś był niebieski. Żadnych okien, tylko szeroka brama, a obok wąskie drzwi.

Nina włożyła rękawiczki, wyjęła klucz z foliowej torebki na dowody i podeszła do drzwi. Wkładając klucz do zamka, wstrzymała oddech. Wszedł bez najmniejszego problemu, przekręciła w lewo, nic, zagryzła zęby, spróbowała przekręcić w prawo. Tym razem się udało: przekręciła raz, potem drugi i po chwili rozległo się ciche kliknięcie.

Wypuściła z płuc powietrze, cicho, bezgłośnie.

Drzwi się otworzyły, dobrze naoliwione zawiasy nawet nie jęknęły.

W pomieszczeniu panowała całkowita ciemność. Weszła przez wysoki próg, nagrzane powietrze stało. Włączyła komórkę, poświeciła nią i zaczęła się rozglądać za włącznikiem światła. Znalazła go na lewo od drzwi.

Świetlówki na suficie zaczęły się zapalać jedna po drugiej, łagodnym, płynnym ruchem, szumiały lekko. Po chwili całe pomieszczenie było skąpane w tak intensywnym świetle, że musiała zmrużyć oczy. Zamrugała. Za ten lokal nikt nie zalegał z rachunkami.

– Co to ma być? – zdziwił się inspektor, stając obok niej.

Pomieszczenie było puste, blaszana skorupa bez zawartości. Betonową posadzkę pokrywał kurz. Dziesięć metrów na piętnaście i sześć metrów do sufitu. Żadnych śladów.

Nina przeszła powoli pod ścianami. Pomyślała, że nic tam nie znajdzie, jasne światło bezlitośnie obnażało pustkę.

Wróciła do drzwi, zgasiła światło. Świetlówki jarzyły się słabo jeszcze przez chwilę, w końcu się poddały i zgasły. Wyszli, Nina zamknęła drzwi.

Inspektor podszedł do drzwi numer siedemset trzydzieści osiem, Nina go wyminęła i podeszła do następnych, po lewej. Włożyła klucz do zamka. Pasował. Przekręciła, drzwi się otworzyły.

Pustka.

Inspektor Rodríguez chociaż raz się nie odezwał.

Weszła do środka, przeszła się po lokalu. Zaczęła się przyglądać posadzce, szukała jakiegoś ukrytego zejścia, ale nic nie znalazła. Spojrzała na sufit, na lampy, nic nie zwróciło jej uwagi. Zgasiła światło, zamknęła drzwi na klucz i poszła dalej, do kolejnej bramy.

– Wygląda na używaną – powiedział inspektor. – Proszę spojrzeć, tu odszedł kawałek farby...

Otworzyła wąskie drzwi i od razu poczuła, że to pomieszczenie jest inne niż poprzednie. Powietrze, które ją uderzyło, pachniało wiórami i terpentyną. Włączyła świetlówki.

Warsztat był pełen desek, narzędzi i maszyn.

– Dlaczego wynajmuje trzy lokale, a używa tylko jednego? – dziwił się inspektor. – Po co mu tamte? Może to jakaś strefa buforowa?

Nina zatrzymała się niedaleko drzwi, próbowała ogarnąć wzrokiem całe pomieszczenie. Miało identyczne rozmiary jak pozostałe dwa: dziesięć metrów na piętnaście i sześć metrów wysokości. Pod ścianą po prawej stronie ułożono deski, pocięte na kawałki różnej wielkości. Odniosła wrażenie, że zostały posortowane według grubości: cieńsze leżały na górze, grubsze na dole. Po lewej stronie stał kontener. Przypominał jej kontenery firmy Maersk, które widziała w porcie. Duże, pięć metrów szerokości, dwa wysokości, z drzwiami pośrodku.

Na wprost stał stół do pracy z zamontowaną piłą, na środku wysoki cylinder ze stali nierdzewnej.

Inspektor, który też już włożył rękawiczki, wskazał na posadzkę.

– Wjeżdżał tu samochodem.

Nina spojrzała na beton.

Pod stopami inspektora widać było ślady kół niewielkiego samochodu osobowego. A więc bracia Berglund nie parkowali na ulicy. Przy ścianie za deskami leżała sterta drobniejszych kawałków drewna. Maszyna ze stali nierdzewnej była podłączona do rozlicznych rurek, miała też odpływ.

– Co to może być? – zdziwił się inspektor. Podszedł bliżej.

Na stole ktoś rozłożył narzędzia. Nina wzięła do ręki piłę. Brzeszczot lśnił w silnym świetle. Odłożyła ją, sięgnęła po obcęgi.

Czyste, bez jednej plamki.

Inspektor zdążył już otworzyć cylinder i włożyć do środka głowę.

– To zmywarka! – Nina usłyszała jego zdziwiony głos z wnętrza cylindra.

– Sterylizator – poprawiła go. – Sterylizują narzędzia, pozbywają się śladów DNA.

Podeszła do drzwi kontenera, spróbowała je otworzyć, były zamknięte. Wyjęła klucz, ale tym razem nie pasował.

– Inspektorze Rodríguez, poproszę łom!

Inspektor poszedł do samochodu, słyszała, jak otwiera bagażnik, a potem go zamyka. Czekała spokojnie, aż wróci. Stanęli przed zamkniętymi drzwiami. Inspektor przyłożył łom, nacisnął.

Zamek puścił niemal natychmiast.

Drzwi się otworzyły. Uderzył ich stęchły zapach starych śmieci. Inspektor zaczął szukać włącznika, po chwili na suficie zaświeciła lampa, ale nie tak mocno jak lampy w sąsiednim warsztacie.

– To wygląda jak małe mieszkanie – powiedział inspektor.

Nina weszła do środka.

Była tam mała kuchenka, dwa krzesła, stolik i dwa łóżka. W głębi pod krótszą ścianą stał wucet, naprzeciwko kabina prysznicowa. Przykry zapach dochodził z zapomnianego worka na śmieci. Stał obok niewielkiego zlewu. Może tydzień, może nawet dłużej.

Więc to tam ukrywał się Arne Berglund, kiedy jego brat siedział w areszcie w Szwecji? A może było odwrotnie? Może to Arne był w areszcie, a Ivar ukrywał się w Hiszpanii?

Inspektor Rodríguez podszedł do łóżek.

– *Señor* Berglund preferuje blondynki – stwierdził.

Nina podeszła bliżej.

Na ścianie nad jednym z łóżek ktoś poprzyklejał zdjęcia ładnej młodej kobiety z jasnymi włosami. Zdjęcia były kiepskiej jakości, i same zdjęcia, i odbitki. Może zostały zrobione komórką, a potem wydrukowane?

– Na wszystkich jest ta sama kobieta – zauważył inspektor.

Nina zaczęła się przyglądać największemu ze zdjęć: zostało powiększone do formatu A-3. Kobieta miała na sobie letnią sukienkę, siedziała w kawiarni, na zewnątrz, patrzyła w obiektyw i śmiała się radośnie. Wiatr rozwiewał jej jasne włosy.

Na ścianie wisiała też mapa Malmö i zdjęcie sklepu, marketu spożywczego MatExtra, i bloku na przedmieściu.

– Wie pani, kto to jest? – spytał inspektor.

Nina zaczęła się wpatrywać w pozostałe zdjęcia. Była na nich ta sama kobieta, najprawdopodobniej zrobiono je komórką. Nagle zobaczyła inne zdjęcia: przedstawiały tę samą kobietę, ale w dzieciństwie. Na jednym siedziała na plaży nad jeziorem, okryta dużym ręcznikiem kąpielowym. Obok niej siedziała druga dziewczynka, trochę większa, z ciemnymi włosami, jej twarz uchwycono z profilu.

Nina gwałtownie zaczerpnęła powietrza.

– Tak – powiedziała. – Wiem, kim jest ta kobieta.

DZESZCZ PRZESTAŁ PADAĆ niemal równie szybko, jak zaczął, jakby ktoś nagle zakręcił kran.

Annika zaparkowała na leśnej drodze prowadzącej do Lyckebo, koła grzęzły w mokrym podłożu. Zawahała się, ale postanowiła zostawić torbę na siedzeniu pasażera. Kto na tym odludziu mógłby się włamać do jej samochodu? Komórka nadal nie odzyskała zasięgu, ale na wszelki wypadek włożyła ją do kieszeni spodni.

Zamknęła samochód. Przyroda ociekała deszczem, powietrze błyszczało jak szkło. Minęła szlaban, ruszyła szybkim krokiem przez krzaki i zarośla. Po chwili poczuła, że ma przemoczone nogi – aż do łydek. Na północnym wschodzie nadal było widać błyskawice, ale grzmotów nie było już słychać.

Zastanawiała się, dlaczego Birgitta pojechała do Lyckebo. Nigdy nie czuła się tam dobrze, zawsze narzekała na mrówki, komary, na pokrzywy. Była niezadowolona, że trzeba długo iść od szosy, w domku nie było telewizora, a w pobliżu żadnej budki z lodami.

A może, podobnie jak ona, postanowiła się skonfrontować ze swoimi demonami? Może alkoholowy incydent i ultimatum Stevena sprawiły, że inaczej spojrzała na świat? Postanowiła uporządkować swoje życie i zacząć wszystko od nowa?

Annika miała taką nadzieję.

Razem powinny odłożyć na bok odwieczną rywalizację, pogodzić się i iść dalej. Tak wiele je przecież mimo wszystko łączyło: dom, dzieciństwo, wspólne doświadczenia, które je ukształtowały. Bez sensu tkwić w dawnych animozjach, kłócić się o to, którą mama albo babcia kochała bardziej.

Przyspieszyła kroku. Skalne podłoże było śliskie, poślizgnęła się, niewiele brakowało, a byłaby upadła.

Nagle w jakimś prześwicie zobaczyła domek. Fala ciepła rozeszła się po jej piersi. Domek wyglądał równie niepozornie i samotnie jak wtedy, kiedy była tam poprzednim razem, tylko teraz woda kapała z rynny, a w gałęziach brzóz gwizdał wiatr. Czy był na świecie jeszcze ktoś, kto miał do tego miejsca tak wielki sentyment jak ona?

Przeszła szybko przez podwórze, podeszła do zamkniętych drzwi. Dotknęła klamki. Drzwi się otworzyły, zawiasy jęknęły, jak poprzednim razem.

– Birgitta?

Weszła do mrocznej sieni, zamrugała, żeby przyzwyczaić oczy do ciemności. Zdjęła zabłocone sandały i weszła do kuchni.

Była pusta.

Zdziwiona stanęła na środku. Kuchnia była równie opuszczona jak poprzednim razem, pusty stół bez obrusa, zejście do piwnicy odsłonięte. I ani śladu siostry.

– Birgitta, gdzie jesteś?

I wtedy zobaczyła w kącie starą żółtą torbę podróżną. Tydzień wcześniej jej tam nie było. Była tego pewna. Może należała do Birgitty?

Ruszyła w jej stronę, kiedy nagle usłyszała, jak trzaskają drzwi. Nie przestraszyła się, wiedziała, że to tylko wiatr.

I wtedy zobaczyła stojącego na progu mężczyznę. Świat wokół niej zawirował. Nie, to nie mogła być prawda.

– Ivar Berglund?

Tak, to był on, rozpoznała jego małe oczy i krępą sylwetkę. Widziała go podczas procesu w sztokholmskim sądzie jakiś rok wcześniej, no i rano, na zdjęciu na pierwszej stronie „Kvällspressen". Miał nie wyjść na wolność przez najbliższych czterdzieści lat, a oto stał przed nią.

– Witaj, Annika. Dobrze, że jesteś.

Zdziwienie zamieniło się w strach, poczuła, że ściska ją za gardło. Skąd znał jej imię? Zrobiła krok do tyłu, uderzyła piętą o torbę.

Ivar Berglund się odwrócił i zamknął drzwi, klucz schował do kieszeni.

– Usiądź – powiedział, wskazując na jedno z drewnianych krzeseł.

Czuła, że wpada w panikę: *już nie siódemka, raczej ósemka.*

– Co zrobiłeś z Birgittą?

Nie odpowiedział. Usiadł na drugim krześle i zaczął się jej spokojnie przyglądać.

– Znasz poligon Vidsel?

Głos miał zaskakująco melodyjny i ciepły.

– Teren ćwiczeń?

– Obecnie nazywa się to poligon Vidsel. Przeprowadza się tam próbne eksplozje.

– Co takiego?

– W południowej Szwecji mało kto o tym wie. Większość ludzi uważa, że na północy żyją tylko Lapońce i ptactwo morskie.

Spojrzała na okno. Gdyby jej się udało je otworzyć, mogłaby wyskoczyć na podwórze. Zobaczyła, że ktoś wstawił wewnętrzne szyby, więc raczej nie miała szans.

Mężczyzna nadal jej się przyglądał. Jak to możliwe? – zastanawiała się. W ogóle nie powinno go tam być, miał zostać wydalony do Hiszpanii.

– Moja rodzina stamtąd pochodzi – powiedział.

Skupiła się na oddychaniu.

– Miejsce pochodzenia jest ważne. To ono nas kształtuje. Mieszkamy tam od wieków, ale teraz na tej ziemi testuje się broń masowej zagłady. Tylko do tego się nadaje. Tylko do tego my się nadajemy, my, którzy pochodzimy stamtąd. Dorastaliśmy obok śmierci.

Annika zrobiła kolejny krok do tyłu, potknęła się o torbę.

Mamy żelazo we krwi.

– Ale Naustę znasz? – spytał znów.

Nausta? Powinna znać tę nazwę?

– Niewielka wieś, w lesie. Matka i ojciec tam się urodzili – powiedział Berglund. – Dorastali tam, ale potem, kiedy zaczęto tam testować bomby, zostali przesiedleni. Symulowano tam ataki jądrowe. Potem już nie mogli tam wrócić. Ojciec zaczął trochę świrować – dodał i pokiwał głową, jakby chciał potwierdzić własne słowa.

– Wioska nadal istnieje, a raczej jej resztki. Wiedziałaś, że obszar poligonu jest równy powierzchni Blekinge?

Annika nie odpowiedziała.

– Dokonuje się tam pomiarów materiałów i próbuje określić ewentualne szkody. Szwajcarzy zbudowali kiedyś most prowadzący donikąd, tylko po to, żeby go wysadzić w powietrze. Używa się dronów i robotów. Jest ich czterdzieści, są wszędzie. Dzisiaj wszyscy takie mają: Iran, Pakistan, Tunezja, Bahrajn, Emiraty Arabskie, Indonezja, Singapur, Tajlandia, Wenezuela…

– Gdzie jest Birgitta? – przerwała mu Annika. Czuła, że ma wyschnięte usta.

Ivar Berglund wydął wargi.

– W Nauście – powiedział. – Albo raczej w lasach w okolicy.

W jej kieszeni odezwała się komórka. Zasięg wrócił. Gdyby tylko mogła po nią sięgnąć…

Po chwili dotarło do niej, co odpowiedział.

– Birgitta? Dlaczego tam pojechała?

Skinął głową.

– Można tam dojechać. Co prawda teren jest wygrodzony, ale nie ma płotu. Są tylko tablice ostrzegawcze. Zresztą nikt tam nie chodzi. To dziki teren.

Annika miała przed oczami czarne plamki. Wiedziała, że zaraz wpadnie w panikę.

– Dlaczego? – spytała.

Pstryknął palcami. Annika przypomniała sobie, że robił to też podczas procesu.

– Jestem prostym człowiekiem – powiedział. – Sprawiedliwość to moja dewiza. Ludzie dostają to, na co zasłużyli. Oko za oko, ząb za ząb. Siostra za brata.

Annika jęknęła, nogi się pod nią ugięły. Wyciągnęła rękę, żeby się o coś oprzeć, i chwyciła się krzesła. Oparła się o stół, pusty, bez obrusa.

– Zabrałeś ją?

Złożył dłonie na brzuchu.

– Dwutygodniowy proces. Taki zafundowano mojemu bratu. Musiała się wyspowiadać ze swoich grzechów. I z twoich też.

Patrzyła na niego. Brat? Arne Berglund? Przecież on nie żyje już od dwudziestu lat!

– To twoja wina – powiedział i znów pokiwał głową. – To przez ciebie mój brat trafił za kratki. Ty zgotowałaś siostrze taki los.

Co miał na myśli? Chodziło mu o artykuły, w których opisała zeszłoroczne morderstwo w Nacce? Czy te o zniknięciu Violi Söderland? Może uznał, że to ona naprowadziła Ninę na ślad Ivara Berglunda i sprawiła, że został aresztowany?

– Birgitta bardzo cię lubiła, ale ty nie byłaś dobrą starszą siostrą. Zasługiwała na lepszą.

Znów na niego spojrzała. Dlaczego używa czasu przeszłego?

– Kłamiesz. Nigdy by z tobą nie pojechała.

Jego oczy były spokojne.

– Wszyscy ze mną jadą. Wytłumaczenie jest proste: chloroform. Oczywiście tylko wtedy, kiedy stawiają opór. A potem, kiedy się obudzą, woda ze środkiem uspokajającym. Wszyscy są bardzo spragnieni.

Annika zauważyła, że jednak może oddychać.

– Zaczekałeś, aż się upije, a potem ją porwałeś, kiedy była słaba i nie mogła się bronić. Nie wstyd ci?

Znów pstryknął palcami.

– Nie – powiedział.

– Uśpiłeś ją. W samochodzie, przed Konsumem w Malm-köping…

– Byliśmy w drodze na północ, zatrzymałem się, żeby zrobić zakupy. Stamtąd do Nausty jest jeszcze ponad sto mil.

Opustoszała wioska najwyraźniej z jakiegoś powodu była dla niego ważna. Pokiwała głową, udając, że rozumie.

– Powiedziałeś, że proces trwał dwa tygodnie. Dlaczego?

– Sprawa mojego brata ma trwać dwa tygodnie.

– Więziłeś ją w Hälleforsnäs. Gdzie?

Wskazał głową na północ.

– Tam, w lesie, w domku letniskowym. Zgodnie z planem miałaś się stawić wcześniej. Miałaś zeznawać jako świadek. Ale nie odpowiedziałaś na SMS-y.

– Zmieniłam numer.

Wyglądał zupełnie normalnie. Normalny, niczym się niewyróżniający mężczyzna przed sześćdziesiątką. Na ulicy nigdy nie zwróciłaby na niego uwagi.

– A więc jesteś bratem Ivara Berglunda – powiedziała. – Myślałam, że jego brat nie żyje.

– Tak, wszyscy tak myślą. Niewykluczone zresztą, że to ja jestem Ivar, a mój brat nie żyje.

Nie chciała słuchać jego wynurzeń.

– Gdzie jest Birgitta?

– Na to pytanie trudno mi odpowiedzieć.

– Jak to?

– Ciała zostawiamy na pastwę zwierząt. To najlepsze rozwiązanie. Po kilku dniach nie ma po nich śladu.

Annika poczuła, że mdłości podchodzą jej do gardła.

– Lasy są pełne kości. Nikogo to nie dziwi. Tylko czaszki i kości rąk i nóg trzeba spreparować, da się je zidentyfikować.

Twoja siostra odpoczywa w spokoju gdzieś na leśnej polanie.

Annika zwymiotowała, prosto na stół. Brązowa ciecz, cappuccino z kawiarni w outlecie. Berglund przyglądał się jej spokojnie.

– Szkoda, że się nie odezwałaś wcześniej. Miałaś szansę się pożegnać. Teraz pozostaje wam już tylko wieczność.

Wstał i podszedł do stojącej w kącie torby. Annika pchnęła krzesło do tyłu, jakby próbowała uciec. Torba miała rzemyki, ale nie była zamknięta, otworzyła się i ukazała zawartość.

Była wypełniona narzędziami. Obcęgi różnej wielkości, dwa duże młotki, ostre szydła, stalowy drut, piła, długi nóż i dłuto.

– Poznajesz? – spytał.

Wziął do ręki trzydziestocentymetrową chromowaną rurkę zakończoną czerwonym haczykiem. Nie czekając na odpowiedź, sięgnął po okrągłą niebieską puszkę i nałożył ją na koniec rurki.

– To pistolet bolcowy, służy do ogłuszania. Na przykład przy uboju. Ten niebieski nabój powali nawet potężnego byka. Nie cierpiała. Śmierć przychodzi natychmiast.

Annika przyglądała się narzędziu. Do uboju?

– Muszę przyznać, że się pomyliłem. Nie sądziłem, że siostry mogą się ze sobą nie zgadzać – powiedział, polerując narzędzie.

Annika znów spojrzała na okno. Może rzuci się na szybę, wybije ją? A może to zbyt duże ryzyko? Mogłaby się poranić.

– W Vidsel wszyscy trzymamy się razem. Cierpimy, jeśli zostajemy rozdzieleni. I nie pozwalamy się zamknąć w klatce. Ludzie rodzą się wolni…

Zza ściany dały się słyszeć jakieś dźwięki, Annika nadstawiła uszu. Miała wrażenie, że słyszy kroki. Ktoś szedł po gliniastym podłożu. Ivar Berglund nie zareagował, czyżby jej się tylko wydawało?

Po chwili rozległo się pukanie do drzwi.

– Birgitta? Jesteś tam? Annika?

Steven. Berglund spojrzał zaciekawiony w stronę sieni.

– Odejdź! – krzyknęła Annika. Głos miała schrypnięty, krzyk zamienił się w rzężenie. – Uciekaj! Zawiadom policję!

– Annika? Dostałem twojego SMS-a. Birgitta jest z tobą?

Berglund ruszył do drzwi. Annikę ogarnęła złość. Wrzasnęła z całych sił:

– Birgitta nie żyje! Uciekaj!

– Nic ci nie jest? Annika?

Ivar Berglund, a może jego brat, sięgnął do kieszeni po klucz i otworzył drzwi.

– Zapraszam, proszę wejść – powiedział.

– Nie wchodź! – krzyknęła znów Annika.

Zza głowy Berglunda patrzyła na nią zaniepokojona twarz Stevena.

– Co tu się dzieje?

– To szaleniec! Zamordował Birgittę!

Steven wszedł do ciasnej sieni, odsunął Berglunda i spojrzał na Annikę.

– Co z tobą? Skrzywdził cię?

Annika zaczęła płakać. Nogi nie chciały jej nieść.

– Steven, nie powinieneś tu przyjeżdżać.

– Ależ tak, powinienem – powiedział i odwrócił się do Berglunda.

Annika zobaczyła, jak Berglund robi krok do przodu, podnosi chromowaną rurkę i chwyta Stevena za kark. I nagle znów stała przed wielkim piecem i patrzyła, jak jej kotek leci w powietrzu z rozciętym brzuszkiem i jelitami na wierzchu. Świat zrobił się czerwony, chwyciła zardzewiały pręt, nie, nie pręt, tylko młotek ze starej torby podróżnej. Berglund przyłożył rurkę do czoła Stevena. Steven krzyknął, ktoś krzyknął, Berglund oddał strzał. Annika zamachnęła się młotkiem, celowała w tył jego głowy. Steven upadł tuż przed nią. Miał otwarte oczy i okrągłą dziurę w czole. Berglund się odwrócił, spojrzał na nią. Uderzyła go w skroń. Kolana się pod nim ugięły, przewrócił oczami. Znów uniosła młotek, czuła rdzę na dłoniach, uderzyła tak, żeby zabić, chciała tego, chciała zobaczyć, jak wypływa jego mózg.

Będziesz musiała z tym żyć.

Zatrzymała się.

Ivar Berglund jęknął. Kotek nie żył. Nie dało się włożyć jelit z powrotem do brzuszka.

Potykając się, podeszła do stołu, wzięła do ręki stalowy drut. Berglund był ciężki. Upadł na brzuch, ręce miał wyciągnięte wzdłuż tułowia. Związała mu je drutem na plecach, otworzyła klapę do piwnicy. Zaczęła go ciągnąć w stronę otworu, pot ściekał jej po twarzy. Przerzuciła jego nogi przez krawędź, pchnęła, po chwili usłyszała głuchy odgłos: jego bezwładne ciało uderzyło o ziemię. Słyszała, jak jęczy. Więc przeżył upadek. Zamknęła klapę i uklękła obok Stevena.

Nie żył. Z dziury w czole sączyła się krew wymieszana z mózgiem.

Chwyciła jego potężne ciało i szlochając, zaczęła je ciągnąć na środek kuchni. Położyła je na klapie. Ona ważyła pięćdziesiąt kilogramów, Steven pewnie ze sto. Pomyślała, że nawet jeśli Ivar Berglund jest bardzo silny, nie da rady unieść klapy. Zwłaszcza że miał związane ręce i roztrzaskaną czaszkę.

Siedziała ze Stevenem w objęciach, kołysała go i płakała. Nie musiał przyjeżdżać, powinien był się trzymać z dala. Gładziła go po włosach i nuciła cicho.

Śpiewała mu, aż zabrakło jej słów. Została tylko cisza i wirujące w słońcu drobinki kurzu.

Sięgnęła po komórkę i zadzwoniła na policję.

EPILOG

Środa, 16 grudnia

THOMAS USIADŁ NA KANAPIE w salonie z kieliszkiem czerwonego wina w ręce, w prawej, jedynej, jaką miał. Do rozpoczęcia programu zostało kilka minut.

Właściwie nie miał szczególnej ochoty go oglądać, ale miał za sobą trudny dzień w pracy i powinien spróbować się odprężyć. Pomyślał, że trochę rozrywki w wykonaniu państwowej telewizji dobrze mu zrobi.

Wypił łyk wina, rioi, rocznik dwa tysiące czwarty. Cholernie dobry rok. Należał do tych, którzy potrafią to w pełni docenić. Pomyślał, że ktoś, kto ma taką pracę, zasługuje na małą nagrodę w środku tygodnia. Nowy rząd działał na razie bardzo chaotycznie, urzędnicy nie wiedzieli, na czym stoją. Z czasem wszystko się uspokoi, a ludzie tacy jak on, ci, którzy prowadzą własne projekty, z pewnością dostaną kluczowe stanowiska. Już zdążył odbyć dwa ważne spotkania z nową panią minister, byłą fryzjerką z Norrlandii, która co prawda nie znała się na prawie, ale potrafiła słuchać i czerpać z wiedzy innych.

Program się zaczął. Wypił kolejny łyk wina i odstawił kieliszek. Poprawił się na kanapie. Doceniał to, że jest w mieszkaniu sam. Lubił, kiedy jego narzeczona była w majątku i całe mieszkanie miał dla siebie.

Zaraz po czołówce pokazano główną bohaterkę programu w miejscu pracy. Zobaczył, jak idzie przez redakcję, wchodzi do pokoju ze ścianami ze szkła i zamyka za sobą drzwi. Na ścianie nad biurkiem wisiał okropny obraz: namalowany pastelami facet.

Tętno natychmiast mu przyspieszyło. Dawno się nie widzieli. Właściwie od pogrzebu Birgitty. Czyżby przytyła?

– Annika Halenius, redaktor naczelna koncernu medialnego „Kvällspressen". Witamy.

Na ekranie pokazała się twarz prowadzącej, kobiety w średnim wieku, która stara się wyglądać młodziej. Przywitała widzów, Thomas poprawił się na kanapie. Kobieta zwróciła się do gościa, oddała mu głos.

– Dziękuję – powiedziała jego była żona. Była umalowana, no i chociaż raz się uczesała.

Sięgnął po wino, ręka lekko mu drżała, wypił do końca. Ma iść po kolejną butelkę czy jeszcze chwilę zaczekać?

Prowadząca skrzyżowała nogi, spojrzała w notatki, podniosła głowę i znów spojrzała na Annikę. Pomyślał, że jego nazwiska Annika nie przyjęła, nawet po ślubie.

– Mamy dzisiaj historyczny dzień – zaczęła prowadząca. – Dzisiaj bowiem ukazuje się ostatnie papierowe wydanie „Kvällspressen". Od czterech miesięcy jest pani wydawcą gazety. Rozumiem, że były to bardzo burzliwe miesiące…

– Tak, to prawda – powiedziała Annika, uśmiechając się tak, jak zawsze się uśmiechała, kiedy była niezadowolona.

– Czy odejście od papierowego wydania oznacza koniec poważnego dziennikarstwa?

Przyglądał się swojej byłej żonie. Znał ją najlepiej ze wszystkich, widział, jak ze sobą walczy, jak się stara być uprzejma. Właściwie nie sprawdzała się w tego rodzaju programach.

– Postanowiliśmy się skupić na treści, nie ograniczać się formatem. Nie trzeba niszczyć lasów, żeby uprawiać dobre dziennikarstwo – powiedziała. – Wręcz przeciwnie. Wiadomość, która zostaje wydrukowana na papierze i przekazana czytelnikowi, przestaje de facto być wiadomością. Jeśli natomiast chodzi o dłuższe teksty, reportaże czy pogłębione analizy, papierowe wydanie sprawdza się lepiej. Dlatego pozostajemy przy weekendowych wydaniach, które…

Thomas wstał, poszedł do kuchni. Nie miał ochoty słuchać, jak się chwali swoim nowym stanowiskiem. Butelka wina stała na blacie, etykietka odbijała się w czarnym granicie.

Nowa kuchnia była wyjątkowo udana: nowoczesna, ale ponadczasowa, zaprojektowana na zamówienie, kamień i matowa stal połączone z dębem.

Nabrał głęboko powietrza, musiał się uspokoić. Nie miał powodu się denerwować. Położył rękę, tę zdrową, na blacie, poczuł chłód kamienia.

Zabrał butelkę do salonu.

– Zlikwidowano sto stanowisk, co nie znaczy, że odeszło sto osób – usłyszał głos Anniki. – To różnica. Niektórzy odeszli z naturalnych przyczyn, na przykład ze względu na wiek, oczywiście z odprawą. Ale wiem, że tym, dla których nie znalazło się miejsce w nowej strukturze, może dzisiaj być ciężko.

Naprawdę dalej opowiadała o swojej nudnej pracy?

Nalał wina do kieliszka. Kieliszek był duży. Sophia twierdziła, że jest pospolity, ale on lubił duże czasze. Mieściła się w nich prawie cała butelka.

– Podobno była pani bardzo ostra. Likwidacja papierowego wydania nie przysporzyła pani popularności.

Na twarzy Anniki znów pojawił się jej charakterystyczny uśmiech.

– Jeśli mam być szczera, to wcześniej też nie cieszyłam się zbytnią popularnością – powiedziała, sięgając po stojącą przed nią szklankę wody.

Wypiła łyk.

– Wie pani, że pani poprzednik na tym stanowisku, Anders Schyman, postanowił odejść w proteście przeciwko cięciom?

Thomas wypił kolejny łyk, poczuł, jak po jego ciele rozchodzi się ciepło. Czuł je nawet w haku. Czy to możliwe? Upojenie fantomowe?

– Pracowałam z Andersem Schymanem piętnaście lat i mam dla niego ogromny szacunek. Pełni niezwykle ważną rolę w debacie nad przyszłością mediów, będzie wspaniałym profesorem w Instytucie Mediów i Komunikacji…

Thomas poczuł, że szumi mu w głowie. Wino się kończyło, może powinien otworzyć kolejną butelkę?

Prowadząca pochyliła się do przodu, jakby chciała się zbliżyć do Anniki.

– Ma pani dwoje małych dzieci, pani mąż niedawno został dyrektorem generalnym rady do spraw przeciwdziałania przestępczości. Nie miała pani żadnych wątpliwości, przyjmując tak odpowiedzialne stanowisko?

No tak, teraz się zacznie, pora na ploteczki. Annika wyglądała na nieprzyjemnie poruszoną. A może tylko mu się wydawało?

– Żadnych – powiedziała. Wyglądała na zadowoloną. – Walczyłam o to stanowisko i dostałam je.

Chyba zmieniła fryzurę. Czyżby ścięła włosy? A może po prostu poszła do fryzjera?

– Walczyła pani o nie?

– Walczyłam, żeby przekonać zarząd, że nie powinni szukać kogoś z zewnątrz. Warunki pracy w popołudniówkach są bardzo szczególne, nie każdy sobie poradzi. Znane nazwisko to za mało.

– Dlaczego zarząd zdecydował się właśnie na panią?

– Mam fachową wiedzę, znam struktury organizacyjne redakcji, no i udało mi zdobyć zaufanie zarządu. Mogłam wziąć na siebie odpowiedzialność albo nie. Nie czułam się w żaden sposób zobowiązana. Nie tylko wobec gazety i pozostałych pracowników, ale… Cóż, wiem, że to zabrzmi banalnie, ale także wobec siebie.

– Nie miała pani żadnych wątpliwości?

– Decyzja o likwidacji papierowego wydania została już podjęta. Tak czy inaczej, weszłaby w życie i moje zdanie na ten temat nie miałoby żadnego znaczenia. Oczywiście byłoby łatwiej i przyjemniej siedzieć i narzekać na rozwój mediów…

Nie mógł tego słuchać. Wywodów swojej byłej żony o tym, jaka jest odpowiedzialna, jak się poświęca. Wypił wino do końca i wstał z kanapy. Przekonał się na własnej skórze, jaka jest odpowiedzialna, lojalna, jak się troszczy o innych ludzi.

Idąc do kuchni, uderzył hakiem o futrynę. Zadrżała mu ręka.

Kiedy remontowali kuchnię, kupili chłodziarkę do wina, potwornie drogą, ale bardzo elegancką. Drzwi otworzyły się z cichym sykiem, z telewizora doszedł go śmiech Anniki. Zaczął się przyglądać butelkom. W końcu wybrał południowoafrykańskie shiraz, dość tanie, ostre, w sam raz na wywiad z Anniką.

Zamknął chłodziarkę, sprawdził temperaturę na termostacie: trzynaście stopni, idealnie.

– Godząc się na objęcie nowego stanowiska, postawiła pani jakieś warunki?

– Prawdę mówiąc, tak – odpowiedziała Annika. – Poprosiłam, żeby Berit Hamrin została szefem redakcji i zastępcą wydawcy.

Obok chłodziarki zamontowali otwieracz do wina, żeby mógł otwierać butelki jedną ręką. Jeszcze nie wypracował odpowiedniej techniki i czasem musiał próbować kilka razy, zanim mu się udało umocować szyjkę w uchwycie. Kiedy w końcu wyciągnął korek, był spocony i zziajany. Pochlapał sobie koszulę.

Potarł plamę hakiem i poczuł, że ma łzy w oczach.

Może nie powinien więcej pić? Po winie robił się niezdarny, a przecież wcale taki nie był. Zawahał się, w końcu jednak zabrał butelkę do pokoju. Ale nie zamierzał wypić całej.

– Zarówno Arne Berglund, jak i jego brat Ivar zostali skazani na dożywocie – usłyszał głos prowadzącej, kiedy znów zasiadł na kanapie. – Czy uważa to pani za swój sukces?

– Nie. Ani trochę. Tu nie ma wygranych.

– Szczątki pani siostry odnaleziono latem w lasach w Norrbotten. Jej i ośmiu innych osób, w tym Violi Söderland. Potrafiła pani zachować obiektywizm, relacjonując tę sprawę?

– Za całość odpowiadał Patrik Nilsson. Świetnie się spisał.

– Ale wznowienie czterech z pięciu postępowań sądowych pierwotnie zakończonych wyrokami dla Gustafa Holmeruda to już wyłącznie pani zasługa. Jest pani zadowolona?

Annika się zamyśliła. Że niby taka skromna, pomyślał Thomas.

– Prawdę mówiąc, dla mnie osobiście najważniejsza była sprawa morderstwa Josefin Liljeberg. Cieszę się, że została zakończona.

– Dlaczego właśnie ta?

– Josefin zasłużyła na sprawiedliwość. Pisałam o niej, kiedy byłam na stażu w „Kvällspressen". Dlatego cieszę się, że świadkowie w końcu zdecydowali się mówić. Sprawiedliwości stało się zadość.

– Wie pani, co sprawiło, że zmienili zdanie? Że w końcu zdecydowali się powiedzieć prawdę?

Annika spuściła wzrok.

– Może dręczyły ich wyrzuty sumienia? Bo przecież kłamali. Ale to tylko spekulacje. Podczas procesu nie było o tym mowy, a potem wszyscy zgodnie odmówili udzielania wywiadów. – Podniosła głowę, spojrzała na prowadzącą. – Z biegiem lat wcale nie jest łatwiej ukrywać tajemnicę czy swoją winę. Wręcz przeciwnie. Z czasem staje się to nie do zniesienia. Przychodzi pora, kiedy trzeba coś z tym zrobić.

Komórka Thomasa zaczęła wibrować. Sophia.

– Cześć, kochanie, oglądasz wywiad?

Położył komórkę na udzie, opracował sposób obsługiwania jej jedną ręką.

– Nie mam czasu, pracuję. Potem obejrzę w internecie. Zobaczymy się jutro. Całusy.

Wiedział, że więcej nie zadzwoni. Nigdy nie przeszkadzała mu w pracy.

Prowadząca przekrzywiła głowę.

– Po śmierci pani siostry pani matka udzieliła wywiadu. Stwierdziła, że to pani wina, że Birgitta została zamordowana. Jak dzisiaj wyglądają pani kontakty z matką? Pogodziłyście się?

Thomas zauważył na twarzy Anniki napięcie, szczególnie wokół ust.

– Po śmierci mojej siostry i szwagra wszyscy byliśmy wzburzeni. Mama i Birgitta były sobie bardzo bliskie. W afekcie mówi się czasem rzeczy, których inaczej pewnie by się nie powiedziało…

Thomas parsknął. Nie lubił tej wiedźmy, jej matki. Stare przysłowie mówi, że ktoś, kto chce wiedzieć, jak jego żona będzie wyglądać za trzydzieści lat, powinien się przyjrzeć teściowej.

Roześmiał się. Może Jimmy Halenius powinien był odwiedzić Barbro na Cygańskim Wzgórzu, zanim się oświadczył Annice?

Jimmy i Annika pobrali się na pomoście nad jeziorem, nad którym stał stary dom, w Harpsundzie. Wynajęli go. Cóż, prywatne kontakty wszędzie są najważniejsze.

– Wystąpiła pani o adopcję siostrzenicy. Proces już się zakończył?

– Sprawa jest jeszcze w sądzie, ale mamy nadzieję, że zostanie zakończona przed końcem roku.

– Jak mała zaaklimatyzowała się u państwa?

– Dobrze – powiedziała Annika, krzyżując ręce na piersi.

Najwyraźniej nie chciała mówić o córeczce Birgitty. Za to Ellen opowiadała o niej bez przerwy. Ona, Diny i Serena spały teraz razem w dużej sypialni. Przy łóżku Diny i w kuchni na lodówce wisiały zdjęcia jej rodziców, chociaż właściwie już o nich nie wspominała. Ellen była zadowolona, że z nimi zamieszkała.

Thomas odchylił głowę do tyłu, głosy z telewizora zamieniły się w szum... A przyszłość? Rozwój mediów? Podobno bierze pani urlop. Sześć miesięcy... Tak, jestem w ciąży...

Thomas nagle się wyprostował. Czy dobrze usłyszał?

– Gratuluję – powiedziała prowadząca. – Kiedy pani rodzi?

Patrzył na ekran, na Annikę. Nie mógł uwierzyć, że to prawda. Musiał się przesłyszeć, coś źle zrozumieć.

– Wiosną.

Sięgnął po pilota i wyłączył telewizor. W pokoju zrobiło się ciemno, cisza dzwoniła mu w uszach, napierała na bębenki.

Jestem w ciąży.

Na szybie okna dachowego od podwórza pojawił się szron, zapowiadała się zimna noc. Usłyszał, jak gdzieś w dole przejeżdża samochód. Zaszumiały grzejniki, poczuł, że swędzi go dłoń, ta, której nie miał.

Był Kimś.

Nowa pani minister wreszcie go doceniła. Doceniła jego pracę. Słuchała go uważnie, kiedy jej tłumaczył, dlaczego najwyższa kara dla hejterów z sieci powinna wynosić cztery lata, tak samo jak za podsłuch. Przygotował ją na protesty komisji. Na pewno podniesie się krzyk, że ustawa będzie bezużyteczna, że policja będzie miała związane ręce, ale przecież w grę wchodziły naprawdę ważne rzeczy. Nie mogli się cofnąć nawet o milimetr. Chodziło o bezpieczeństwo.

Pani minister obiecała, że mimo sprzeciwów przeforsuje ustawę. Następnego dnia o dziesiątej miał przedstawić swój projekt na posiedzeniu rządu. Sala konferencyjna w Rosenbadzie została już zarezerwowana, przesłał też artykuł do „Dagens Nyheter".

W weekend czekał go egzamin. Ubiegał się o licencję myśliwego. Pilnie studiował teorię, poza tym ćwiczył na polach w majątku w Sätrze. Nauczył się obsługiwać broń: lufę kładł na haku, palcem wskazującym pociągał za spust.

Na wiosnę.

Przysunął do siebie laptopa, zalogował się.

Gregorius musiał to i owo skomentować.

PODZIĘKOWANIA AUTORKI

Przede wszystkim zwracam uwagę, że Annika żyje w świecie alternatywnym: daty podane w książce nie zawsze zgadzają się z rzeczywistymi.

Opowiadając o historii Hälleforsnäs i miejscowego przemysłu, opierałam się na prawdziwych wydarzeniach, pisałam o prawdziwych miejscach, ale wszystkie występujące w niej osoby, a także wiele pojedynczych zdarzeń to wytwór mojej wyobraźni.

Inspiracją do przedstawienia przyszłości branży medialnej były dla mnie artykuły i wywiady z Castenem Almqvistem, Janem Schermanem, Thomasem Mattssonem i Janem Helinem.

Wpis Gregoriusa i cztery komentarze do niego są autentyczne, zostały zaczerpnięte ze szwedzkich stron internetowych. Wpis z 3 czerwca, z godziny szesnastej pięćdziesiąt trzy, został zaskarżony. Sąd uniewinnił jego autora. Autorami wszystkich komentarzy są osoby kandydujące na stanowiska zaufania publicznego. Ich tożsamość ujawniła gazeta „Expressen" we współpracy z grupą researcherów.

Dziękuję za pomoc moim ekspertom. Oto oni:

Matilda Johansson, inspektor kryminalny Krajowego Oddziału Operacyjnego, NOA (dawna Policja Krajowa) w Sztokholmie, która pomagała mi układać policyjne scenariusze, a także udzielała informacji na temat zasad obowiązujących podczas przesłuchań i związanych z nimi formalności.

Varg Gyllander, szef działu informacji sztokholmskiej policji, Christina Ullsten, inspektor kryminalny NOA, oraz Lars

Byström, komisarz sztokholmskiej wojewódzkiej policji kryminalnej, którzy udzielili mi informacji o poszukiwaniu osób zaginionych.

Håkan Kvarnström, szef do spraw bezpieczeństwa w Telia Sonera, który udzielił mi szczegółowych informacji na temat śledzenia telefonów komórkowych.

Agneta Johansson, odpowiedzialna za rejestr ludności w Urzędzie Skarbowym. Dowiedziałam się od niej wiele na temat historii rejestrów ludności.

Dr Katarina Görts Öberg, psycholożka, która pomogła mi opisać objawy zespołu panicznego lęku i udzieliła mi informacji o metodach jego leczenia.

Mikael Aspeborg, Axel Aspeborg i Amanda Aspeborg przeczytali książkę i podzielili się ze mną cennymi uwagami. Annika Marklund i Ronie Sandahl zechcieli ze mną podyskutować o przyszłości mediów cyfrowych.

Wszyscy pracownicy wydawnictwa Piratförlag.

Thomas Bodström, adwokat, przeczytał książkę, sprawdził fakty i zechciał ze mną porozmawiać o wszelkich możliwych scenariuszach policyjnych i prawnych, a także o sprawozdaniach rządowych.

Na koniec dziękuję Tove Alsterdal, autorce powieści i dramatów, mojej redaktorce, która mnie wspierała podczas pisania całego cyklu powieści o Annice Bengtzon. Jestem ci niezmiernie wdzięczna i bardzo się cieszę, że miałaś siłę mi towarzyszyć w tej trwającej osiemnaście lat podróży.

Wszystkie ewentualne błędy i nieścisłości są całkowicie zamierzone.